El alma está en el cerebro

EDUARDO PUNSET
Biblioteca REDES

El alma está en el cerebro

Radiografía de la máquina de pensar

AGUILAR

© 2006, Eduardo Punset
© 2006, RTVE del programa *Redes*

© De esta edición:
  2006, Santillana Ediciones Generales, S. L.
  Torrelaguna, 60. 28043 Madrid
  Teléfono 91 744 90 60
  Telefax 91 744 90 93
  www.aguilar.es
  aguilar@santillana.es

Diseño de cubierta: Rudesindo de la Fuente

Primera edición: noviembre de 2006
Novena edición: marzo de 2007

ISBN: 978-84-03-09737-7
Depósito legal: M-14.095-2007
Impreso en España por Mateu Cromo, S. A. (Pinto, Madrid)
Printed in Spain

Índice

Introducción

Los domingos por la tarde en la década de 1940 —cuando yo tenía 10 años—, mi padre solía llevarme a la clínica psiquiátrica enclavada en el municipio de Vilaseca de Solcina, gestionada por la Diputación de la provincia de Tarragona. En el manicomio —como se los llamaba entonces—, mi padre cuidaba de las enfermedades ordinarias de los pacientes. De los trastornos mentales, se cuidaban otros.

Inyecciones de trementina y camisas de fuerza para inmovilizar a los pacientes excitados en exceso, mientras que el resto hacía largas colas para someterse a los electroshocks. Eran las últimas terapias que se aplicaban a aquellos cerebros desquiciados. Cada vez que, sesenta años más tarde, conversaba con los neurólogos, los fisiólogos, los psicólogos, los médicos y los estudiosos del cerebro para reconstruir este libro, revivía aquellos recuerdos de la infancia. La mayoría de aquellos enfermos no sabían de dónde venían, dónde estaban ni a dónde iban.

Desde entonces el camino recorrido por la neurociencia no tiene parangón en ninguna otra disciplina. Mi intención al escribir *El alma está en el cerebro* era, justamente, que mis lectores compartieran conmigo los descubrimientos fascinantes sobre el funcionamiento de este artilugio que llevamos dentro. Como dice el fisiólogo y neurólogo Rodolfo Llinás, los moluscos llevan el esqueleto por fuera y la carne por dentro, mientras que nosotros llevamos la carne fuera y el esqueleto dentro —con el cerebro bien a oscuras recibiendo señales codificadas del mundo exterior—. E instrucciones improbables para sobrevivir.

En Vilaseca ya se sabía entonces que los malos espíritus no eran los responsables —lo siguen siendo en una buena parte del planeta— de los desmanes mentales. Ya no se los exorcizaba. Sabíamos que el mal estaba en el propio cerebro. Que la ansiedad, el estrés, la depresión, la esquizofrenia y hasta la epilepsia eran indicios claros de que el cerebro no funcionaba bien. Durante mucho tiempo de poco sirvió este descubrimiento revolucionario cuyos detalles el lector tendrá oportunidad de ir deshilvanando en las páginas de este libro. ¡Conocíamos tan poco sobre los mecanismos del cerebro encerrado dentro del cuerpo!

Cuando se supo que el alma estaba en el cerebro, se descubrieron las bases de la neurobiología moderna: que funcionamos con un cerebro integrado, que guarda lo esencial de nuestros antepasados los reptiles y los primeros mamíferos, junto a la membrana avasalladora del cerebro de los homínidos, y que están integrados pero no revueltos; es decir, que las comunicaciones entre ellos no son necesariamente fluidas y seguras. Gracias a las nuevas tecnologías de resonancia magnética y otras hemos aprendido a identificar dónde fallan esas señales cerebrales y ahora podemos descubrir cómo funciona un cerebro locamente enamorado o las partes que permanecen inhibidas en la persona incapaz de ponerse en el lugar del otro, como les ocurre a los psicópatas.

Si muchos de los enfermos del manicomio de Vilaseca no hubieran muerto, ahora vivirían sin tanto sufrimiento y, tal vez, hasta disfrutarían de horas de sosiego leyendo las páginas de *El alma está en el cerebro*.

PRIMERA PARTE

Perdidos en el laberinto

Capítulo I

El alma está en el cerebro

A primera vista, parece bastante fácil distinguir qué es y dónde está el alma. Para empezar, algunos animales ni siquiera se reconocen a sí mismos frente a un espejo. Otros, como los chimpancés, igual que nosotros, se reconocen y tienen conciencia de sí mismos. Los seres humanos tenemos imaginación, emociones y memoria: éstas eran las tres facultades del alma, según el pensamiento antiguo.

Pero... ¿dónde está el alma? ¿Dónde se cobija? Algunos filósofos y teólogos pensaban que el alma estaba en el corazón, y otros, entre ellos los primeros grandes científicos, opinaban que el alma residía en el cerebro. Así que, al parecer, el alma se hizo carne.

Pero ¿hemos resuelto de verdad el misterio del alma con esta sencilla identificación?

EL EXTRAÑO DOCTOR THOMAS WILLIS

Nuestra mente es lo que somos. Recuerdos, emociones y experiencias se acumulan en el cerebro fijándose en las uniones electroquímicas entre los millones de neuronas que contiene. Alma o psique cabe en el poco más de kilo y medio de tejido cerebral, el mismo que el filósofo Henry More describía como «esa desestructurada, gelatinosa e inútil sustancia». Casi todos sus colegas pensaban como él. Y no era raro.

En la Inglaterra de mediados del siglo XVII, el alma es un principio inmortal e inmaterial que piensa, siente y rige el cuerpo; el cerebro, por el contrario, parecía una glándula de aspecto desagradable y de irritante inutilidad. En ese momento histórico, alguien acuña la palabra «neurología». Thomas Willis (1621-1675), junto a un grupo de sabios, inauguró una nueva era: la «era neurocéntrica» en la que nos encontramos hoy, donde cerebro y mente son dos conceptos inseparables.

Willis estudió con detalle la estructura cerebral y propuso una nueva concepción de la mente: para él, pensamientos y emociones eran tormentas de átomos en el cerebro. De alguna manera, abrió el camino teórico que habría de llevar al descubrimiento de los neurotransmisores varios siglos después. Si Descartes estaba equivocado, si no había espíritu y todo era materia, los males del alma serían necesariamente físicos. Willis propuso entonces que los trastornos mentales, como la depresión, se podían curar con sustancias químicas y preparados farmacéuticos capaces de restablecer el equilibrio del fluido nervioso. Hoy forman parte de nuestra cultura los fármacos contra la ansiedad o la depresión, la timidez o la hiperactividad.

Puede que formalmente las teorías de Willis se parecieran más a la alquimia que a la ciencia moderna, pero es innegable que dio los primeros pasos hacia las concepciones de «mente» y «cerebro» que tenemos hoy. Willis inauguró hace más de tres siglos nuestra era: la era del cerebro.

Carl Zimmer es un divulgador científico bien conocido; escribe regularmente en las páginas científicas del *New York Times* y está comenzando a destacar como uno de los mejores ensayistas en el campo de la historia de la neuroanatomía. Es autor de *Soul Made Flesh: The Discovery of the Brain and How It Changed the World* (Free Press, 2004). En *Redes* quisimos saber cuál era su opinión en el intrincado asunto del alma y el cerebro.

Para empezar, los paleontólogos aseguran que la idea del alma parece un concepto tardío respecto a otras ideas, como la necesidad de fabricar herramientas, por ejemplo. Sin embargo, es increíble la persistencia de la idea del alma, que no se ha abandonado desde su «descubrimiento». ¿De dónde nació esta idea? Zimmer asegura que la idea del alma, o de algo parecido al alma, probablemente surgió hace mucho tiempo, tal vez hace un millón de años, o unos cuantos cientos de miles de años. La idea del alma ha evolucionado con el hombre y se ha sometido a las leyes que conforman nuestros conceptos, y aplicamos sobre esa idea nuestras previsiones e imaginaciones. «Podemos obtener pruebas de esta evolución realizando estudios psicológicos: tendemos a ver un agente en las cosas. Nuestros cerebros están programados para entender las intenciones de los otros, pero también podemos llegar a ver una intencionalidad en un círculo que se mueve por una pantalla; si se desplaza de un modo concreto, quizá digamos: "Mira, el círculo está persiguiendo al cuadrado". Así que atribuimos alma incluso a las formas abstractas. Se trata de un instinto muy nuestro. Me parece que es bastante probable que ese instinto, ese deseo de entender a la gente, diera lugar al concepto de alma. Y no solamente se trata de un deseo de comprender a las personas que nos rodean: en la Edad Media se creía que incluso los árboles o las rocas tenían alma».

Según Carl Zimmer, en la Naturaleza había almas por doquier, porque siempre que percibimos algo parecido a una acción o cambio, creemos ver un alma.

Para las culturas antiguas, sin embargo, la cuestión principal en este punto era averiguar dónde se situaba el alma. Respecto a los seres humanos, por ejemplo, los sacerdotes extraían el cerebro de los cadáveres cuando preparaban el viaje al más allá y, sin embargo, dejaban intacto el corazón porque creían que era el motor de la vida y que, probablemente, allí residía el espíritu.

«Sí, en el Antiguo Egipto creían que el corazón era el centro de la vida y, por tanto, el alma residía en el corazón», nos explicaba Zimmer. «Aristóteles también pensaba que el corazón constituía el centro de la vida. Muy poca gente pensaba en el cerebro como lo hacemos ahora, como el lugar en el que se ubica nuestro sentido del yo, nuestra personalidad, nuestros recuerdos. El corazón, como residencia del espíritu, fue un concepto muy poderoso durante siglos. En la Edad Media se creía que cada persona tenía tres almas: una en el hígado y otra en el corazón; la tercera era el alma racional, el alma del cristianismo, que no se ubicaba en ningún lugar concreto porque se trataba de un alma inmaterial. Así que el corazón siguió considerándose como un órgano central en lo relativo al alma, y por eso tenemos imágenes de Jesús abriendo su corazón».

Las imágenes de Jesús abriendo su corazón guardan relación con esa idea del hombre mostrándonos su verdadero yo. Lo más recóndito de cada ser estaba en el corazón. Zimmer utiliza el humor para explicar este concepto: «Jesús no abre su cráneo y nos muestra su cerebro. Nunca he visto una imagen de este tipo». Las ideas culturales son muy persistentes en este aspecto y hoy mantenemos frases formularias como «abrir el corazón a alguien», «partir el corazón», «con el corazón en la mano»; todas ellas son herencia de esa idea antigua según la cual lo más profundo de un ser humano se halla, precisamente, en el corazón.

Pero finalmente, como se ha señalado, apareció Thomas Willis con su revolucionaria teoría. Él fue el primero que advirtió que todo estaba en el cerebro. Y, en cierto modo, se refería al hecho de que el alma se transforma en carne en el cerebro. «Desde luego, se trataba de un modo totalmente nuevo de reflexionar sobre la naturaleza humana», dice Carl Zimmer. «Willis afirmaba que la memoria, la capacidad de aprendizaje y las emociones eran en realidad producto de los "átomos" del cerebro, de la química. Nadie había pensado eso antes. Claro, hoy en día todos pensamos así, lo damos por sentado; pero en el siglo XVII fueron Thomas Willis y sus colegas los que llegaron a esta idea por primera vez. Se trataba de una idea revolucionaria».

Willis tal vez fue el primero que afirmó que el alma es carne y que está en el cerebro. Sin embargo, él no fue perseguido por sus ideas como ocurrió con otros. Hubo grandes persecuciones contra filósofos, teólogos y científicos que profesaban ideas parecidas a las de Willis. Descartes, por ejemplo, sufrió el acoso de la Iglesia, y Thomas Hobbes fue perseguido por los obispos de Inglaterra cuando declaró que la mente no era más que materia en movimiento. El caso de Thomas Willis es distinto, porque él tuvo la precaución de dejar espacio a la noción cristiana del alma. Él mismo era un cristiano tremendamente devoto y no cuestionaba los conceptos básicos del cristianismo, según Zimmer. «Simplemente quería analizar el cuerpo humano y aprender cosas sobre él y, por el camino, aprender cosas sobre el alma». De modo que a él no le parecía que pudiera darse ningún conflicto entre anatomía y teología, y tampoco los líderes religiosos de Inglaterra consideraron que sus ideas y opiniones pudieran generar un choque de intereses. Además, Willis era un científico con muy buenos contactos. Uno de sus amigos era el arzobispo de Canterbury, el principal mandatario religioso de la Iglesia en Inglaterra, así que gozaba de cierta protección.

Thomas Willis fue también un pionero en otros aspectos. Por ejemplo, sospechó que los seres humanos tenemos un cerebro «integrado», es decir, que hemos heredado el cerebro de los reptiles y que, al evolucionar como mamíferos, no descartamos el cerebro de los reptiles, sino que lo mantenemos perfectamente integrado en un cerebro mayor. Willis observaba el cerebro de los peces, de los monos o de las vacas; analizaba estos cerebros y establecía semejanzas y diferencias. El cerebro humano se parecía mucho al cerebro de otros animales, y Thomas Willis creía que si el cerebro de un animal tenía las mismas partes que un cerebro humano, podría establecerse una correlación entre ambos. Por ejemplo, estaba persuadido de que un caballo recordaría dónde había buena comida en el prado utilizando las mismas partes cerebrales que nosotros utilizamos para recordar dónde está la despensa. La diferencia residía básicamente en que los humanos tenemos un cerebro mayor, capaz de «más pensamientos». Estas ideas prefiguran realmente un tipo de pensamiento evolucionista, aunque Thomas Willis jamás lo hubiera expresado así. Para él era una prueba más del ingenio de Dios como creador, como diseñador del mundo. Carl Zimmer no duda en afirmar que Willis fue evolucionista doscientos años antes que Darwin: «Efectivamente, él brindó las pruebas que Darwin utilizaría con tanta elegancia para forjar la teoría de la evolución doscientos años después».

Hay otra peculiaridad fascinante de Thomas Willis... Él decía que había algún tipo especial de espíritu que iba del cerebro a los testículos. ¿Cómo llegó a establecer esa relación? Desde luego, Willis no podía hablar de genética, pero sugirió que había una especie de información que se transmitía de una generación a otra. Zimmer cree que lo fascinante de Thomas Willis y de su época es que sencillamente desconocían conceptos que ahora damos por sentados. «Por ejemplo, no sabían nada del ADN. De nuevo, él sólo hacía observaciones y buscaba explicaciones para las observaciones. Veía que los niños nacen y se parecen a sus padres, y crecen para convertirse en adultos que se parecen a otros humanos adultos. Así que tenía que haber algo ahí... tenía que existir lo que llamaríamos "información", algo que se transmite para crear a otra persona. Y se le ocurrió que el único lugar en el que había ideas era el cerebro».

Desde luego, si sólo existe información en el cerebro y hay una parte de la información que pasa de padres a hijos sin motivo aparente, debería existir una conexión entre el cerebro y los testículos. «Evidentemente: tenía que haber una conexión». Willis buscaba algo físico, algún tipo de vaso conductor o algo que fuera directamente del cerebro a los testículos. Nunca lo encontró. De manera que ese fracaso debería haberle dado una pista de que tal vez se trataba de otro tipo de información... Es lo que actualmente llamamos información genética. Pero fueron necesarios siglos de investigación para llegar a esbozar ese planteamiento.

Otra idea pionera y fantástica de Willis atañe a la posibilidad de curar mediante procesos químicos. Él estaba plenamente convencido de que los fármacos y las manipulaciones físicas podían curar todas las enfermedades. No tenía ninguna duda al respecto. Así que, en cierto modo, de nuevo, estaba avanzando lo que sería la futura neurofarmacología. «Sí. Creo que en este sentido Thomas Willis jugó un papel realmente decisivo», afirma Zimmer. «Se trata de algo que suele pasar desapercibido: su idea era que se podían curar todas las enfermedades mentales mediante la alteración química de la actividad cerebral. Por ejemplo, él explicaba que un ataque epiléptico podía estar causado por un descontrol químico, como la pólvora que explota si no se mantienen ciertas condiciones en el entorno. Se trataba de una manera de razonar muy distinta a la que imperaba entonces, cuando la gente decía que los epilépticos estaban poseídos por el demonio». Y en el caso de la melancolía, Thomas Willis recetaba una especie de jarabe confeccionado mediante una fórmula secreta. Y se hizo rico con sus pócimas. Se lo administraba a la gente diciendo: «Esto te curará porque modificará la química de tu cerebro». En realidad, éste es el paradigma con el que trabajamos en la actualidad: cuando alguien toma Prozac u otro medicamento cualquiera, lo hace con la convicción de que podrá modificar los aspectos fisiológicos nocivos que le están afectando y lo hace con la convicción de que esa sustancia química modificará los elementos negativos. «No es tan difícil modificar las acciones del cerebro», explica Zimmer. De hecho, si bebemos vino —una sustancia química—, nuestro cerebro modifica notablemente su capacidad de atención, de percepción, y, por tanto, se modifica también nuestro carácter. La pregunta es: si operamos con sustancias químicas en nuestro cerebro, ¿cambiaremos del modo que realmente queremos? ¿Serán esas sustancias químicas la mejor manera de cambiarlo?

Thomas Willis fue uno de los primeros en abordar las enfermedades mentales desde una perspectiva farmacológica. Para él, los trastornos del cerebro se podían corregir manipulando los «átomos» que lo componen. Hasta 1630, la melancolía —que actualmente llamaríamos depresión— se trataba con la astrología, con la acción sobre los cuatro humores de Galeno y con rezos a Dios.

Willis revolucionó el tratamiento de esta enfermedad, y empezó a recomendar un jarabe y charla agradable como terapia. Y aunque los fundamentos eran correctos, la efectividad de su jarabe de acero y ciempiés triturados era más que dudosa. Según él, este tratamiento eliminaba los elementos responsables de la melancolía: los corpúsculos de sal y sulfuro de la sangre.

Durante trescientos años, la psicofarmacia fue más un sueño que una realidad. Con Sigmund Freud se impuso el psicoanálisis y se abandonó el uso de fármacos para tratar las enfermedades mentales. El resurgimiento de las drogas se produce después de la Segunda Guerra Mundial, cuando se empieza a usar la torazina y otros componentes químicos para mejorar determinadas dolencias. Los neurocientíficos descubrieron que estas drogas podían modificar la concentración de dopamina y otros neurotransmisores. De pronto, pareció que sólo era cuestión de ajustar los niveles químicos, tal y como Willis había predicho.

La fluoxetina, más conocida por su nombre comercial, Prozac, se utiliza actualmente para tratar la depresión y el trastorno obsesivo compulsivo. Cuando salió al mercado, en 1990, representó una revolución en la psicofarmacia por sus bajos efectos secundarios. No creaba adicción y los efectos de una sobredosis no eran muy graves. La fluoxetina actúa sobre el sistema nervioso central; concretamente, sobre los niveles de serotonina. Se cree que la depresión está relacionada con un desequilibrio en los niveles de este neurotransmisor, de modo que un bajo nivel de serotonina entre las neuronas provoca la depresión. La fluoxetina evita que las células capten serotonina, de modo que la cantidad de neurotransmisor entre las neuronas será mayor. Como sucede con la mayoría de psicofármacos, se desconoce el mecanismo de acción preciso de esta molécula: lo único que podemos ver son sus efectos.

Willis se había hecho rico con sus tratamientos, pero probablemente no daría crédito a las cifras que estas moléculas movilizan a día de hoy. Sólo los antidepresivos mueven más de doce mil millones de dólares en Estados Unidos.

Actualmente existen drogas para una gran cantidad de trastornos mentales. El modafinil mejora la memoria y levanta el ánimo; la ritalina suele utilizarse en niños con déficit de atención e hiperactividad. Hay drogas para dormir y drogas para mantenerse despierto...

MERCADO DE CADÁVERES

Londres, 1690. La bruma cubre un viejo cementerio de las afueras de la ciudad. Mientras resuenan los ecos de un campanario lejano, dos hombres armados con picos y palas escarban en una tumba reciente. Desentierran el cuerpo de un pobre hombre que había sido sepultado esa misma tarde.

¿Quiénes son estos hombres?

Ser ladrón de cuerpos era un oficio muy lucrativo a finales del siglo XVII. Los hospitales universitarios pagaban muy bien los cuerpos que necesitaban para realizar sus estudios anatómicos. En esa época apenas se podía imaginar que alguien pudiera donar el cuerpo a la ciencia y la única forma de obtener material humano era utilizar métodos ilícitos.

Esta situación generó una escalada de estrategias entre los ladrones de cuerpos y los familiares, que no deseaban ver profanadas las tumbas de sus seres queridos. Se inventaron ataúdes reforzados, sistemas antirrobo e incluso se puso de moda vigilar los cuerpos hasta que se pudrieran para enterrarlos luego sin riesgo de profanación. Por su parte, los ladrones de cuerpos llegaban a actuar de un modo sorprendente, atrevido y descabellado: llegaban a robar el cuerpo durante el funeral ante la mirada horrorizada de los familiares.

Las familias más pobres no podían pagar las medidas de seguridad necesarias, de modo que eran las más afectadas por el expolio de cuerpos. Inevitablemente, los que tenían menos recursos terminaban en las mesas de disección.

Pero esta macabra situación tenía otras implicaciones. La miseria está asociada a un estilo de vida determinado, donde son frecuentes la malnutrición crónica, las infecciones por parásitos y el estrés por sobrevivir. Estos rasgos específicos generan un determinado aspecto físico y un volumen distinto de los órganos internos.

Esto provocó que los médicos y estudiantes empezaran a tomar como «normales» los tamaños de los órganos de las personas pobres, y lo que aparentemente sólo debería haberse considerado una variante debida al estudio de un grupo concreto de muertos provocó serias consecuencias en los vivos. Por ejemplo, en situaciones de estrés, las hormonas segregadas por la glándula adrenal provocan un aumento del timo. Un médico que empezó a estudiar el síndrome de la muerte súbita en los bebés observó que los bebés que fallecían por este motivo tenían el timo más grande de lo normal. Lo que estaba sucediendo es que los timos que él consideraba normales y utilizaba como referencia eran los timos atrofiados de los cadáveres de los pobres. Esta observación le llevó a una apreciación errónea: creyó que la muerte súbita en los bebés se debía a un timo demasiado grande que terminaba ahogándolos. De modo que se empezó a irradiar los timos de los bebés sanos de forma rutinaria, para reducirlos, creyendo que así se evitaba este síndrome. Lo que se provocó fue un aumento del cáncer de tiroides y problemas de desarrollo en muchos niños. Esta práctica se prolongó hasta el año 1930.

¿Qué errores podemos estar cometiendo ahora basándonos en datos erróneos? La secuencia del genoma humano con la que los científicos están trabajando corresponde sólo a cinco individuos. ¿Qué nuevos tratamientos se desarrollarán basándose en estos datos sesgados y parciales? Sólo el tiempo nos dará la respuesta.

Autopsia de don Quijote

Efectivamente, los médicos antiguos —y los modernos— investigan el cuerpo humano y constantemente descubren que en los distintos órganos no está la razón de lo que buscaban, y encuentran nuevas redes que enlazan unos con otros, nuevas causas y nuevas consecuencias.

En la búsqueda del alma, Descartes imaginó una estructura que llamaba «la red extensa» (la materia) y, paralelamente, una organización que podría denominarse conciencia, alma o pensamiento. René Descartes estudió cómo la materia interactuaba con el alma y cómo el alma interactuaba con la materia. El lugar donde se producía esta interconexión era la glándula pineal. Así pues, tanto Willis como Descartes, como otros muchos anatomistas y científicos, centraron el lugar del alma o, por decirlo de otro modo, convirtieron el alma en carne. En el siglo XVII, como advirtió Alvar Martínez, historiador de la Ciencia en la Universidad Autónoma de Barcelona, en el programa que dedicamos a este tema, los anatomistas realizan disecciones y uno de los territorios que intentan describir es precisamente el cerebro y todo el sistema nervioso. Su estudio va revelando que existen unas configuraciones cerebrales concretas que sirven para determinadas acciones, y se van radicando o localizando los actos voluntarios en un lugar, las sensibilidades en otro... En definitiva, se van localizando y ubicando cada una de las facultades del cerebro, antes llamadas «facultades del alma».

A finales del siglo XVI y principios del XVII, Miguel de Cervantes redactó las aventuras de un «loco», un personaje que tenía perturbadas sus facultades mentales, al menos en alguna medida. ¿Qué le ocurría al protagonista de la novela cervantina? ¿Tenía alucinaciones? ¿Los médicos y los cirujanos definían aquellas locuras como una parte de su carácter o como una patología? Nuria Pérez, coautora del libro *Del arte de curar en los tiempos de don Quijote* (ACV, 2005), nos explicaba en *Redes* que uno de los primeros médicos que se interesó por hacer un diagnóstico de don Quijote fue un cirujano del Real Colegio de Cirugía San Carlos de Madrid, el cual aseguró que lo único que se le podía reprochar a Cervantes era que no se hubiera decidido a transcribir la autopsia de su protagonista. Este médico, en fin, entre bromas y veras, lamentaba que no se hubiera hecho la autopsia del enfermo para saber qué le ocurría y cuál era su locura, «porque, en realidad, en ese momento se tenía la convicción de que podría encontrarse algún signo físico o anatómico que relacionara la materia con la enfermedad mental».

Para Nuria Pérez, esto representaba un cambio esencial en el modo de entender el cuerpo humano: «Hasta el siglo XVII, la medicina se transmitía a través de los libros principalmente. Pero a partir de esas fechas, el libro queda relegado en segundo término y prevalecen la experiencia personal y la observación atenta del cuerpo humano».

En esta búsqueda interminable del tesoro humano —el alma— los científicos llegaron al corazón: probablemente fue una desilusión tremenda descubrir que sólo era un músculo, imprescindible para la vida, pero un músculo al fin y al cabo. «En el corazón radicaba el alma emotiva», nos decía Francesc Bujosa, historiador de la Universidad de las Islas Baleares (UIB). «Aún había otras dos partes del alma: el alma concupiscible estaba en el vientre y el alma consciente estaba en el cerebro. Pues bien, las referencias al corazón como depositario de las emociones es un recuerdo fosilizado de esas teorías».

Alvar Martínez, historiador de la Universidad Autónoma de Barcelona, nos decía que el corazón siempre ha sido una víscera especial entre las vísceras, hasta el punto de que el cerebro y el hígado eran secundarios al propio corazón. «El corazón era el primero en moverse, el último en morir: era un lugar sanguíneo por excelencia. Pero, al mismo tiempo, la tradición científica, la tradición filosófica y la tradición médica afirmaban que el corazón era incandescente. Es decir, que el calor se transmitía por todas las arterias desde el corazón al resto del cuerpo. El corazón era como el hogar, como la chimenea en la casa: desde allí se distribuía el calor. Lo que les resultaba sorprendente a los anatomistas es que no se pudieran encontrar restos de esa incandescencia cuando se realizaban las disecciones. Luego, cuando se empezaron a utilizar los termómetros, los termoscopios rudimentarios del siglo XVII, se dieron cuenta de que la temperatura del corazón era la misma que la del hígado y otras vísceras».

El descubrimiento de la circulación sanguínea provocó algunas interpretaciones erróneas curiosas. Por ejemplo, se creyó que el sistema nervioso también debía de tener forzosamente una estructura circulatoria, y por esa red fluirían los espíritus animales o los espíritus vitales.

EL CEREBRO... POR DENTRO

Desde la época de Willis hasta nuestros días, los conceptos «mente», «cerebro» y «alma» han cambiado mucho y se ha avanzado sustancialmente en los estudios anatómicos, neurológicos y fisiológicos. En aquella época, prácticamente no había métodos de localización cerebral y todo lo que se podía hacer era postular hipótesis. En la actualidad se trata de localizar áreas cerebrales con muchísima exactitud, utilizando fundamentalmente métodos de estimulación eléctrica —y, en algunos casos, magnética— para identificar áreas cerebrales.

La identificación de las funciones de las distintas partes del cerebro es de gran utilidad en las operaciones de extirpación de focos epilépticos, por ejemplo. Conocer bien su disposición permite al médico encontrar el camino adecuado hasta el foco que debe eliminarse sin dañar ninguna parte importante. En el caso de los pacientes epilépticos es fundamental identificar las regiones que deben protegerse. En actuaciones de ese tipo, lo que se hace es estudiar mediante electrodos las estructuras cerebrales responsables de distintas actividades humanas, como el movimiento, en el área motora primaria, o la región responsable de la comprensión del habla, o la región donde se centraliza la actividad visual o la zona sensorial primaria. Por ejemplo, se colocan series de electrodos (hasta sesenta) sobre la superficie cerebral y, mediante estímulos eléctricos, se puede ir comprobando cuál es la respuesta clínica del paciente: puede ser un movimiento de un miembro, o la percepción de una sensación, o cierta incidencia en las operaciones del habla. Aplicando corrientes eléctricas en las diferentes zonas de la corteza cerebral se puede ver cómo se generan distintas reacciones fisiológicas, dependiendo del lugar donde se encuentre cada electrodo.

No todos los pacientes tienen las mismas áreas exactamente en las mismas regiones. Puede haber una variabilidad de medio centímetro o un centímetro en la localización de un área y es precisamente esta variabilidad la que se pretende conocer mediante las técnicas modernas: se trata de confeccionar un mapa cerebral. Mediante «mantas de electrodos» situadas sobre el cerebro de un paciente, y estimulando distintas zonas, se puede confeccionar un mapa cerebral, puesto que las respuestas químicas se registran en una unidad de vídeo. El proceso es tan «simple» como aplicar una estimulación eléctrica en una zona concreta y podremos registrar movimientos involuntarios en su cuerpo, hormigueos, dificultades para el habla o cualquier operación fisiológica. Una vez que se confecciona el mapa del cerebro, los médicos y cirujanos pueden actuar sin dañar zonas que no tienen relación con su enfermedad y que deben quedar preservadas de cualquier intervención.

EL ALMA EN LAS NEURONAS

Ya hemos visto que el cerebro es física y química, pero las consecuencias de esos procesos físico-químicos son las ideas, y una idea recurrente entre los seres humanos es preguntarse si se mantiene algo después de la muerte. Los hombres y las mujeres están dispuestos a admitir el carácter inevitable de la muerte, y no les importa en exceso que sus átomos se desconecten, pero a duras penas pueden entender que todo concluya ahí: ¿la idea del yo es también cerebral? ¿Es también material químico? ¿La idea del yo puede desaparecer del cerebro?

Carl Zimmer admite que estas preguntas son inquietantes: «Cuando observamos a alguien que padece la enfermedad de Alzheimer u otro tipo de daño cerebral, realmente puede verse cómo el yo de esa persona desaparece: se destruye paulatinamente a medida que el cerebro se va destruyendo. Esto puede observarse perfectamente. Observando ese proceso, uno no puede forjarse la ilusión de una muerte súbita y pensar que el alma o el yo se vaya a otro lugar, como a través de una puerta. Cuando se observa a alguien que tiene Alzheimer, lo que se aprecia es que el yo, simplemente, se desintegra».

Lo que también puede apreciarse cuando se observa este tipo de dolencias es que el yo cambia... ¿Es que puede cambiar el alma? Una persona puede transformarse completamente si sufre una demencia: un conservador puede pasar a ser muy liberal, o puede comenzar a vestirse de un modo completamente distinto, o puede decidir hacerse pintor... De pronto, ya no parece la misma persona y apenas puede recordar su propio yo... o su yo anterior. «De hecho, pueden estudiarse los cerebros de estas personas y se puede observar que se han producido cambios físicos en el cerebro que, a su vez, cambian a la persona», confirma Zimmer.

El «yo» es un concepto muy importante en Occidente y la simple idea de que el yo pueda desaparecer... causa estragos. Nuestra idea del yo es mucho más profunda que el simple reconocimiento de uno mismo. Los chimpancés también son conscientes de sí mismos y se reconocen en el espejo, pero nosotros, además de reconocernos, somos capaces de imaginar y generar convicciones. Algunas de estas convicciones pueden demostrarse y otras no pueden demostrarse en absoluto. ¿A qué categoría pertenece la idea del yo? ¿Es simplemente una convicción que hemos generado? ¿Es una idea imaginativa que supone que hay algo más que redes neuronales y neurotransmisores? ¿Cómo surgió esta idea del yo?

Carl Zimmer asegura que el cerebro actúa de un modo distinto cuando pensamos en nosotros mismos. (Se ha estudiado desde una perspectiva neurológica, a través de gammagrafías cerebrales). «Hay ciertas regiones cerebrales que parecen coordinar un tipo especial de pensamiento al pensar en nosotros mismos».

Así que, en realidad, el yo es la manera especial que tiene el cerebro de identificar todo lo que tiene que ver con nosotros mismos. Y, sobre todo, el yo debe entenderse como un proceso o una organización cerebral. Al menos, así es como los científicos empiezan a considerarlo. Y cuando se altera esta red, empiezan los problemas del yo. Es entonces cuando la persona ya no se parece a lo que era, porque no puede retomar su memoria autobiográfica. Simplemente, la persona no recuerda quién es. Según Carl Zimmer, quizá la manera de regular las emociones al pensar en uno mismo también cambia y, por tanto, emocionalmente parece otra persona.

Los científicos piensan así sobre el yo. Pero todavía quedan muchas cosas por entender. Como sugirió Einstein, la conciencia y el cerebro siguen siendo el gran misterio de la Humanidad.

Capítulo II

Pensamiento consciente
y decisiones inconscientes

Desde tiempo inmemorial hemos pensado que los humanos somos libres a la hora de tomar una decisión y, sin embargo, estamos descubriendo que nuestra parte consciente, la que puede describirse a la hora de tomar una decisión, no es más que la puntita del iceberg de un inconsciente individual y colectivo que nos determina y del que no sabíamos casi nada. Lo estamos descubriendo... ahora.

EJEMPLOS DE INTUICIÓN Y REFLEXIÓN

Tiene delante de usted dos mazos de naipes. Puede elegir cartas sucesivas del mazo que desee. Si saca usted una carta negra, gana el equivalente de su número en euros. Si saca una carta roja, le tocará pagar. ¿De acuerdo? Muy bien. Adelante. ¡Un diez! ¡Felicidades! Ha ganado diez euros. Saque otra. ¡Vaya, un seis rojo!

A la larga, uno de los mazos será su ruina. ¿Cuántas cartas cree que va a necesitar para descubrir la sucesión de cartas que hemos preparado? Otros jugadores han necesitado unas ochenta cartas. Mírese las manos: están sudando desde que le ha dado la vuelta al décimo naipe. ¿Oye eso...? Su corazón se ha acelerado. Usted se está estresando porque su intuición hace tiempo que le ha indicado cuál era la solución. ¿Por qué sigue cogiendo cartas?

En fin, conocer una sucesión de cartas o intuir cómo pueden estar dispuestas es relativamente sencillo. Conocer a las personas es más complejo.

Usted va a entrevistar a un hombre. Se ha presentado en su empresa por una oferta de trabajo: su currículum es notable, pero usted debe conocerlo a fondo para saber si es adecuado para el puesto. ¿Es trabajador? ¿Es honrado?

Para conocer a esa persona tiene usted dos opciones: puede salir con él durante un par de días a la semana, durante un año, y hacerse su amigo... Salir a tomar algo, ir al cine... Esto le permitirá recabar una buena cantidad de información sobre él. La otra opción es entrar en su casa y observar su reducto íntimo durante media hora. ¡Qué ropa más ordenada! ¡Libros! ¿No cree usted que saber lo que lee y lo que come o lo que no come dice mucho de esa persona? ¡Anda, una guitarra...! ¿No será uno de *esos* hippies...? El candidato nos puede confundir con sus palabras y gestos, pero su espacio íntimo es como un libro abierto.

Conocer a las personas es complicado. Confiar en ellas, a pesar de conocerlas, es aún más difícil.

Este señor es su médico de cabecera, le trata a usted desde hace muchos años, es simpático y siempre le escucha con atención. Conoce a toda su familia. Sin embargo, no sabe usted por qué, pero sus tratamientos nunca acaban de funcionar.

—Esto debe de ser un virus... ¿Te has tomado una aspirina?

Como sus tratamientos no funcionan, visita usted a otro médico. Este caballero es un gran doctor: ha estudiado en el extranjero, en los mejores hospitales, tiene su historial completo y usted lo ha analizado con detalle. Él tiene claro cuál es el remedio a sus males.

—Le voy a recetar un antibiótico que se tendrá que tomar cada ocho horas.

Pero... ¿por qué no se fía de él?

—Doctor, ¿qué me pasa? ¿Qué tengo?

—Nada. Tómese el antibiótico. Mi enfermera le dará hora para dentro de quince días.

¿Sabe usted que este médico tiene muchas más posibilidades de que lo denuncie por negligencia médica que el otro? Los médicos que no escuchan a sus pacientes y no dan explicaciones terminan en los tribunales.

Nos gusta pensar que nuestras decisiones son el producto de una minuciosa valoración de los pros y los contras. Incluso llegamos a creer que lo que vemos o lo que percibimos se adecua perfectamente a lo que pensamos. ¿Recuerda lo que ocurrió cuando tuvo que declarar ante la policía porque le habían robado?

—A ver, ha dicho que era moreno, ¿no? —le preguntó el agente.

—Moreno... sí, bueno... sí... Creo que sí.

—¿Lo vio o no lo vio?

—Sí, lo vi... Pero es que todo pasó como muy rápido —contesta usted.

—¿En qué quedamos? ¿Era rubio o moreno?

—Sí, moreno, moreno... Era moreno. Seguro.

—¿Alto o bajo?

—Bueno, en eso me fijé porque... Sí... me pareció un tipo bastante alto.

Cuando los policías prepararon la rueda de reconocimiento con varios delincuentes, usted señaló a uno de ellos. Y no se equivocó, aunque ni siquiera podría decir con total seguridad que le había visto el rostro.

Muchas veces tomamos decisiones basándonos en nuestra intuición: son decisiones rápidas, no reflexionadas. Pero... ¿son por eso menos buenas?

El inconsciente toma decisiones que influyen mucho a la hora de configurar una personalidad. El inconsciente se vale de información, fuentes y datos a los que no se tiene acceso conscientemente: esto es lo importante. Lo importante no es la cantidad total de información que asimila una persona, sino qué porcentaje de esta información está utilizando la mente. En realidad, sólo manejamos una pequeñísima parte de la información y una persona ni siquiera puede saber exactamente los motivos por los que toma las decisiones que toma. La mayor parte de las decisiones que se toman tienen un responsable: el inconsciente.

Test de Rorscharch

Este test está formado por diez manchas de tinta simétricas diseñadas por Hermann Rorscharch en la década de 1920. Aparentemente, esas manchas no significan nada, pero al sujeto paciente se le pide que explique qué ve en ellas. De las apreciaciones del sujeto, los psicólogos especializados —y sólo ellos— pueden extraer consecuencias. Anne Andronikoff, presidenta de la Sociedad Internacional Rorscharch, nos explicaba que «estas diez manchas de tinta son la excusa para que alguien nos muestre su particular visión del mundo, y a través de sus respuestas podemos interpretar y averiguar cómo percibe su entorno, qué siente sobre sí mismo y sus actitudes hacia sus representaciones internas».

El sujeto puede decir que tal mancha o tal parte de una mancha concreta se parece a una mariposa, o es un lobo, o una señora con los brazos extendidos, o un señor con los pies grandes... Pero una respuesta aislada no significa absolutamente nada en el test de Rorscharch, como nos explicaba Pilar Ortiz, profesora de Psicología de la Universidad Complutense de Madrid. «Tenemos que evaluar las respuestas integradas en el conjunto y considerar las muchas variables que intervienen. ¿Es una buena respuesta "una mariposa"? No, este test no funciona así. A priori no hay respuestas buenas ni malas en el test de Rorscharch».

La formación para poder trabajar con el test de Rorscharch es muy larga y muy compleja, pero los especialistas como Pilar Ortiz aseguran que ofrece una gran información acerca de la personalidad del sujeto. La ventaja de este test sobre otras pruebas o cuestionarios de personalidad es que el sujeto no sabe qué se le está preguntando y no puede intentar dar una buena imagen de sí mismo porque no sabe si la respuesta le favorece o no desde el punto de vista moral o social, por ejemplo. En el test de Rorscharch, el sujeto no puede hacer uso de sus habilidades sociales y no puede manipular las respuestas o engañar al psicólogo, simplemente, porque no sabe si su respuesta es «buena» o no. Según Pilar Ortiz, este test ha sido estudiado profundamente en términos de fiabilidad y, «en este momento, es una prueba sólida, no solamente desde criterios clínicos, sino también desde criterios psicométricos».

En todo caso, conviene recordar que algunos desaprensivos han estado utilizando el test de Rorscharch durante mucho tiempo, lo cual ha desembocado en la desconfianza de algunos expertos. Se trata de una prueba complejísima cuyos resultados sólo pueden evaluar especialistas.

RELACIONES HUMANAS Y DESPRECIO

Malcolm Gladwell es periodista de la revista *New Yorker* y la última revelación de la divulgación científica americana. En su último libro *Inteligencia intuitiva: ¿por qué sabemos la verdad en dos segundos?* (Taurus, 2005) habla de la capacidad de cognición rápida que tiene nuestro cerebro: la poderosa percepción subconsciente del ser humano.

Gladwell, en principio, asegura que el juicio instantáneo puede tener tanta validez como el que se toma tras meses de reflexión y acumulación de información. Lo sorprendente es que nuestros juicios instantáneos son tan fiables —según este autor— como las decisiones que se toman lógica y razonablemente. Entonces, cabría deducir que lo que sucede en nuestro inconsciente es mucho más importante que la cantidad de información disponible conscientemente.

Uno de los aspectos más interesantes de este conocimiento intuitivo quizá esté vinculado a las relaciones que mantenemos con otras personas. Los expertos han descubierto que hay pautas recurrentes y características en las relaciones y que, por ejemplo, se puede pronosticar el futuro de una pareja en función de esas pautas.

«Cuando dos personas interactúan durante cierto tiempo, la interacción no es aleatoria», afirma Gladwell. «Si estoy casado, mi mujer y yo no nos comportaremos de un modo totalmente nuevo cada vez que nos veamos: tenemos una manera de relacionarnos bastante coherente que se ha labrado con el tiempo. Y lo que argumentan los investigadores, y lo que demuestran, es que la pauta que sigue la gente al relacionarse se puede identificar. Es posible captar esta pauta muy rápidamente. Y, además, esta pauta nos permite predecir cómo acabará esa pareja».

Según estas investigaciones, se puede saber si tienen lo que hay que tener para permanecer juntos. Se trata de un descubrimiento realmente interesante que se puede extrapolar: lo que se nos dice es que en el mundo existen pautas y podemos predecir cómo se resolverán las distintas situaciones de la vida si sabemos qué debemos buscar y en qué debemos fijarnos. «En mi opinión», concluye Gladwell, «todo esto refuerza la idea de que este tipo de impresiones inmediatas o instantáneas que tenemos pueden ser muy útiles, porque lo que hacemos es captar intuitivamente ese tipo de pautas».

En ese caso, podríamos averiguar cómo son realmente los niños en la escuela o los trabajadores de una empresa: si somos capaces de descubrir esas pautas, sabremos cómo se comportarán, qué desearán y, en fin, cómo son. Malcolm Gladwell explica que este futuro aún no está descrito perfectamente, pero los estudios dejan la puerta abierta en ese sentido. Si estudiamos las interacciones de un modo más sofisticado y descubrimos las pautas que pueden discernirse rápidamente, tal vez nos ayuden a entender la naturaleza de las relaciones humanas.

Hay casos en los que no son necesarias demasiadas pautas. O, al menos, esas pautas no aparecen demasiado ocultas. Por ejemplo, si existe desprecio entre las personas. Si se da, se acabó cualquier posibilidad de encauzar la relación. En las parejas, por ejemplo, los expertos buscan ciertos tipos de señales emocionales. Según Gladwell, hay ciertas emociones cuya presencia pronostica problemas serios. La más importante de estas emociones es el desprecio o la sensación de sentirse despreciado. «Si el desprecio se intercala en la pauta de interacción que tiene cualquier pareja, se considera una señal profundamente inquietante para el futuro de la relación».

¿Por qué el desprecio es tan revelador? En la entrevista que concedió a *Redes*, Malcolm Gladwell señaló que el desprecio tiene mucha relación con la exclusión: «Puedo estar enfadado contigo, pero seguir pensando que tú y yo somos iguales. Puedo decir: "Creo que te equivocas". Y tú me dirás: "No, no, Malcolm, creo que eres tú el que se equivoca". Y podemos seguir así durante un buen rato. Pero si estamos discutiendo en esos términos es porque sigo pensando que mereces estar ahí sentado: te estoy tomando en serio. Por eso estoy discutiendo contigo: porque te respeto y porque te tomo en serio. Si fuera despectivo contigo, ni siquiera discutiría contigo. Te diría: "No mereces estar aquí". Te expulsaría. Y creo que esto entronca con las primeras sociedades humanas, cuando ser expulsado del grupo podía considerarse esencialmente una sentencia de muerte. Si viviéramos hace un millón de años, y ocupáramos una cueva, y yo te expulsara... estarías perdido. Y esto, como seres humanos, es lo más devastador que podemos escuchar: "¡Fuera!". Que nos expulsen del grupo es lo peor que nos puede suceder».

USTED NO SABE POR QUÉ COMPRA

A veces el inconsciente nos engaña en nuestras relaciones sociales. Un proceso similar parece ocurrir en lugares donde se nos invita a consumir. Cuando accedemos a un espacio concreto, como un banco o un supermercado o un restaurante, nosotros sabemos que debemos tener en cuenta una buena cantidad de factores inconscientes que van a operar. Nuestra actitud depende de las decisiones comerciales que se hayan tomado y si somos capaces de percibir que los responsables del establecimiento están abusando de determinadas condiciones para forzarnos a actuar de un modo determinado.

Por ejemplo, es muy agradable que se abran las puertas del establecimiento, incluso que no haya puertas. Y uno lo puede entender como una deferencia, cuando está bien usado. Lo que ocurre es que es una deferencia perversa, porque detrás de esa amabilidad está el ánimo de que al cliente no le intimide nada entrar y, sin embargo, le resulte difícil salir. ¿Sabe usted por qué no hay ventanas exteriores en las grandes superficies comerciales? ¿Sabe usted por qué las marcas comerciales luchan por disponer sus artículos a la altura de los ojos y, en el caso de los productos infantiles, a la altura de los pequeños? Se trata de praxis comerciales muy evidentes y bien conocidas, pero hay expertos que creen que hay otros modos de conseguir pulsiones de consumo que no sean tan descaradas.

Por ejemplo, el arquitecto e interiorista Dani Freixes piensa que el impulso de comprar aumenta mucho si hay generosidad en el vendedor. «La generosidad se agradece mucho en la cultura mediterránea cuando es perceptible. Y esto, que también es una forma de picaresca o un truco comercial, se traduce en dos o tres aspectos: uno de ellos es la confianza». Por ejemplo, resulta agradable que un bar permita que el cliente coja todos los pinchos que desee y, después, le pregunte cuántos ha consumido.

Existen cientos de elementos que favorecen el impulso de consumir y comprar. Si una persona desea comprar productos para comer, no importa mucho que la iluminación sea una iluminación neutra o distante, como la iluminación de una nevera. Pero si se trata de una tienda en la que se pueden comprar objetos para decorar o amueblar una casa, es preferible que la luz sugiera o se centre en aquellos objetos que uno elegiría para un rincón de su hogar. Por lo tanto, la iluminación no tiende tanto a iluminar los objetos, sino a sugerir el espacio en que el comprador debería colocar aquel objeto y a señalarle lo bien que quedaría en su casa. Así, por ejemplo, la luz indica calidez, confortabilidad, neutralidad, etcétera. Todo depende de los objetivos. El color funciona de un modo similar.

Respecto a otros sentidos, también son muy importantes dependiendo de lo que se vaya a vender. En un restaurante, el sabor lo aporta el cocinero, pero el arquitecto o el interiorista tienen que colaborar en la decoración y en la ambientación. Si un lugar complace a los cinco sentidos, el comprador se sentirá cómodo. Y cuando la gente está cómoda, consume con más placer. No necesariamente consume más, pero consume con gusto. Y si se consume con más placer, se produce un factor comercial muy importante: la repetición. El consumidor que ha consumido con placer quiere volver, porque ha estado bien en ese lugar concreto. Las personas utilizamos la memoria o los impulsos de la memoria para recordar dónde estuvimos a gusto y dónde nos gusta estar. Para Freixes, lo esencial es el equilibrio: «Si no hay un equilibrio, es que algo no va muy bien».

Hay algo fascinante en el mundo comercial. A menudo, los intelectuales analizan el consumo y sugieren que los consumidores están manipulados por nuestra sociedad capitalista. Sin embargo, Malcolm Gladwell parece sugerir que pudiera ser al revés... En realidad, no sería exactamente al revés, porque el consumidor no opera estratégica y conscientemente, pero obliga a modificar la conducta del vendedor. Gladwell y otros investigadores se han dado cuenta de que la persona que *dirige* el comercio es el consumidor: la tienda, en realidad, intenta con gran humildad adaptarlo todo para que el consumidor consuma más a su gusto: la disposición del mobiliario, los productos, la iluminación, los colores... todo se adapta a los sentimientos del consumidor. «En efecto, todo se reduce a reflexionar sobre los misteriosos procesos del pensamiento humano», señala Gladwell. «Mucha gente está preocupada por la manipulación del público o de los consumidores y piensan que las personas estamos en manos de las empresas. Piensan así porque parten de la suposición de que la cognición humana es algo relativamente sencillo y que puede llegar a comprenderse. Por tanto, según ellos, puede manipularse bastante fácilmente. Lo que yo propongo es que la cognición humana es un proceso mucho más complejo de lo que pensábamos hasta ahora. Además, es ingenuo pensar que puede llegar una empresa, comprender lo que estamos pensando y manipularnos. Simplemente, eso no es así. Somos bastante más complejos de lo que supone este modelo».

Sobre todo, somos más complejos y misteriosos a causa del gran papel que desempeña el inconsciente en nuestra conducta. Según Gladwell, las personas atendemos más a nuestro inconsciente que a los intentos manipuladores de los otros.

Veamos un ejemplo propuesto por nuestro entrevistado en *Redes:* una persona entra en una tienda por primera vez. Hay una pauta característica en la conducta de esa persona y que se da en todo el mundo cuando cruza el umbral de un establecimiento por vez primera... Entran en la tienda y, lentamente, reducen la velocidad de su caminar y casi se detienen. Si el comerciante no lo sabe y ha colocado sus productos a la entrada, el consumidor no los verá. Al entrar en cualquier espacio, se produce una especie de proceso de desaceleración y de adaptación. Y para llegar a la gente y entender dónde debería colocarse cada objeto, hay que entender este tipo de proceso de adaptación que se produce siempre.

Hay otros misterios en el comportamiento de los consumidores. Por ejemplo, el comprador suele girarse a la derecha. ¿Por qué? «No lo sabemos», confiesa Malcolm Gladwell. «Desconocemos el porqué. Simplemente, sucede que si observamos a la gente que va de compras en cualquier entorno de venta al público, veremos que, invariablemente, al entrar a una tienda, giran a la derecha».

Giramos a la derecha... ¡pero no somos conscientes de que lo estamos haciendo! Quizá el lector piense que se comporta de otro modo, pero los estudios científicos han comprobado que así se comporta la mayoría de los consumidores.

Y aún hay más: se trata de lo que los expertos llaman «la teoría del rozamiento del trasero». Malcolm Gladwell dice que no hay nada que moleste más —sobre todo a las mujeres— que el hecho de que alguien les toque sin querer el trasero en una tienda. «Así que, si tienes una tienda e intentas

diseñarla, es muy importante que los pasillos sean suficientemente anchos como para que alguien pueda detenerse en un
mostrador o en una estantería para observar y tocar los productos, y que el pasillo sea suficientemente ancho como para que nadie le roce involuntariamente el trasero al caminar
por el mismo espacio. Hay unas medidas, una anchura están-
dar de pasillo que se debe respetar. Si no se hace esto, lo que
se consigue es frustrar justamente el proceso que se intenta
fomentar. Es decir, si a los clientes les tocan el trasero sin querer, se detienen. Se paran y se marchan. Y eso no es lo que
se desea: se desea que los clientes se queden y que pasen algún tiempo en la tienda... cuanto más, mejor».

Si usted desea abrir un establecimiento comercial, aquí
tiene tres consejos básicos: no coloque sus productos demasiado cerca de la puerta, sitúe sus mejores ofertas a la derecha
y... planifique el local para que los clientes no se rocen los tra-
seros. ¿De verdad los clientes están tan manipulados como se
cree o son ellos los que obligan a los comerciantes?

SERES COMPLEJOS... Y CONTRADICTORIOS

En nuestras relaciones con los demás, constantemente estamos intentando descubrir cómo se comportarán o cómo son.
El sistema de conocimiento intuitivo o inconsciente desempeña un papel fundamental en este aspecto. Malcolm Gladwell asegura que nuestro inconsciente rige nuestro comportamiento y nuestras reacciones ante los objetos, las personas
y los acontecimientos de la vida. Sobre todo, rige nuestras
suposiciones. Hay algunos programas de ordenador muy sencillos que revelan cómo entendemos el mundo que nos rodea y cómo somos en realidad. Es la prueba de las asociaciones implícitas. Mediante estos programas informáticos, los
psicólogos tratan de averiguar si hay un modo de medir el
contenido de nuestro inconsciente y saber qué ocurre en ese
espacio de la inconsciencia. Esa herramienta consiste en un
test muy sencillo que mide la velocidad con la que se rela-

cionan ciertas palabras. La idea es simple: cuanto más rápidamente se conectan ciertas palabras, más relacionadas están en nuestra mente. «Te doy varias palabras y tú tienes que situarlas en las categorías adecuadas, y cuanto más rápido lo hagas, más posibilidades existen de que tu inconsciente relacione los conceptos designados por las palabras. Así medimos la reacción y la conexión de los conceptos en tu inconsciente».

Hay algunas características de ese tipo de test que conviene señalar. Por ejemplo, proponen una categoría determinada: «delincuente», y a su lado colocan los rostros de una persona blanca y de una persona negra. «Si puedes poner una cara negra en esta categoría más rápidamente de lo que pones una cara blanca, esto nos dice que, en tu mente, la gente de raza negra y los delincuentes están más unidos... en tu inconsciente». Con este tipo de test, según Malcolm Gladwell, se puede medir la actitud de los hombres frente a las mujeres, de las mujeres frente a los hombres, se puede medir la actitud hacia las diferentes razas, las distintas ideas... «Es muy, muy simple, pero ha quedado demostrado que es una herramienta extraordinariamente útil para intentar llegar a algo muy difícil: saber lo que sucede en el inconsciente».

Sin embargo, ¿lo que sugiere nuestro inconsciente es verdaderamente lo que somos? Nosotros sabemos conscientemente lo que queremos ser y queremos ser de un modo determinado. Por ejemplo, no queremos ser racistas ni misóginos; deseamos ser neutrales y justos, pero una cosa es lo que deseamos ser conscientemente y otra, bien distinta a menudo, lo que somos inconscientemente: ¿qué ocurre en nuestro cerebro bajo la superficie de reflexión y pensamiento lógico? A menudo, las actitudes inconscientes son incompatibles con los valores establecidos e, incluso, con nuestro pensamiento consciente. «Sí: lo más interesante es que no hay ninguna garantía de que el inconsciente siga la misma pauta de lo que yo pienso conscientemente. Esto significa que los seres humanos somos capaces de incorporar contradicciones. No somos tan simples como decimos».

¿Integramos nuestras contradicciones? ¿Es posible que podamos vivir en una contradicción permanente entre lo que pensamos y lo que somos? Comprender nuestra categorización hacia otros grupos o hacia otras personas o hacia determinados aspectos de la vida no es tan simple como expresar una opinión consciente y lógica. Hay toda una parte de nosotros que puede estar «pensando» otra cosa muy distinta. Podemos opinar de un modo determinado sobre una persona, y creerlo sinceramente, pero puede que nuestro inconsciente esté advirtiendo en sentido contrario.

Quizá estas contradicciones estén en la base de un aspecto característico de los humanos: podemos mezclar emociones contrapuestas. Los neurólogos y los psicólogos advierten que un animal, por ejemplo, puede ser fiel o no, pero no ambas cosas a la vez. Los humanos tenemos esa capacidad: podemos amar y odiar al mismo tiempo, y podemos ser fieles e infieles a la vez. «Como seres humanos, el hecho de tener emociones mezcladas y ser capaces de incorporar contradicciones puede constituir una parte central de nuestra naturaleza: eso nos hace ser quienes somos y puede formar parte de lo que significa ser una persona. Es decir, no somos perros por muchos motivos, entre otros, porque nuestra consciencia y nuestro inconsciente pueden estar en contradicción y luchando en ciertas circunstancias».

Desde el punto de vista externo, las palabras de Malcolm Gladwell se ven corroboradas en el análisis de la expresión de ciertas emociones, como la repugnancia, el odio, el enfado... En algunos casos no se pueden identificar plenamente respecto a otras emociones colindantes e incluso contrarias.

En realidad, estos descubrimientos —a veces dolorosos, porque creíamos ser lo que pensábamos lógicamente— sólo remiten a un aspecto de la naturaleza humana que deberíamos haber sospechado: los seres humanos somos realmente muy complejos. «Lo que me sorprende», dice Gladwell, «es cómo nos empeñamos en oponernos a la idea de que somos complejos. Cuando estudiamos a los seres humanos, siempre acabamos asombrados ante lo contradictorios, difíciles y complejos que somos. Sin embargo, cuando el mundo empresarial o comercial intenta hacer suposiciones sobre las personas, llega a la errónea conclusión de que somos sencillos y simples. Creo que esta discrepancia es absurda».

LOS NEBULOSOS LÍMITES DE LA RAZÓN Y EL INCONSCIENTE

Algunos expertos aseguran que una decisión consciente, razonada y lógica es sólo la punta del iceberg. Bajo la superficie se esconde una gran masa de hielo: las decisiones inconscientes. Cuando decimos que estamos haciendo algo «a conciencia», ¿qué queremos decir? ¿Es verdad que podemos actuar o pensar u opinar independientemente de nuestro inconsciente? ¿Hasta qué punto están separados nuestro pensamiento lógico y nuestro inconsciente? ¿Son tan frecuentes las contradicciones entre uno y otro?

Óscar Vilarroya, profesor de Psiquiatría y Medicina Legal de la Universidad Autónoma de Barcelona, respondía a estas preguntas en el plató de *Redes:* «En cierta ocasión tuve una conversación muy interesante con Manuel Illescas, el gran jugador de ajedrez. Él era uno de los programadores de *Deep Blue*, el súper ordenador contra el que iba a enfrentarse Garry Kasparov. Los titulares de los periódicos decían que aquella partida era el enfrentamiento del hombre contra la máquina. Illescas me dijo: "No es así exactamente. Es el enfrentamiento del hombre y las máquinas contra la máquina y los hombres". Esto tiene una explicación muy sencilla: detrás de aquella máquina había muchos hombres que la programaron, y detrás de Kasparov había muchos ordenadores que le ayudaban».

Pues bien, en el caso del pensamiento lógico y el inconsciente ocurre algo parecido: en el pensamiento lógico hay mucho inconsciente, pero detrás del inconsciente y la toma de decisiones también hay consciente. En realidad, ambos aspectos parecen estar más mezclados de lo que suponemos.

«No existen procesos puramente conscientes, ni procesos total y puramente inconscientes», nos dijo Manuel Froufre, profesor de Psicología de la Universidad Autónoma de Madrid.

¿Cómo podemos medir la presencia de los actos conscientes e inconscientes? Los seres humanos decimos que tomamos decisiones conforme a la razón y la lógica, y después de haberlo pensado mucho, pero los expertos advierten que nuestas decisiones a menudo están basadas en conglomerados de ideas de las que no somos conscientes.

El cerebro computa aproximadamente once millones de unidades de información o bits por segundo procedentes del exterior, de nuestros sentidos. Pero toda esa cantidad de información no se elabora conscientemente, por supuesto. Como mucho, a nivel consciente, podemos manejar unas cincuenta unidades por segundo. En resumen, de los once millones de bits que operan en nuestro cerebro, sólo cincuenta se computan conscientemente. Es decir: la mayoría de esa información queda fuera del pensamiento lógico o consciente. Evidentemente, como afirmaba Manuel Froufre, no tenemos conciencia de toda esa información subyacente, pero el organismo humano y el cerebro tienen muchos sistemas que codifican y procesan esa información; en realidad, esa información no tiene por qué pasar por el consciente ni sería positivo aturdir al pensamiento lógico con semejante potencial informativo. «Imaginemos que queremos subir unas escaleras "a conciencia", tomando conciencia de qué tenemos que hacer en cada momento para subir cada peldaño... Nos la pegaríamos. Seguro». Pensemos en una pequeña herida que tenemos en la rodilla. Nuestro cerebro está recibiendo constantemente información a propósito de la herida, pero no desvía esa información continuamente hacia el pensamiento lógico: nos olvidamos de esa herida y el organismo se ocupa de ella. En definitiva, el sistema maneja mucha información, muy rápidamente y de manera eficaz. El sistema nos permite ocuparnos de otros asuntos y sólo apela al pensamiento racional o conciencia en determinadas circunstancias; por ejemplo, si el dolor de la herida es muy intenso, el cerebro «abre las vías» de la consciencia y, entonces, realizamos una evaluación lógica y decidimos ir al médico o utilizar algún medicamento.

Además de utilizar muy poca información, la consciencia es lenta. El profesor Froufre nos decía en *Redes* que la consciencia o el pensamiento consciente pueden compararse a un hombre que camina a pie frente a la velocidad de un reactor (inconsciente). «Eso quiere decir que si nuestra adaptación en el medio dependiera de la intervención de la conciencia en todas las operaciones, procesos y decisiones que tomamos, estaríamos congelados, nos quedaríamos bloqueados».

Y no se trata sólo de nuestras percepciones más cercanas: el ser humano sufre un verdadero bombardeo de mensajes, miles y miles de mensajes que la mente recibe y, generalmente, desestima. Pero las empresas se esfuerzan para que esos mensajes se mantengan vivos. Algunos estudios aseguran que cada día nos bombardean con 3.500 mensajes publicitarios. Uno cada quince segundos, en televisión, radio, prensa, Internet... En el año 2004 las compañías gastaron más de 300.000 millones de euros en publicidad, pero nueve de cada diez nuevos productos que salen al mercado fracasan a pesar de las campañas de promoción. La publicidad, tal y como la hemos entendido hasta ahora, tiene muy poco efecto sobre nuestro comportamiento. ¿Qué está sucediendo?

Un experimento reciente consistía en analizar la relación de los consumidores ante los anuncios publicitarios. Mediante una cámara incorporada a unas gafas, analizaron dónde dirigían la mirada distintos sujetos en su vida diaria. Descubrieron que a pesar de estar en contacto con mensajes publicitarios durante todo el día, sólo podían recordar un uno por ciento de todo lo que habían visto.

El cerebro funciona como nuestro sistema digestivo: hasta que no digiere parte de la información, no puede incorporar información nueva, y hoy en día estamos empachados de información entrante. El cerebro acude en nuestra ayuda para que no sucumbamos a una hecatombe de compras compulsivas. Cuando un estímulo despierta nuestra atención, el cerebro queda ciego a cualquier cosa que suceda durante un breve espacio de tiempo posterior. Como el efecto de un flash en nuestros ojos, el cerebro no puede «ver» lo que está sucediendo durante unos pocos segundos. Los anuncios son una secuencia de imágenes y sonidos que captan nuestra atención y la marca o el producto casi siempre aparecen al final. Por eso somos capaces de recordar anuncios de televisión impactantes o divertidos, pero muy pocas veces podemos recordar lo que venden. Quizás, para que la publicidad tuviera más efecto, debería decir menos cosas y de forma más lenta, o quizás es que compramos de forma impulsiva y, en cambio, los anuncios apelan a nuestra racionalidad. ¿Y si lo que sucede es que no somos tan fáciles de convencer y un anuncio gracioso o llamativo no es un argumento suficiente?

Hasta aquí, el modo en que aparentemente se comporta nuestro cerebro respecto a nuestras decisiones. Pero es importante saber qué procesos sigue nuestro cerebro (en el pensamiento lógico y en el inconsciente) cuando se trata de evaluar lo que nos rodea. Es decir, ¿podemos saber cómo se va a comportar una persona? ¿Sirven para algo los programas asociativos de los que nos hablaba Malcolm Gladwell? ¿Podemos entrar en la maquinaria del cerebro para saber cómo se va a comportar alguien inconscientemente?

Manuel Froufre nos aseguraba que estas preguntas tienen difícil respuesta. No sabemos cómo se va a comportar una persona inconscientemente y, para ser sinceros, tampoco sabemos como se va a comportar conscientemente. «La ciencia, la psicología y otras disciplinas pueden contribuir a hacer predicciones globales y pueden sugerir tendencias, pero no pueden predecir biografías, conductas concretas». Incluso aquellos científicos que creen en el determinismo y en que las conductas humanas están inexorablemente determinadas tienen dificultades para averiguar cómo se configuran los aspectos inconscientes que determinan dichas conductas. Por esa razón resulta inviable hacer una predicción específica sobre las conductas de las personas concretas en el futuro.

Sin embargo, evaluamos constantemente a los demás. ¿Tenemos prejuicios? O, lo que es lo mismo, ¿tenemos juicios previos a la evaluación lógica y consciente? Puede que a usted le resulte doloroso, pero debemos darle una mala noticia: está usted lleno de prejuicios. Los prejuicios, como nos decía Óscar Vilarroya, son el fruto de una conducta adaptativa. Es un juicio rápido, una respuesta rápida que adoptamos en determinadas circunstancias. Naturalmente, estos «pre-juicios» son frutos de la evolución: tenemos un pasado evolutivo y esas conductas automáticas y respuestas mentales automáticas están ancladas en nuestros cerebros. «Por ejemplo, el aspecto exterior de las personas, su morfología o su actitud, son características que evaluamos mediante ese sistema de prejuicios». Por otra parte, ese sistema también se basa en nuestra experiencia: hemos nacido y crecido en un entorno determinado, y todo lo que sea extraño y diferente a nuestro grupo y a nuestro entorno generará desconfianza o rechazo. «Es una conducta adaptativa, porque permite protegernos de posibles peligros en determinadas circunstancias».

Sin embargo, esta protección de los prejuicios tiene su parte negativa. Y la parte negativa radica en que adoptamos conductas de desconfianza y rechazo cuando no están en absoluto justificadas lógicamente. Cuando esto ocurre y se extiende a nivel social, se producen problemas que todos conocemos.

Pero si nuestro cerebro es fruto de la evolución, deberíamos poder tomar decisiones mejores que hace cuarenta o cincuenta mil años. ¿Estamos progresando en ese aspecto? Ahora puede felicitarse el lector: tenemos una buena noticia para usted. Sí, decidimos mucho mejor que hace cincuenta mil años. «Evidentemente, tomamos decisiones equivocadas, erróneas y, algunas de ellas, precisamente gracias a nuestros avances y a nuestro progreso, tienen consecuencias mucho más deletéreas que hace sesenta mil años», señalaba Óscar Vilarroya, «pero, en general, somos más listos, más inteligentes y más cultos, y aprovechamos mejor nuestros recursos. Aunque estemos siempre en la frontera de tomar decisiones equi-

vocadas». Para nuestro invitado en *Redes*, a veces es deseable
la lentitud del pensamiento consciente, racional o lógico: «Hay
decisiones que es mejor no tomarlas con la rapidez de nuestros procesos inconscientes. Eso nos permite distanciarnos y
analizar las cosas mejor... en principio».

Como se ha advertido, sin embargo, el hecho de que
la consciencia no intervenga habitualmente no es una con-
dena para el sistema, sino un recurso que puede ser extraordinariamente beneficioso. Usted va por la acera, cree oír
un ruido, se echa hacia atrás y un autobús pasa veloz a cinco centímetros de usted. Ha salvado la vida. No ha sido consciente de su conducta, pero su cerebro ha hecho el trabajo
por usted. Eso no significa que tengamos que actuar «con el
corazón» o que debamos fiarnos exclusivamente de las intuiciones, de los prejuicios o, en definitiva, que lo dejemos
todo al albur de nuestros impulsos inmediatos. El «corazón»
es parte de la consciencia y la consciencia parte de eso que
llamamos «corazón». Como aseguraba Manuel Froufre,
«cuando se habla de "corazón", me temo que más bien se
habla del sistema límbico, el cerebro, en último término, pero no nos referimos al más reciente, al neocórtex, sino al sistema heredado de la evolución. Normalmente, lo que conviene es utilizar todas las estructuras del sistema: en algunos
casos conviene utilizar el pensamiento racional para unas cosas y el "corazón" o la intuición o el inconsciente para otras.
La consciencia —supuestamente— es especialmente efectiva
y necesaria para aquellas situaciones en las que no tenemos
una respuesta probada y automatizada. El pensamiento racional y lógico funciona bien en esos casos en los que no tenemos información genética, o no estamos dotados con esa
tendencia o ese mecanismo, o con ese módulo de operación;
también funciona bien cuando el aprendizaje y la experiencia no han desarrollado ningún automatismo. En esos casos,
cuando nos enfrentamos a ciertas situaciones para las que no
hay una respuesta automática, ni genética, ni practicada y
aprendida, es cuando tenemos que ponderar pros y contras,
evaluar y tomar decisiones que en último término siempre

se basarán en un análisis y manejo consciente y *parcial* de la información».

En fin, parece que las dualidades corazón/cabeza, intuición/razón o emoción/lógica son fruto de un análisis excesivamente simplista. La separación entre los distintos términos no es tan clara. Las decisiones que llamamos «lógicas» tienen mucho de proceso inconsciente y emocional, y las decisiones que llamamos «inconscientes» o emocionales también tienen mucho de lógica y razón.

Quizá esta nebulosa conclusión permita al lector equivocarse menos en lo sucesivo... o no.

Capítulo III

Oliver Sacks o la complejidad de la mente

El doctor Oliver Sacks es uno de los médicos más famosos del mundo. Es el autor del libro *El hombre que confundió a su mujer con un sombrero* (El Aleph, 1987) y las historias de sus pacientes han sido llevadas al cine *(Despertares*, dirigida por Penny Marshall en 1990, basada en un libro de relatos del mismo título). Oliver Sacks es químico, médico, neurólogo... y la verdad es que es el médico que todos habríamos querido tener... salvo por un detalle: este doctor ha tratado enfermedades mentales terroríficas que apenas podemos sospechar.

NO ES UN SOMBRERO... ¡ES TU ESPOSA!

Oliver Sacks es uno de los neurólogos más famosos fuera del ámbito académico. Además, se ha revelado como un narrador sorprendente que transforma la exploración científica en obras literarias de profundo calado humano.

Oliver Sacks nació en Londres, en el seno de una familia de doctores, químicos y maestros que le inculcaron desde pequeño la importancia de la curiosidad, la experimentación y la lectura. Su fascinación por el mundo natural le condujo a estudiar Medicina en Oxford y neurología en Los Ángeles. Desde 1965 vive en Nueva York, donde escribe, enseña y atiende a sus pacientes.

El doctor Sacks empatiza con su paciente, comparte su vida, es atento, intuitivo, perspicaz. Así consigue describir al enfermo como una persona atrapada en una enfermedad, y su lucha, como la necesidad de preservar la identidad.

Los lectores que no hayan leído los libros citados seguramente querrán saber, en primer lugar, qué le ocurría al hombre que confundió a su mujer con un sombrero. «Este hombre era un gran músico, un gran cantante», explicó el doctor Sacks en *Redes*. «Y ocurrió que la parte visual de su cerebro empezó a degenerar y empezó a tener problemas para reconocer por la vista lugares y personas. Sin embargo, tan pronto como hablaban, las podía reconocer, y también lo conseguía si las tocaba. Pero empezó a cometer errores visuales absurdos... Y en una ocasión, cuando alzó la mano para ir a coger el sombrero, le tocó la cabeza a su mujer. Ése fue su error... Un error absurdo y famoso».

Este hombre intentó generar un método para solventar un grave problema. «Hasta cierto punto, pudo reemplazar el reconocimiento visual por el reconocimiento musical. No podía encontrar su ropa, pero si cantaba y componía un fragmento musical, lo conseguía. Éste es un ejemplo del mecanismo de supervivencia del cerebro: la persona que tiene un problema se adapta y encuentra otras maneras de hacer las cosas».

Nuestro cerebro nos engaña. Cuando recordamos y cuando pensamos en nosotros mismos, cuando soñamos y cuando percibimos la realidad que nos rodea, nuestro cerebro nos engaña. Nuestro cerebro finge, adultera y falsifica... pero tiene buenas razones para hacerlo.

Nuestro cerebro es un dispositivo fruto de la selección natural y está dedicado al servicio de un organismo vivo: nosotros. Y ¿cuál es la meta de todo organismo vivo? La supervivencia. Nuestro cerebro tiene un solo objetivo: nuestra supervivencia a toda costa. Y a veces, para conseguirlo, es capaz de suplir la información que le falta por fantasías y fabulaciones. Lo importante es que la información no nos falte, aunque parte de ella no sea exacta. Lo importante es que la realidad se nos presente con un sentido completo y coherente, que creamos que todos nuestros comportamientos están bajo nuestro control, que nuestra memoria parezca un reflejo de lo ocurrido.

Para nuestro cerebro es más importante contarnos una historia consistente que contarnos una historia verdadera. El mundo real es menos importante que el mundo que necesitamos. Fíjese en la figura que insertamos a continuación.

Las líneas son paralelas. ¿Usted las ve paralelas?

Los objetos que vemos, lo que escuchamos y lo que tocamos pueden ser reales, pero lo que experimentamos como realidad es una ilusión construida en nuestro cerebro.

Nuestra memoria no es de fiar: no funciona como una cámara fotográfica y, mucho menos, como el disco duro de un ordenador. Unas veces, para conseguir un recuerdo coherente, el cerebro rellena los huecos de la memoria con contenidos imaginados e irreales; en otras ocasiones, almacenamos información de forma inconsciente. A veces, cuando esta información inconsciente sale a la superficie, nos parece algo maravilloso y sobrenatural...

La actitud, la emoción, la imaginación y lo vivido: todo ello influye en nuestros recuerdos. Lo cierto es que vivimos en un mundo construido por nuestro cerebro y —por nuestro bien— unas veces nos muestra cosas que no están y otras, nos esconde cosas que sí están.

EL PODER DE LA MÚSICA Y EL MISTERIO DE LA BACTERIA MUTANTE

En los textos de Oliver Sacks hay referencias constantes a la música. Al parecer, incluso en el cerebro más dañado, la música es lo último que se pierde. «Sí... El cerebro sintoniza especialmente con la música, incluso en personas de las llamadas "poco musicales". Crecemos en un entorno en el que hay música por todas partes, ya sea música popular o sofisticada, jazz, música clásica... Todos hemos crecido en un entorno musical, y el cerebro es muy sensible a la música. La música está presente en todas las culturas, y es importante en todas ellas: es importante para la persona. Yo me volvería loco si no tuviera mi piano, si no pudiera tener música. La música, además, tiene un gran poder organizativo, y esto se aprecia a menudo en las canciones de los niños. En el Reino Unido, por ejemplo, aprendemos la canción que dice: "One, two, buckle my shoe" ["Uno y dos, ata el zapato"]. Son frases que pueden recordarse si se organizan con música. La gente recuerda toda la letra de una canción si va acompañada de la música. A menudo la gente con afasia, que ha perdido el lenguaje, puede mantener el lenguaje si éste se aplica a la música».

En la actualidad, Oliver Sacks está trabajando en textos en los que habla de personas que tienen alucinaciones musicales. Sus protagonistas son individuos que, de repente, escuchan música con tal viveza que creen que alguien ha encendido la radio o que hay alguien tocando el piano en el cuarto de al lado. Estas personas están realmente enfermas, porque no imaginan la música, sino que creen que la perciben verdaderamente.

La primera experiencia terapéutica del doctor Sacks con la música se describió en su maravilloso libro *Despertares*. Entonces fue cuando Sacks entrevió la posibilidad de usar la música para reconstruir los cerebros de sus pacientes. En ese libro se describía a personas sin movimientos, congelados: no podían moverse ni dar un paso... ¡pero podían bailar! Y se presentaba a pacientes que no podían emitir ni una sola sílaba... ¡pero podían cantar! «Yo sabía que la música, al parecer, de alguna manera y al menos durante algunos minutos, sobrepasaba el mal de Parkinson y liberaba a los pacientes: les permitía el movimiento libre. A veces se podía ver incluso que cuando se imaginaban la música, también podían funcionar de una manera similar: sólo pensando en ella, superaban en parte sus impedimentos. Y todo cambiaba con la música: las ondas cerebrales cambiaban y había un cambio neurológico profundo. Esto lo analicé primero con personas que padecían Parkinson y luego con otras que estaban como congeladas, con las personas de *Despertares*».

Entre 1918 y 1926 cinco millones de personas en todo el mundo se contagiaron de manera fulminante de una misteriosa enfermedad identificada por primera vez por el médico austríaco Constantin von Economo, y cuyo origen resultaba desconocido. Se llamó «encefalitis letárgica». Un tercio de los afectados murió, otro tercio se recuperó, y el otro quedó confinado de por vida a una existencia terrible, en un estado de completa apatía e inmovilidad. Se había producido en estas personas un daño en la parte del cerebro que regula el movimiento, de manera que los enfermos caían en un aletargamiento crónico. Algunos de ellos sobrevivieron durante muchos años, conservando sus facultades mentales pero incapacitados totalmente para moverse.

Cuarenta años más tarde, aún vegetaban olvidados en hospitales de todo el mundo. Un médico, Oliver Sacks, logró lo impensable en un hospital de Nueva York en el verano de 1969: descubrió que eran capaces de recuperar durante breves momentos la coordinación motora, a pesar de su aparente desconexión con el mundo real. Y se le ocurrió probar algo nuevo, una nueva sustancia: la levodopa. En aquellos años era un novedad y había comenzado a estudiarse porque resultaba bastante eficaz en los tratamientos del Parkinson. El doctor Sacks decidió proporcionársela a los enfermos de encefalitis letárgica. Tras su administración se produjo un cambio espectacular: en apenas unos días, los pacientes de encefalitis letárgica despertaron de su «hibernación» y recuperaron sus conductas anteriores a la enfermedad. Para ellos era como si el tiempo no hubiera transcurrido: conservaban intactos sus hábitos, sus recuerdos y, en definitiva, su personalidad. La música representó una ayuda inestimable en este despertar, ya que los transportaba literalmente a su vida anterior, muchos años atrás, y recuperaban la personalidad que durante tanto tiempo había permanecido dormida.

Sin embargo, los pacientes tuvieron que afrontar que habían pasado más de cuarenta años en ese estado de «hibernación». Muchos de ellos no pudieron asumir emocionalmente la dura realidad y, a pesar de seguir tomando la medicación, cayeron de nuevo en la rigidez de su enfermedad. Otros comenzaron a sufrir ciertos efectos secundarios, como hiperexcitación en sus movimientos y conductas exageradas. Cada paciente reaccionaba a la droga según su naturaleza. Ninguno de ellos logró una recuperación completa, aunque algunos fueron capaces de recobrar un cierto grado de relación con su entorno más cercano. La mayoría volvió al estado letárgico anterior al tratamiento de levodopa.

Pasaron algunos años más y, poco a poco, murieron todos los supervivientes de aquel misterioso brote. Sólo ochenta años después, a principios del siglo XXI, se ha logrado identificar el agente causante de la encefalitis letárgica: se trata una simple mutación de una bacteria común, el *Streptococcus pneumoniae*, cuya forma original sólo causa infecciones de garganta.

LA BELLEZA Y EL ORDEN DE LOS ELEMENTOS

El mundo del joven Oliver Sacks era la química, pero su profesión le condujo a mantenerse extremadamente cerca de los pacientes y de sus emociones. De ahí nació su obsesión por la neurología. Según su relato, cuando era casi un muchacho, sólo se ocupaba de los «objetos»: la química. Después se interesó por el mundo de las plantas... «Bueno... al menos las plantas ya están vivas: son organismos, y se puede tener sentimientos hacia las plantas, aunque probablemente ellas no tengan sentimientos hacia nosotros». Posteriormente comenzó a interesarse por la zoología y por los animales, y, finalmente, por los seres humanos. «Fue un proceso muy lento. Ese primer interés por la materia, por la física y la botánica, todavía los siento en el interior; y dentro de la química, la historia de la química y las biografías de sus personajes me fascinaban. Por ejemplo, el tungsteno era un elemento que me gustaba mucho. Lo descubrieron en España dos hermanos vascos, los Elhúyar, en 1783. Sí... siempre me ha interesado el aspecto humano de la ciencia y la tecnología».

Lo más interesante en el doctor Oliver Sacks —o uno de los aspectos más interesantes de su figura— es el modo en que percibe el mundo y cómo entiende los objetos como procesos y representaciones de un orden general: «El tungsteno o wolframio me encanta. Me encanta su densidad. Por algún motivo, creo que es un metal maravilloso y noble: quizá estos pequeños cilindros de tungsteno que tengo en mi biblioteca seguirán aquí dentro de mil millones de años: el tungsteno será un superviviente. Y ya sea en las personas, las plantas o los elementos, me gustan los supervivientes». Con los helechos le ocurre otro tanto: admite que no tienen la hermosura de otras plantas y flores, pero los helechos están en nuestro mundo desde hace miles de millones de años y se han convertido, para él, en una representación del poder de la vida.

Pero decir que el mundo de la química está vinculado estrechamente a Oliver Sacks no es un modo de hablar. Cuando el equipo de *Redes* estuvo grabando el programa en su domicilio de Nueva York, uno de los redactores se vio precisado a utilizar el lavabo, y regresó de allí asombrado:

—¡Es la primera vez en mi vida que veo en un lavabo una tabla periódica!

Oliver Sacks comentó:

—Bueno... Si vas a mi dormitorio, verás que tengo una tabla periódica enorme sobre la cama, y una colcha de *patchwork* que dice: «Durmiendo bajo los elementos». Se refiere, naturalmente, a los elementos de la tabla periódica.

Quisimos saber qué ocultaban en el fondo estas representaciones y esta estrecha vinculación de la vida de Oliver Sacks a la materia y a los elementos químicos. Tal vez se tratase de buscar cierta confirmación o seguridad de que existe una especie de orden en el caos.

«Cuando era un niño, durante la guerra, me enviaron al campo, como a muchos otros niños de mi generación», nos confesó el doctor Sacks. «Me separaron de mi familia y de Londres. El colegio al que iba era caótico y cruel. No te podías fiar de nada: todo era impredecible. Entonces, cuando regresé a Londres, un tío mío me introdujo en el mundo de la química. Lo llamábamos "el Tío Tungsteno", porque fabricaba filamentos de tungsteno para las bombillas. También me enseñó la tabla periódica y me inculcó un sentido de orden en el universo. Al menos... uno podía fiarse de eso».

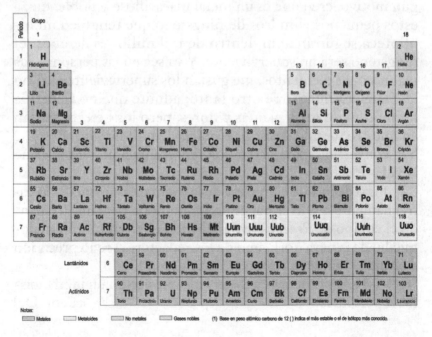

El ser humano siempre ha sentido curiosidad por la materia que nos rodea y nos constituye. Durante mucho tiempo se pensó que todo estaba formado por la combinación de cuatro elementos básicos: la tierra, el aire, el fuego y el agua. Más adelante se comprobó que la materia era más compleja y que las sustancias elementales no sólo no eran estas cuatro sino que había muchas más. Y fue necesaria una ordenación que facilitase su comprensión y utilización. Fue necesaria la construcción de la tabla periódica.

La tabla de los elementos es una herramienta imprescindible que permite organizar una inmensa cantidad de información química y predecir las propiedades de los elementos. Pero no es sólo eso: su orden y simetría reflejan la estructura profunda de la materia, la arquitectura de los átomos que la constituyen.

Así, la posición de cada elemento depende del número de electrones que tienen sus átomos: el hidrógeno tiene uno; el helio, dos; el litio tiene tres, etcétera. Pero los electrones no se distribuyen alrededor del núcleo, sino en unas regiones discretas que se van completando a medida que aumenta el número de electrones. Cada una de ellas tiene un determinado nivel de energía y puede albergar un número limitado de electrones. Esa distribución electrónica es la verdadera piedra angular de la tabla. Así, los elementos de una misma fila o período son los que llegan hasta el mismo nivel máximo de energía. Y los elementos alineados en las columnas verticales o grupos tienen la misma distribución de electrones en las regiones más externas.

Como estos electrones externos son precisamente los que participan en las reacciones químicas, los elementos de un mismo grupo poseen propiedades químicas muy similares.

La tabla periódica, por tanto, no es algo arbitrario surgido de la imaginación de los químicos: es una representación real de la organización de la materia.

Si Colón no hubiera descubierto América, alguien lo habría hecho tarde o temprano... porque América está ahí. Del mismo modo, si el químico ruso Dimitri Mendeleiev no hubiera descubierto la organización de la tabla en 1869, alguien la habría sacado a la luz tarde o temprano.

Oliver Sacks observa los elementos, la materia, los minerales, los gases, desde un punto de vista muy extraño, casi emocionalmente y vinculados estrechamente a la vida humana. Por ejemplo, tiene una colección de lámparas que se iluminan de un modo distinto dependiendo del material de combustión. «Añoro mucho las antiguas luces de gas... con su preciosa luz algo amarillenta. Hace cien años no estaba claro si vencería el gas o la electricidad. Y las casas que se construían entonces tenían lámparas de gas, además de electricidad. Tengo que decir que hay otras luces que me gustan, por ejemplo, la que desprende la lámpara de sodio. Las lámparas de sodio aparecieron en los años cuarenta del siglo XX: desprendía una luz amarilla dorada... Algunas personas no las soportaban porque, claro, con esa luz el mundo se vuelve monocolor. Pero a mí me encanta la luz dorada del sodio. El sodio es uno de mis elementos favoritos y creo que esa luz dorada anaranjada es mi color favorito».

Oliver Sacks tiene una de las pocas lámparas de sodio que hoy se encuentran en una casa particular.

La emoción del doctor Sacks ante estos objetos es contagiosa, y subyacen en ella esas relaciones que establece entre conceptos aparentemente alejados: «Mi tío Dave me dijo que la historia de los descubrimientos era inseparable de la búsqueda de la luz», explica Sacks en sus libros. «El estudio de la química está muy cerca del estudio de la luz. Las luces, la antigua pasión de mi familia, siguen evolucionando maravillosamente: las luces de sodio, con su espléndido amarillo, se pusieron de moda en los años cincuenta, y las luces de cuarzo y yodo, las resplandecientes luces halógenas, aparecieron en los sesenta».

La diferencia fundamental entre los distintos tipos de luces está en el material emisor. En algunos casos, el emisor es un vapor, un gas, el mercurio o el sodio, que emite luz cuando se produce una descarga eléctrica en su seno. En otros casos, el emisor es un metal, wolframio o tungsteno, que emite luz porque circula una corriente eléctrica a través de él.

«Cuando mi madre vio lo mucho que me cautivaban esas luces», añade el doctor Sacks, «me mostró que si arrojaba un pellizco de sal a la estufa, la llama del gas aumentaba de tamaño y adquiría un color amarillento brillante. Eso se debía a la presencia de sodio».

El doctor Sacks recuerda que a su tío le gustaba decir que la bombilla incandescente había conseguido iluminar a las masas. «Si alguien pudiera observar la Tierra desde el espacio exterior y ver cómo los continentes se adentran cada veinticuatro horas en las sombras, distinguiría millones y cientos de millones de bombillas incandescentes, brillando, dando luz gracias al tungsteno. Entonces sabría que el hombre, por fin, había conquistado la oscuridad».

EL HOMBRE QUE NUNCA ESTUVO ALLÍ

En un artículo reciente, Oliver Sacks decía literalmente: «Daba por supuesto que los recuerdos que tenía, especialmente los que fueron vívidos, concretos y circunstanciales, eran esencialmente válidos y fiables. Y para mí fue traumático descubrir que algunos no lo eran».

¿Es posible que nuestro cerebro nos haga creer que hemos vivido lo que no hemos vivido? ¿Es posible tener recuerdos de situaciones que sólo hemos imaginado? ¿Tanto poder tiene nuestro cerebro y tanto puede engañarnos?

Oliver Sacks nos contaba una preciosa historia al respecto: «En mi autobiografía describí dos recuerdos muy vivos sobre las bombas que explotaron en Londres cuando yo tenía 6 años. Uno de estos recuerdos se lo describí a un hermano mayor cuando el libro ya había sido publicado, y él me dijo: "Sí, es exactamente como yo lo recuerdo". Del segundo recuerdo, las bombas que habían caído en nuestro jardín trasero, me dijo: "Tú nunca lo viste". Y yo dije: "¿Qué quiere decir que nunca lo vi?". Y él dijo: "En aquel momento no es-

tábamos en Londres". ¿Cómo puede ser? Le dije: "Mira...
puedo ver ahora mismo cómo caían las bombas y a nuestro
hermano mayor, que trae cubos de agua, y las bombas que ex-
plotaban con metal caliente... ¿Cómo puede ser que lo *vea* con
esa nitidez?". Y él me dijo: "Porque nuestro hermano mayor
nos escribió una carta, una carta con una descripción muy viva". Y añadió que yo había quedado fascinado por su descripción. O sea que es obvio que en mi mente, de forma inconsciente, construí la escena a partir de su descripción, y
luego me la apropié, y la consideré erróneamente un recuerdo propio. Ahora lo sé: intelectualmente soy consciente de
ello, pero, aun así, no puedo distinguir el recuerdo verdadero del recuerdo "falso", llamémoslo así. En cuanto a su carácter, el uno parece igual que el otro. Creo que esto demuestra
tanto la fuerza como la debilidad de la memoria y de la imaginación humanas: hacemos cosas sin saber a menudo de qué
fuentes proceden. ¿He vivido realmente lo que creo que he vivido? ¿He vivido lo que recuerdo como vivido? ¿O lo he oído?
¿O lo he leído? Todo lo que se sabe es que nos parece real y
es una parte de nosotros mismos».

Ahora sabemos que nuestro cerebro nos engaña incluso
cuando se trata de nuestras propias vivencias. Y las preguntas
se acumulan. ¿Cayó el mito de la memoria humana como sistema fiable de almacenamiento de datos, como miles y miles
de fotografías multimedia de la realidad vivida?

El cerebro reconstruye los sucesos reales, los reinventa y
los reposiciona: al recordar, acuden a la conciencia aspectos
asociados a la realidad que *nunca* ocurrieron.

La neurología ha conseguido seguir los pasos de conso-
lidación de un recuerdo, desde la entrada de un suceso en la
memoria a corto plazo hasta su establecimiento en la memoria a largo plazo.

El hipocampo es la región del cerebro encargada de procesar la información para que llegue a las distintas zonas de la
corteza, donde se almacena. Allí queda distribuida en las mo-
dalidades sensoriales implicadas: visual, olfativa, acústica...
Hasta hace poco tiempo se pensaba que, una vez allí, en la

corteza cerebral, los recuerdos se fijaban y no tenían la fragilidad de la memoria a corto plazo. Sin embargo, numerosos estudios con animales de laboratorio han mostrado que la inestabilidad y la flexibilidad son propiedades intrínsecas de la memoria, y no sólo de la memoria a corto plazo, y que el recuerdo implica un proceso de reconsolidación.

La recuperación de un recuerdo pasa porque la información almacenada vuelva a su estado lábil: es una nueva vivencia del momento pasado, pero en un estado mental distinto al del instante del suceso rememorado. El recuerdo puede entonces reconsolidarse y su forma puede ser distinta: puede atenuarse, reforzarse o incluso desaparecer.

En este proceso de reconsolidación intervienen también el hipocampo y la corteza prefrontal derecha. A escala bioquímica, sabemos que se trata de una cascada de reacciones que conduce finalmente a ciertas alteraciones en el número e intensidad de las conexiones entre las neuronas. En estas conexiones, llamadas sinapsis, y en su mayor o menor fuerza, están codificados los recuerdos y su dinámica vida a lo largo del tiempo.

Oliver Sacks, junto a otros neurólogos, han revisado las ideas que teníamos a propósito de la memoria humana. No aceptan, por ejemplo, la idea tradicional según la cual la memoria es simplemente una especie de registro de los datos de la experiencia cotidiana en el córtex. Para estos especialistas parecía evidente que la memoria no es la experiencia inscrita y fosilizada en el córtex. «Sí. Así es. Un buen colega mío habla del "frágil poder de la memoria". De hecho, no hay dos personas que describan un suceso de la misma manera».

¿Parece increíble? No lo es. Los testigos de un delito o de un crimen ofrecen versiones distintas. Todos ellos han estado allí, presentes, y ninguno de ellos miente, pero ven las cosas desde perspectivas diferentes, establecen sus propias asociaciones y tienen sus propias emociones respecto a lo que han visto. El doctor Sacks nos recordaba que estas divergencias en los testimonios habían intrigado a Sigmund Freud en los años noventa del siglo XIX, cuando muchos de sus pacientes describían sus sufrimientos a raíz de ciertos abusos sexuales durante su infancia. Al principio consideró que se trataban de verdades históricas, literales, pero después empezó a preguntarse si la imaginación o la fantasía no habían intervenido. Comprendió lo que sucedía cuando la gente comenzó a relatarle historias extravagantes y le aseguraban que habían sido abducidos por extraterrestres o habían sido transportados a naves espaciales. «Si tuviéramos memorias fotográficas, las cosas resultarían más fiables, pero seríamos como máquinas. La flexibilidad, la resistencia, la incertidumbre, y esa especie de aventura y riesgo que es la existencia humana, están en el interior del sistema nervioso humano, o en el sistema nervioso animal, y forman parte de la naturaleza de la vida».

Nuestro cerebro se asegura de que nuestra percepción del mundo nos parezca fiable. No podemos vivir en una permanente inseguridad ni podemos vivir en la duda constante, de modo que el cerebro nos ayuda a confiar en el mundo y nos describe el mundo para que nos sintamos seguros. Sin embargo, esto no siempre funciona así. Por ejemplo, hay personas que piensan que las piernas no son suyas... ¡que alguien las ha puesto ahí sin su aprobación! Y lo más asombroso es que pueden dar razones y recordar cómo ha sucedido.

Oliver Sacks asegura que es relativamente fácil llegar a conclusiones semejantes, y nos explicaba una experiencia de un paciente: «En 1974 sufrió una caída en la montaña y tuvo heridas graves en los músculos y en los nervios de una pierna. Dos días después de la operación, un médico entró corriendo en la habitación y le dijo: "¡Tenga cuidado! ¡Se le está cayendo la pierna de la cama...!". Y le dijo: "¿Pero qué dice? ¡Si la tengo justo delante de mí!". Y él le dijo: "No: está medio caída... Tenga cuidado, por favor". Naturalmente, se enojó con él: "Pero... ¿qué se cree usted? ¿Cree que no sé dónde tengo mi propia pierna?". Y le contestó: "Debería saberlo: mírela". "¡No me hace falta mirarla! ¡Sé perfectamente dónde tengo la pierna". Y le repitió: "Por favor, mírela". Y miró. Y la pierna, que estaba enyesada, se había salido de la cama mientras dormía. No se había dado cuenta. Le sorprendió mucho el hecho de que no hubiera tenido ninguna sensación o información de la pierna. Por lo tanto, no podía estar seguro de dónde estaba la pierna y ni siquiera podía estar seguro de si estaba... allí».

Es decir, dependemos de la información que recibimos de forma continua y que procede de nuestro cuerpo y va al cerebro. Si esa información se interrumpe de alguna manera, no sabremos qué es lo que ocurre en realidad. Una persona ciega de nacimiento no puede tener una imagen visual del mundo, ni un sordo de nacimiento puede concebir un sonido. De igual manera se puede ser ciego y sordo al cuerpo si se corta o se interrumpe la información.

SÍNDROME DE TOURETTE

Mar es una joven de 20 años y padece el síndrome de Tourette, una enfermedad a la que Oliver Sacks ha dedicado buena parte de su vida. Este síndrome, que se manifiesta a través de numerosos tics físicos y orales que el paciente no puede controlar, es un trastorno neurobiológico. El síndrome de Tourette suele aparecer entre los 8 y los 12 años. Mar tenía 11 cuando empezó a emitir sonidos de manera involuntaria y aseguraba en *Redes* que lo había pasado realmente mal. Abandonó la escuela porque sus tics vocales eran un problema para la clase. En efecto, las personas que padecen el síndrome de Tourette tienen tics fónicos y motores que condicionan enormemente su vida social y personal.

Estos enfermos tienen muchos altibajos emocionales, así como un importante desgaste físico debido a los movimientos bruscos y descontrolados de sus tics. Por desgracia, tendrán que soportarlos durante toda la vida. Las personas que padecen esta enfermedad tienen exceso de dopamina, que es un neurotransmisor cerebral. Algunos enfermos presentan también cuadros obsesivo-compulsivos. «Las obsesiones... más que deprimirme, me molestan mucho», nos decía Mar. «Yo creo que a veces me han llegado a incapacitar. Los *tourettes* tenemos una... no sé si llamarla obsesión, pero desconfiamos un poco de la gente... porque nos han hecho tanto daño...».

Oliver Sacks, después de observar durante veinte años a muchos *tourettes*, cree que el síndrome no es sólo una enfermedad, sino un «modo de ser» para muchos individuos. ¿Qué significa esto exactamente? Significa que nuestra joven Mar puede ser Mar o puede ser otra persona sin el síndrome de Tourette. Mar se ha descubierto actriz e interpreta a otros personajes: sus tics desaparecen cuando sube al escenario. Esto ocurre con otros tics involuntarios: un tartamudo, por ejemplo, no tartamudea cuando está recitando un poema o cuando canta una canción o cuando repite un texto. Mar nos decía: «El teatro es muy importante para mí... Puedes estar en la piel de otra persona. Yo, en el escenario, no soy Mar. Soy otra persona. Cuando estoy en el escenario, no tengo ningún tic. ¡Eso me sorprendió muchísimo! "¡Qué raro!", me dije. "¿Qué me pasa?". ¡Es mágico! Es como si me cambiaran el chip, como si la enfermedad no hubiese existido nunca».

Fernando, como Mar, también fue diagnosticado a los 11 años. Es informático, pero acabar los estudios le ha costado el doble que a otras personas sin su problema. «Indudablemente, todo cuesta más. El simple hecho de leer un libro es una desesperación: te ves girando la cabeza hacia a un lado cada dos por tres, te pierdes en cada línea y dices: "Lo dejo ya, no puedo más". Cuando dejé la universidad y empecé a trabajar, la cosa mejoró bastante. Supongo que se debe al hecho de tener una responsabilidad y sentirte un poco más seguro».

Aunque los tics no son de origen emocional, aumentan según la situación anímica y, sobre todo, en los lugares públicos.

Mar nos explicó en *Redes* cuáles eran sus emociones más profundas respecto a la enfermedad que sufre: «Siempre que me veo en sueños, me veo sin mi enfermedad. Y yo creo que es así porque realmente no querría tener esta enfermedad. Lo que no puedes hacer es hundirte. Es muy duro al principio, pero siempre tienes que ir para adelante y vivir de ilusiones y buscar algo que te motive».

Reconstrucción

Oliver Sacks viajó a España en 1990, cuando acababa de estrenarse la película *Despertares*. Hubo un pase especial del filme al que asistió la reina doña Sofía. Naturalmente, en aquella ocasión no pudo conversar con la reina durante mucho tiempo ni profundamente, pero poco después recibió una llamada desde el Palacio de la Zarzuela y se le rogaba que acudiese a una entrevista con doña Sofía al día siguiente. «Fui al palacio, y hablamos de muchas cosas. Y después, en un momento dado, la reina me preguntó: "¿En qué estás interesado ahora? ¿Sobre qué estás escribiendo?". Y le dije: "Sobre los sordos, majestad". Y me preguntó: "¿En qué situación se encuentran los sordos en España?". Y le dije: "No lo sé, majestad". Y me contestó: "Pues debes descubrirlo, investigar sobre ello y escribir sobre ello. Yo te apoyaré". Y lo hizo».

El doctor Sacks volvió a España más adelante y trabajó con sordos y asociaciones de sordos durante algunas semanas. En la segunda edición de *Veo una voz* (Anaya, 1991; Anagama, 2003) hay un prólogo especial que trata de la historia y las condiciones de los sordos en España. Esa edición está dedicada a la reina doña Sofía, nos dijo Oliver Sacks. «Estaba muy interesada en el lenguaje de signos, y en los lenguajes especiales que los sordos crean en todo el mundo. Éste es un tema francamente muy interesante: una persona sorda pueda conocer a otra persona sorda de China o de Argentina y comunicarse con ella bastante bien, mucho mejor de lo que puede hacerlo un hablante. El inglés o el español y el chino no tienen nada en común, pero el lenguaje de signos español, británico y chino tienen bastantes elementos en común».

La actividad del doctor Oliver Sacks parece tener un objetivo central: la reconstrucción del mundo en las personas. La memoria, la percepción, el habla o la comunicación pueden verse afectadas por enfermedades neurológicas o por otros procesos, y es necesario que los individuos puedan conformar un mundo mejor. Él mismo aplica estos fundamentos en su propia vida: comenzó a escribir a una edad muy temprana, cuando era muy joven y, como Picasso con sus pinturas, no cesaba en la práctica constante y en la producción constante de escritura. Desde los doce o catorce años, Sacks sintió la necesidad de escribir. «Para mí, la experiencia tiene que continuar siendo explorada por medio de la escritura». Ha escrito diarios durante los últimos sesenta años. Alguien los contó y la cifra alcanzaba los 650 volúmenes. «Llevar un diario constituye para mí una actividad esencial».

Y del mismo modo que Oliver Sacks procura reconstruir y analizar su propia vida a través de sus diarios, ha procurado reconstruir la vida de los pacientes a los que ha tratado a lo largo de tantos años. Su gran contribución ha sido recordar al mundo que había dos concepciones en la aplicación de la medicina: la primera establece que el médico es el héroe; aquí, el médico utiliza tablas, cifras y ratios para llegar a un diagnóstico. En la segunda opción, el verdadero héroe es el paciente: lo que interesa es ayudarle a reconstruir su mundo. «El primer acto médico, por supuesto, es determinar qué está sucediendo: hacer un diagnóstico para poder hacer algo. Por supuesto, no siempre se puede actuar con un análisis paciente y a largo plazo. Depende de los casos: una vez, cuando trabajaba en un geriátrico, oí un sonido horrible... Era un hombre que padeció un ataque mientras comía: se había atragantado con un muslo de pollo. El análisis y la paciencia no habrían funcionado: la única manera de salvar su vida era coger un cuchillo y hacer una traqueotomía. Y eso fue lo que hice. Pero la mayoría de los casos que yo estudio son de otro tipo, y se puede trabajar de otro modo. En mi trabajo habitual trabajo con personas que han de enfrentarse con algo que les ha sucedido, o que quizá arrastran desde el nacimiento, y es por eso que la reconstrucción de su vida se convierte en algo absolutamente fundamental. Por ejemplo, he tratado a un artista que había perdido de repente toda percepción del color y toda la capacidad de imaginarlo, debido a un golpe en la cabeza y quizá también a una embolia en la parte visual de su cerebro. Mi primer pensamiento fue: "¿Existe alguna manera de restaurar el color para él o de entrenar a otras partes de su cerebro a construir el color?". Parecía que no había ninguna manera de hacerlo, de manera que, básicamente, le ayudamos no sólo a aceptarlo, sino también a sentirse creativo y feliz en un mundo en blanco y negro».

Es cierto que hay doscientos millones de personas que padecen gripe y pueden curarse con una aspirina. Y cientos de miles de personas se romperán un brazo o una pierna y sanarán con una escayola y un analgésico. Pero también hay personas que sufren una embolia o un golpe y su vida se transforma en un mundo en blanco y nego; hay personas que confunden a su mujer con un sombrero; hay personas que no saben dónde está su pierna; hay *tourettes* que hacen cosas que no quieren hacer; hay personas que recuerdan sucesos que nunca vivieron... Estas personas necesitan reconstruir sus vidas. «Entonces se necesita afrontarlo de un modo paciente y pausado», nos decía el doctor Sacks. «Para reconstruir la vida de esas personas es necesario escucharlas y apreciar las cualidades personales del paciente. Y eso es lo que me gusta hacer».

CAPÍTULO IV

Construyendo la realidad

Cuando creemos solucionar un problema, en realidad, no estamos calculando la solución: lo único que hacemos es recuperar información de la memoria y hacer una predicción. Así funciona la corteza cerebral, la misma que le permitirá leer este capítulo de *Redes*.

Hoy sabemos que los ordenadores no tienen nada que ver con nuestro cerebro. Por esta razón se está llevando a cabo la fabricación de un ordenador que funciona como funcionan nuestros cerebros: no mediante órdenes e instrucciones predeterminadas, sino con capacidad para adaptarse poco a poco a lo que va ocurriendo. Como operamos nosotros.

JEFF HAWKINS: INVESTIGANDO EL ÓRGANO QUE INVESTIGA

En el año 1989 sólo se había secuenciado una milésima parte del genoma humano. En 2003 se obtuvo la secuencia completa: dos años antes de lo que preveían los cálculos más optimistas. Se tardaron catorce años en secuenciar el genoma del VIH, pero muy pocos años más tarde sólo se emplearon 31 días para descubrir el genoma del SARS (la gripe aviar; son las siglas de la definición inglesa: Severe Acute Respiratory Syndrome, síndrome respiratorio agudo severo).

Pocas cosas en la vida llegan antes de lo previsto, pero la ciencia y la tecnología avanzan a un ritmo nunca visto antes en la Historia de la Humanidad. La capacidad de computación de los ordenadores ha aumentado exponencialmente hasta superar la capacidad de cualquier especie existente, incluida la humana.

Llegará un momento en que los cambios tecnológicos serán tan rápidos y sus consecuencias tan profundas que la vida humana se transformará de manera irreversible. Al ritmo actual, a finales del siglo XXI, aunque en realidad sólo hayan pasado cien años, parecerá que hayan transcurrido doscientos siglos de innovación tecnológica.

Según Jeff Hawkins, la inteligencia es una de las grandes barreras intelectuales que queda por derribar. Las grandes preguntas de la ciencia hacen referencia a cosas muy pequeñas, muy grandes y muy lejanas o a sucesos que pasaron hace millones de años, pero todo el mundo tiene un cerebro. Usted, amable lector, tiene un cerebro. Hemos dado con la respuesta a muchas preguntas complejísimas y, sin embargo, aún tenemos muchas dudas sobre el órgano que ha sido capaz de contestar a esos problemas. Sabemos mucho acerca de los mares, de la tierra, de las estrellas, del universo, de la materia, de los virus... pero sabemos muy poco del órgano que tenemos en el interior del cráneo. ¿Por qué es tan difícil saber cómo funciona? ¿Realmente el cerebro es una estructura tan compleja? Jeff Hawkins asegura que no y, además, afirma que nos equivocamos cundo definimos la inteligencia a partir del comportamiento. ¿Acaso no somos inteligentes incluso cuando no estamos haciendo «nada»?

El cerebro utiliza grandes cantidades de memoria para crear un modelo del mundo. Todo lo que sabemos y aprendemos se almacena según este modelo. Comparando lo que hay en nuestra memoria con lo que perciben nuestros sentidos, podemos hacer predicciones de sucesos futuros: y es precisamente la capacidad para hacer predicciones lo que define la inteligencia.

¿Y los ordenadores pueden ser inteligentes?

Según Hawkins, como hasta ahora hemos entendido mal la inteligencia, también la hemos construido mal. Un ordenador y un cerebro no funcionan de la misma manera. Sólo el conocimiento profundo del cerebro nos permitirá llegar a una verdadera inteligencia artificial. Pero quizá el producto no será un robot que nos haga la colada, sino pequeños artilugios que eliminarán virus o repararán errores en el ADN mientras viajan por nuestra sangre.

En el neocórtex está la clave del funcionamiento de este misterioso órgano: es la parte más moderna de nuestro cerebro y en él reside nuestra inteligencia.

Muchos científicos trabajan en un modelo de cerebro compartimentado, formado por áreas con funciones específicas. Según Jeff Hawkins, las partes principales de la corteza cerebral funcionan igual para aquello que vemos, oímos o sentimos. ¿Cuáles son las implicaciones de esta teoría? Este modelo de cerebro nos explica por qué somos creativos, por qué tenemos conciencia, por qué somos lo que somos y por qué hacemos lo que hacemos. Conociendo bien nuestro cerebro y con un poco de tiempo... ¿quién sabe hasta dónde podremos llegar?

Jeff Hawkins fue el creador de la agenda electrónica Palm. Con parte de los beneficios que obtuvo por su invento fundó el Redwood Neuroscience Institute, donde intenta desvelar el funcionamiento del sistema más complejo que conocemos: el cerebro.

Si Jeff Hawkins consigue un día construir una máquina más inteligente que el cerebro humano, se habrá acabado el mito del hombre como rey del universo y como el ser perfecto y mejor construido. Para alcanzar ese objetivo, tendría que construirse un ordenador que realmente funcionara como nuestro cerebro. «En realidad», nos decía Jeff Hawkins, «trabajo en dos vías distintas: la primera consiste en intentar comprender cómo funciona el cerebro. Pero no todo el cerebro: sólo el neocórtex, y algunas partes relacionadas con él. Una vez que sepamos qué es el cerebro y cómo funciona, podremos construir una máquina que funcione de manera similar y con principios parecidos».

Jeff Hawkins es el autor de *Sobre la inteligencia* (Espasa-Calpe, 2005). «Ese libro, realmente, trataba del córtex, y proponía la construcción de máquinas con los mismos principios. Cuando estaba escribiendo ese libro, aún no sabía cómo hacerlo. Ahora sí lo sabemos».

¿Verdaderamente se podrá construir una máquina que opere como nuestra capa cortical? «Es necesario hacer una distinción importante: estamos haciendo un neocórtex; no estamos intentando crear seres humanos. Los seres humanos son mucho más que un cerebro. Tienen un cuerpo físico, tienen emociones, aspiraciones y muchos elementos que van más allá del neocórtex. El neocórtex es la parte del cerebro que piensa, es la parte inteligente».

Junto a otro científico, Dileep George, Jeff ha fundado Numenta Inc., una organización destinada a la investigación de procesos informáticos semejantes a los procesos cerebrales. «Hemos establecido una fórmula matemática para expresar lo que hace el neocórtex. Una vez que las operaciones del neocórtex se plasman en un marco matemático, puede empezarse a diseñar la máquina y a construir los sistemas».

¡Y lo están haciendo!

Han comenzado con el sistema de visión y asegura que tiene sistemas que funcionan mucho mejor que cualquier cosa que se haya hecho antes. El sistema opera del mismo modo que lo hace un humano. «Estamos construyendo una herramienta de *software*, o una serie de herramientas, que permiten construir neocórtex, pero en *software*. No es un ordenador: es un algoritmo que funciona en un ordenador, y captura todo igual que lo hace el neocórtex».

Jeff Hawkins asegura que muy pronto —ya— podremos construir máquinas que serán inteligentes. El lector pensará que no serán como los seres humanos. Es cierto. No podremos sentarnos y tomarnos un café con ellas, pero podrán pensar, comprender y percibir el mundo como lo hacemos usted o yo.

Y esas máquinas pensarán, comprenderán y percibirán el mundo como usted o como yo porque operarán del mismo modo que opera nuestro córtex cerebral. «Podrá sentir cosas y, si le mostramos un objeto, podrá decir: "Ya sé qué es eso".

70

Y tendrá expectativas de futuro y establecerá predicciones sobre lo que sucederá».

Neocórtex

El neocórtex es la parte evolutivamente más moderna de nuestro cerebro. Se cree que apareció hace un millón de años y es donde residen las capacidades mentales superiores de los humanos.

Es una fina capa que recubre la zona más externa del cerebro y presenta una gran cantidad de surcos en su superficie; tiene un grosor de unos dos milímetros y está dividido en seis capas. Pero lo que nos hace inteligentes a los humanos no es ni su grosor ni sus capas, sino su superficie. Si pudiésemos extenderlo, sería del tamaño de una servilleta y, en esta servilleta, podríamos contar más de 30.000 millones de neuronas.

Este conjunto de células contiene todos nuestros recuerdos, conocimientos, habilidades y experiencia acumulada: todo aquello que llamamos «nuestra vida» está en una capa de células apenas más gruesa que media docena de cartas de una baraja.

¿Cómo cabe toda «nuestra vida» en tan poco espacio? El truco está en la organización. El neocórtex está profundamente jerarquizado: como en una cadena de mando militar, hay una jerarquía estricta entre las capas que lo componen. Cada capa tiene su función, pero, a la vez, se relaciona con las capas superiores e inferiores en la cadena de mando.

La información sensorial entra por las capas inferiores. En el sentido de la vista, por ejemplo, estas primeras capas procesan las características básicas de lo que estamos mirando, como el color o el contraste. A medida que subimos en la jerarquía de capas se procesan aspectos más abstractos de la información, hasta llegar a la capa superior, donde podríamos identificar lo que estamos viendo; es decir, gracias a esa capa, podemos ponerle un nombre al objeto que vemos.

En las áreas inferiores, los impulsos eléctricos se suceden, ya que nuestros sentidos están percibiendo los cambios continuos del entorno, sólo perciben los detalles. En las capas superiores, el ritmo es más lento: se perciben los objetos, o sea, la suma de los detalles espacialmente invariables.

Para Jeff Hawkins, todos los sentidos funcionan de acuerdo con este sistema de capas. Aunque aparentemente un sonido y un sabor tengan características muy distintas, para las capas del neocórtex son esencialmente lo mismo: información en forma de conjuntos de impulsos eléctricos.

Las imágenes, los sonidos y los colores se almacenan como secuencias de información. Estos impulsos forman nuestro modelo del mundo, construido de acuerdo con nuestras experiencias y vivencias previas. Y es precisamente este modelo lo que permite al cerebro hacer predicciones de futuro. Cuando vemos una nariz, nuestro neocórtex predice que por encima de ésta encontraremos dos ojos. Lo sabe porque en su idea de «cara» siempre hay una nariz y dos ojos por encima de ella. No puede predecir si serán unos ojos grandes, pequeños, azules o marrones, pero nuestro neocórtex sabe que habrá dos ojos.

Además, el neocórtex es muy flexible: se adapta a nuevas situaciones y, cuando una predicción no se cumple, las capas superiores buscan alternativas para encontrar una explicación a lo que los sentidos captan. Por ejemplo, si se le presenta la imagen de un cíclope (un ser mitológico con un solo ojo, en lugar de dos, como es habitual), el cerebro es capaz de entender que lo que estamos viendo no es el mundo real, sino una ficción.

La percepción del mundo en el neocórtex puede imaginarse como una canción: una parte analizaría las notas, su timbre, su intensidad. Las capas superiores podrían identificar qué instrumento está tocando esta nota. Otra área analizaría si esa secuencia de notas o ese patrón existen en algún lugar del cerebro. Y si encontrase un patrón igual, diría: «Sí, la conozco». En ese caso, un patrón fluiría hasta las capas motoras y, casi sin darnos cuenta, empezaríamos a tararearla.

DIME, MÁQUINA: ¿EN QUÉ ESTÁS PENSANDO?

Jeff Hawkins propone una idea del cerebro que casi resulta divertida. En primer lugar, sugiere que no tiene mucha importancia detenerse en los distintos sentidos (vista, oído, tacto, olfato o gusto), ya que el cerebro procesa toda la información del mismo modo. En segundo término —y aún más increíble—, Hawkins establece que para ser inteligente hay que tener la capacidad de predecir y que ésta es precisamente la función del neocórtex. Al parecer, el neocórtex puede predecir porque almacena lo que Hawkins llama «patrones de observación». Esto es: el cerebro observa y construye patrones, los almacena y, gracias a ese almacenamiento y cotejo de información, puede hacer predicciones.

«Bueno... eres inteligente si haces predicciones... de forma correcta», matizaba Hawkins. Para este investigador, el gran descubrimiento ha sido comprobar que todo lo que hace el córtex se puede reducir a un mismo algoritmo. Este descubrimiento lo propuso por vez primera el neurocientífico británico Vernon Mountcastle hace veinticinco años. Fue este investigador el que sugirió la idea del cerebro como una servilleta extendida, en la cual se podían señalar distintas operaciones cerebrales, como la vista, el oído, la música, las matemáticas... Pero si se analizan estas distintas partes, como dice Jeff Hawkins, se apreciará que las células y sus estructuras son casi idénticas. «Aunque es difícil de creer... es así».

Hawkins comentaba en *Redes*, casi con sorna, que había preguntado a muchos neurocientíficos si creían que las distintas partes del neocórtex eran esencialmente idénticas. La mitad de los investigadores creían que sí, y la otra mitad creía que no. ¿Por qué los segundos no creían que todas las partes del neocórtex son idénticas independientemente del área que se supone que controlan? La respuesta que le dieron a Hawkins fue que, sencillamente, era difícil de creer. «Sin embargo, es el descubrimiento más importante que se ha llevado a cabo sobre el cerebro y explica cómo funciona: y el neocórtex es *todo* igual».

Imagínese a usted mismo como un cerebro: si usted analiza las señales que le llegan a través de las fibras nerviosas llamadas axones, comprobará que las señales que le llegan a través de los ojos son idénticas que las que proceden del oído o la piel. No hay sonidos, imágenes o sensaciones táctiles en el cerebro: en cuanto entran en el cerebro, se convierten en patrones y son idénticos. La percepción del mundo es muy diferente en cada ser humano, pero eso tiene que ver más con la naturaleza del patrón, y no tanto con el mecanismo en sí, porque es el mismo. Ésta es la teoría de Hawkins.

Pero... entonces, inmediatamente se nos plantea una pregunta. Si las cosas son como dice Hawkins y él es capaz de fabricar una máquina que funciona con patrones, como nuestro neocórtex, no será necesario que nos informen de lo que ya nos dicen nuestros sentidos... Podrían utilizarse para informar sobre otros asuntos que nuestros sentidos no pueden procesar, por ejemplo. «Efectivamente. Es muy importante y es un método muy poderoso. Esa máquina podría decir: "Si me das cualquier dato sensorial, construiré el modelo que lo causó". Los seres humanos tenemos vista, oído, olfato, tacto y gusto, pero también tenemos otros sentidos, como la capacidad para sentir nuestro propio cuerpo o la posición de nuestro propio cuerpo. Pero otros animales, como los ratones, por ejemplo, tienen sus bigotes, que constituyen un sentido completamente diferente, y este sentido va al córtex, que lo procesa del mismo modo que nosotros».

Sólo los mamíferos tienen córtex. Cuando Hawkins construya la máquina que promete, no será necesario que tenga oídos y ojos: podrá funcionar con cualquier tipo de sensor. Puede ser un sónar o un radar, o incluso «sentidos» más exóticos. Para que comprendamos bien a qué se refiere Hawkins, podemos utilizar un ejemplo que él describe en sus investigaciones: imaginemos la cantidad de estaciones meteorológicas que hay en España, distribuidas por toda la geografía. Ese sistema funciona en realidad como un ojo: es un «sentido». Si lográramos que toda esa información fuera analizada como nuestro cerebro analiza las imágenes que capta el ojo, constituiría de hecho un «sentido». Las mediciones podrían entrar en un sistema que entendería la meteorología del mismo modo que los seres humanos ven la luz.

¿Y cómo nos comunicaríamos con esas máquinas que tienen sentidos que nosotros no tenemos? «No es muy difícil. Podemos imaginar lo siguiente: hay personas que no tienen todos los sentidos. Helen Keller, la famosa activista norteamericana, no podía ni ver ni oír, sólo tenía tacto, y, sin embargo, construyó un modelo del mundo que no es muy distinto del resto de la gente. No tenía sentidos distintos a los nuestros, tenía sólo uno, y consiguió construir un modelo que se podía comunicar con los demás. Nosotros estamos pensando en máquinas que se construirán de esta forma, y será muy fácil comunicarse con ellas. Evidentemente, no tendremos una conversación profunda, pero será posible interrogarlas respecto a otros asuntos; por ejemplo, respecto a la meteorología. Les podremos preguntar: "¿Qué has descubierto?". O: "¿En qué estás pensando?"».

Las teorías de Hawkins son asombrosas e inquietantes: una máquina capaz de operar del mismo modo que nuestro cerebro... ¿se parecería al terrible ordenador, *Hal*, que Stanley Kubrik imaginó para *2001, una odisea del espacio?* ¿Por qué construir máquinas que operen como nuestro cerebro?

«Construimos robots porque es una forma de desarrollar nuestras intuiciones sobre la comprensión del funcionamiento de la inteligencia humana», nos dijo el joven Pierre-Yves Oudeyer, del Sony Computer Science Laboratory.

Y para entender cómo opera nuestra inteligencia, uno de los problemas que nos interesa comprender es el desarrollo cognitivo. ¿Por qué y cómo los bebés —pero también los adultos— aprenden continuamente y realizan actividades de complejidad creciente?

Podríamos imaginar que se trata de una especie de programa genético, de maduración programada. Por ejemplo, en el caso de los niños, podríamos pensar que un determinado mecanismo les indicará qué tienen que hacer en diversos momentos de su desarrollo y de manera innata: interesarse por los objetos e intentar atraparlos, interesarse por el aspecto visual de los rostros que les rodean e intentar imitarlos, producir sonidos y ver qué provocan en el entorno o empezar a jugar con sus piernas y aprender a andar.

Si se tratara de una lista exhaustiva de motivaciones específicas, no sería muy elegante. Quizá haya otras alternativas y eso es justamente lo que exploramos: intentamos construir máquinas que tengan una curiosidad general y que se interesen por cosas diversas mediante un mecanismo abstracto. Según estas órdenes abstractas, el robot debería aprender a jugar con su cuerpo y a andar, por ejemplo.

El joven investigador Pierre-Yves Oudeyer está trabajando con el perrito mecánico de Sony: el famoso Aibo. En su interior tiene un mecanismo que comienza a funcionar como nuestro cerebro... casi. Es un robot que juega con su cuerpo. Pero... ¿qué es «su cuerpo»? Es un conjunto de motores y mecanismos en sus patas, e intentará averiguar qué puede hacer con ellos. Nuestro robot se interesará por él mismo y por su mundo circundante y jugará con situaciones en las que experimente un progreso en sus predicciones. Así estará contento y motivado, especialmente en situaciones en las que progrese. Avanzará, sobre todo, en aquellos campos en que sus predicciones sean cada vez mejores. Por ejemplo, si al cabo de varias horas se le pregunta: «¿Puedes caminar y dirigirte hacia ese objeto?», nuestro robot sabrá hacerlo: lo ha aprendido.

Le hemos pedido a Aibo que resuelva una tarea concreta: que vaya tras el objeto rojo, una pelota. Pero eso no lo había aprendido: tiene que entrenarse. Nuestro robot sabe qué es el color rojo, así que primero se dirige hacia la pelota, pero luego... ¡se dirige hacia usted, que lleva una corbata roja! Aún tiene que aprender qué es una pelota y qué es una corbata. Pero lo aprenderá.

Su sistema cognitivo se denomina en inglés *task independence:* no se le especifica ninguna tarea a priori, pero es capaz de desarrollar de manera autónoma sus capacidades cognitivas jugando, experimentando y explorando. Esto le permitirá utilizarlas después, cuando se le planteen nuevas tareas imprevistas y nuevos objetivos. Entonces será capaz de hacer determinadas cosas y de tener soluciones a los problemas que se le planteen.

De acuerdo, de acuerdo... Nuestro robot no tiene precisamente la elegancia de Claudia Schiffer al caminar... Pero lo interesante es que ese modo estrafalario de andar lo ha inventado él: es el resultado de su exploración y, de hecho, si le dejáramos explorar durante más tiempo, aumentaría su rendimiento y aumentarían también sus habilidades motoras.

Aibo es un ejemplo sencillo de lo que puede hacerse y de cómo opera la inteligencia artificial. Estamos en el camino de crear máquinas verdaderamente inteligentes. ¿Por qué tememos a *Hal*? ¿Por qué sentimos miedo cuando hablamos de máquinas inteligentes?

Según Jeff Hawkins, este temor tiene su historia: cuando se construyó la máquina de vapor, se le tenía miedo. ¡Era como... un milagro! ¡Una máquina que se mueve como... «un cuerpo»! Eso da miedo. Y cuando se inventó el ordenador, se pensó que iba a sobrepasar el comportamiento humano. Por supuesto, eso no sucedió. «La gente tiene el mismo miedo de las máquinas inteligentes porque creen que serán igual que los humanos. Es como de ciencia ficción y como si fueran un robot... como R2-D2 o C3PO en *La guerra de las galaxias* o algo así. Creen que será como un "robot humano". Pero no será así».

Las máquinas inteligentes tendrán una apariencia muy aburrida y es posible que sean como ordenadores. Pero lo más interesante es que podrán pensar y sentir el mundo. Tampoco tendrán hambre, ni sentirán ningún aprecio por el sexo, ni querrán protegerse a sí mismas, ni tendrán interés en reproducirse. Los ordenadores no hacen eso. Y las máquinas de vapor, tampoco. «La gente se pone nerviosa porque piensa que se está recreando la humanidad. Pero yo creo que esa perspectiva es errónea. En realidad, nosotros no tenemos ningún deseo de recrear la humanidad. Sin embargo, sí queremos entender cómo funciona el cerebro y recrearlo; y creemos que traerá grandes beneficios y será muy bueno».

¿Beneficios? ¿Qué tipo de beneficios? ¿Qué hacen o qué harán las máquinas inteligentes? Desde luego, trabajarán más rápido que un cerebro, pero... «Y pueden ser más grandes y más inteligentes que el cerebro humano», asegura Jeff Hawkins. En su opinión, las máquinas inteligentes podrían funcionar en dos categorías. La primera categoría es obvia, aunque un poco aburrida: pueden hacer lo que hacen los humanos; se pueden construir máquinas que conduzcan coches, que controlen las cámaras de seguridad para vigilar, que realicen traducciones automáticas de diversos idiomas, etcétera. Esta categoría está en el plano de lo que los hombres siempre han deseado ceder al mundo mecánico. La segunda categoría es más interesante: se construyen máquinas inteligentes para que hagan cosas que los humanos no pueden hacer o que son muy problemáticas. «Por ejemplo, los humanos no son muy buenos en física o en matemáticas. Nos cuesta mucho y necesitamos mucho tiempo para ser buenos en esas disciplinas. Yo creo que podemos construir máquinas que puedan ser realmente excelentes en ese campo. Lo interesante y, de hecho, lo que motiva todo el trabajo que hago, es construir una máquina que nos ayude a entender cómo funciona todo el mundo, que responda a grandes preguntas respecto a la naturaleza del tiempo y el espacio, o de dónde viene el universo y a dónde va. Éstas son preguntas muy interesantes, y si construimos máquinas muy inteligentes que se concentren en esos problemas, seremos capaces de comprender mejor el mundo y comprenderemos realmente qué sucede en el mundo y cómo. Aún faltan algunos años para que suceda, pero estoy seguro de que sucederá».

CREATIVIDAD GENERAL

Aprendizaje, experimentación y predicción. Según Hawkins, la predicción es el síntoma de la inteligencia. Bien, pero cuando hacemos predicciones, seguramente estamos utilizando nuestra capacidad metafórica para relacionar una cosa con otra. Una predicción, en resumen, es la capacidad de extrapolar consecuencias porque tenemos la experiencia de algo parecido. Si un león nos ataca, entendemos que esos seres son peligrosos; y si vemos un tigre, concluimos que se parecen tanto que, probablemente, también nos atacará. En cambio, si vemos un elefante, tendremos que averiguarlo... y aprenderlo. ¿Es eso creatividad? ¿Qué es la creatividad? «Sí», nos dice Hawkins: «Sí, eso es creatividad».

Cuando se hace una predicción, los seres humanos no somos conscientes de que estamos haciéndola. Usted, que está leyendo este libro, tiene muchas expectativas al respecto. Usted nunca ha leído este libro, ni ha leído las palabras que aparecen aquí en el orden que aparecen aquí. Nunca antes ha tenido en sus manos este papel. Sin embargo, usted tiene expectativas al respecto: si la próxima página no tuviera el tacto que usted espera, si el tacto fuera frío, o muy caliente, o pareciera gelatina, se sorprendería enormemente. Y si a partir de aquí uđe u novu carinsku uniju sa zemljama bivše... Es natural. También se ha sorprendido, porque espera que este libro siga utilizando la lengua española. Como dice Jeff Hawkins, hacemos predicciones constantemente y respecto a todo lo que hacemos. «El cerebro funciona así continuamente, pero no nos damos cuenta de ello». Sin embargo, las «entradas» (los grupos informativos) que llegan al cerebro son siempre distintas, nuevas, únicas: suceden una vez y no se repiten jamás. Usted puede leer este párrafo mil veces, pero en cada ocasión se formará un modelo distinto, porque tarda más o menos en leerlo, porque se ha movido, porque ha habido algo que le ha distraído... «Se hacen nuevas predicciones sobre situaciones nuevas, y ésta es la esencia de la creatividad. Pero esas predicciones se hacen a distintos niveles, y estas predicciones comunes o inconscientes no se consideran creatividad». El lector no se considerará creativo cuando pase la página y cuando casi inconscientemente verifique que la siguiente es lo que espera: papel, y no gelatina. Sin embargo, «en el córtex se realizan estas operaciones a niveles inferiores y superiores. Los niveles superiores son aquellos a los que llamamos creatividad: tenemos un nuevo problema que no se nos ha planteado antes, un problema científico, por ejemplo. Se hace una predicción, que es la hipótesis sobre la causa, y por lo tanto, se hace una predicción de lo que sucederá después. Es decir, en este caso, vamos a afrontar un experimento y hacemos predicciones. Nosotros creemos que eso es creatividad, pero en realidad es lo mismo que pasar una página de un libro y comprobar que sigue siendo papel: utilizamos la información que tenemos del pasado y hacemos un pronóstico de acuerdo con ella».

Pero... si todos los cerebros son creativos, ¿por qué algunas personas son más creativas que otras? «Todo el mundo es creativo», afirmaba Hawkins, «pero hay personas que son más creativas que otras en ciertas áreas».

Según Jeff Hawkins, esta discusión forma parte del clásico debate naturaleza-entorno. Para él, es evidente que una parte de nuestra inteligencia depende de aquello a lo que hemos estado expuestos. Si no hemos estado expuestos a una serie de circunstancias, no sabremos hacer predicciones al respecto. Si colocamos al lector ante un nuevo idioma, al que nunca con anterioridad ha estado expuesto, ello no tendrá ningún sentido para él y no será capaz de hacer predicciones: no sabrá de qué se está hablando, ni podrá predecir de qué se hablará, ni sabrá cuál será la conducta del que habla de ese modo... «Es decir, para poder ser creativo, se tiene que estar expuesto a los modelos, y cuanto más altos son los niveles, más creativo se es. Si he estado muchos años estudiando física, podré ser muy creativo en física».

Pero hay una segunda parte y ésta consiste en que hay diferencias entre los cerebros humanos. «Sabemos que hay mucha variabilidad en los cerebros humanos, y las áreas dedicadas a tareas diferentes varían mucho. Parece increíble, pero es así: si se toma el área visual del cerebro humano en varias personas, la superficie varía en un factor de tres. El área visual es la más grande del neocórtex y es posible que una persona tenga un área visual tres veces más grande que otra. Todas esas personas pueden ver, pero una tendrá una visión más exacta. Sin embargo, esto no se puede precisar aún: yo no puedo decir que tengo una visión *más exacta* que la tuya. No lo sé. Y de la misma manera, hay personas que tienen un cerebro que es mejor para unas tareas determinadas. Pero no quiero predecir ni quién ni cómo, es algo natural».

Cuando uno oye hablar de creatividad a Jeff Hawkins, no puede evitar sentir un escalofrío: «¡Dios mío! ¿Es posible que mi creatividad acabe conmigo o que me lleve a actuar de un modo que no pueda controlar?».

Según Hawkins, nuestro cerebro está expuesto al mundo y, puesto que es así, construye un modelo del mundo. Ese modelo del mundo establece básicamente las reglas por las que funciona el mundo en que vivimos. Esto, por supuesto, genera unas creencias. Casi todos los seres humanos compartimos unas creencias concretas: por ejemplo, todos creemos lo mismo sobre el Sol, la gravedad, los alimentos, el agua y las rutinas de cada día. Pero cuando ascendemos en la categoría de las ideas abstractas en la jerarquía del córtex, las creencias difieren. Cada religión, por ejemplo, tiene un conjunto diferente de creencias distintas, y no todas pueden ser correctas. También podemos formar creencias falsas: los estereotipos. Pero resulta que al hombre le resulta muy fácil crear este tipo de falsas creencias. «Pues bien, el algoritmo que nos permite conocer el mundo, y nos permite hacer predicciones, y nos permite ser creativos, también puede formar creencias falsas del mundo. Y, por lo tanto, también puede crear predicciones falsas y llevarnos a hacer cosas malas. Y aquí es donde se produce la mayor parte de los conflictos del mundo. Los conflictos ocurren porque todos tenemos un conjunto diferente de creencias en la parte superior, mientras que todos compartimos las creencias básicas: todos los hombres y las mujeres hacemos lo mismo, pero es en la parte superior donde tenemos creencias fundamentalmente diferentes sobre cómo funciona el mundo».

ESCALA EVOLUTIVA Y ESCALA INTELECTIVA

Tradicionalmente, para estudiar e investigar nuestro cerebro, hemos utilizado modelos animales. Sin embargo, en el futuro

—ahora— nuestros circuitos neuronales podrían ser simulados y manipulados desde un ordenador. Un grupo de científicos del CSIC (Consejo Superior de Investigaciones Científicas) y de la Universidad Autónoma de Madrid ya han comenzado a hacerlo.

Javier de Felipe, neurobiólogo del CSIC, nos recordaba que «la corteza cerebral es la estructura que se encuentra en la parte más externa del cerebro, y es la estructura que han elegido muchos teóricos y experimentalistas, porque es donde se localizan aquellas funciones que distinguen al hombre de otros animales: la capacidad de abstracción, la capacidad del lenguaje, la capacidad para hacer cálculos matemáticos, para predecir el futuro y la capacidad para ser creativos». Para poder realizar estas funciones, la corteza cerebral está estructurada en columnas de neuronas que reciben y transmiten la información procedente del exterior. En este sistema, las señales se transforman y se procesan. El profesor De Felipe explica así el proceso: «La información pasa de las capas inferiores de la corteza cerebral a las superiores, interactúa con una neurona y esta neurona procesa parte de la información y la transforma; esa información pasa a la siguiente neurona mediante ciertas conexiones y cambia la información, y así sucesivamente: la información, finalmente, ha cambiado. Ha pasado del mundo externo al mundo interno. Es un proceso de información que se produce en un sistema muy complejo. Aunque se trata de nuestro propio cerebro, precisamos la ayuda de los ordenadores para poder comprenderlo». Así, por ejemplo, podríamos entender cada neurona como un conjunto de ecuaciones matemáticas. Los investigadores han creado programas informáticos para generar «bosques neuronales virtuales» cuyo comportamiento es equivalente al de las neuronas reales. Así pueden simular la ausencia o proliferación de neuronas y trabajar con determinadas disfunciones, como la epilepsia, por ejemplo. Se introducen estímulos o se eliminan estímulos, o se provocan lesiones, o se plantea cualquier hipótesis, y se estudia a continuación la actividad neuronal y las oscilaciones en las células.

Estos programas informáticos, como los que se emplean en el CSIC, en la Universidad Autónoma de Madrid o como los que utiliza Jeff Hawkins, resultan especialmente interesantes, porque el análisis animal no siempre ofrece buenos resultados. Por ejemplo, si dañamos el córtex de una rata, obviamente su comportamiento variará... aunque no mucho. Sin embargo, si se destruye parte del córtex de un humano, éste se paraliza y queda «inservible». Según Jeff Hawkins, eso se debe al proceso evolutivo del córtex. El córtex aparece en los mamíferos, y sólo en los mamíferos. En una rata, el córtex es muy pequeño («es como un sello de correos»), y no representa un papel dominante en la vida de la rata. «La rata tiene un cerebro primitivo, como el de un reptil, y un pequeño córtex. Es decir, el córtex representa una pequeña ayuda, pero no es dominante. Efectivamente, se puede extirpar el córtex de una rata y ella sigue moviéndose y tiene una apariencia casi normal. En la progresión evolutiva de los humanos, el córtex desempeña un papel dominante y es imprescindible para la vida. Tiene un tamaño enorme: mil centímetros cuadrados. Es muy importante. Esto es: si se extrae el córtex de un humano, es posible que respire y digiera alimentos... pero nada más».

El córtex creció alrededor de nuestro cerebro de una manera increíble y asombrosa. Aunque, desde luego, no lo controla todo, tiene una fuerza dominante. Por ejemplo, si pedimos al lector que deje de respirar, es posible que lo haga, pero la parte primitiva de su cerebro, después de un tiempo, se hará con el mando de la situación y le obligará a respirar. La voluntad de dejar de respirar procede del córtex, pero el impulso de respirar —aunque usted no quiera— procede del cerebro primitivo. Así lo explica Jeff Hawkins: «El córtex no lo controla todo, pero sí casi todo».

En definitiva, el comportamiento de la mayoría de los animales —y, desde luego, de los que no son mamíferos— obedece al cerebro primitivo. Nosotros, los seres humanos, tenemos también ese cerebro primitivo —el que nos obliga a respirar, entre otras cosas, aunque decidamos lo contrario—.

Y, además, contamos con esa especie de monstruo que crece en el cerebro, que ha suplantado muchas de las funciones del primero y que denominamos córtex.

«En efecto, teníamos ese cerebro primitivo, semejante al de un cocodrilo o un reptil», nos explicaba Hawkins. «Cuando comenzamos a caminar, la mayor parte del control motor, el que permite que se muevan las piernas, está bajo la influencia de ese cerebro primitivo. En los humanos, ese cerebro controla algunos movimientos básicos, pero el habla, el movimiento de las manos, la interacción social y casi todo lo que hacemos está controlado por el córtex. Pero seguimos teniendo esa estructura primitiva. Aún está ahí».

Jeff Hawkins dice que la prueba de que ese cerebro primitivo aún está ahí es el modo en que aprendemos a montar en bicicleta. «El córtex no tiene nada que ver con el hecho de montar en bicicleta, o tiene muy poco que ver. Algunas personas tardan en aprender a andar en bicicleta y se caen; esto ocurre porque no saben que el córtex no lo controla. Por ejemplo, para girar a la izquierda, se debe girar un poco a la derecha y, luego, inclinarse y trazar la curva. Pero eso no lo conrola el córtex. Así que si se gira inmediatamente el manillar hacia la izquerda, por supuesto, el ciclista se caerá. Se producen algunas cosas semejantes, pero, en realidad, casi todo lo controla el córtex».

Pero, en definitiva, ¿qué es nuestro córtex? ¿No son células? Y todos los organismos vivos tienen células: los animales y las plantas tienen células. Y los animales, además, tienen neuronas. Esas neuronas animales tienen capacidad para predecir algunas cosas. La pregunta obvia que se hará el lector es: ¿los animales son inteligentes? «Es una pregunta compleja y tiene una respuesta compleja, aunque intentaré hacerla sencilla».

Para Jeff Hawkins, cualquier comportamiento de un ser vivo depende de sus modelos del mundo, que son los que permiten las predicciones. Una planta hace predicciones porque sube hacia arriba en busca de la luz, y envía las raíces hacia abajo en busca del agua. Esto no es «pensar»: las plantas no pueden mantener una conversación y no pueden decir hacia dónde van a dirigir sus raíces para buscar agua. Pero sí es una predicción.

En efecto, según Hawkins, la definición de la inteligencia es construir un modelo del mundo y hacer predicciones. Pero hay una escala de modelos del mundo y una escala de predicciones y, por tanto, una escala en la inteligencia: desde lo más simple, como los animales unicelulares o las plantas, hasta los más sofisticados, los seres humanos.

En el nivel superior están los mamíferos. Y a un nivel aún más elevado están los humanos. Lo que sugiere Hawkins es que los mamíferos hemos desarrollado un sistema para establecer predicciones durante la vida. «Nosotros aprendemos mucho durante nuestra vida. Casi todo lo que sabemos del mundo, sobre los programas de televisión, o de la ciencia, o de las sillas, o de lo que sea, lo hemos aprendido. No nacimos sabiéndolo. En cambio, la planta no aprende nada durante su vida».

Nosotros lo aprendemos todo durante la vida. El aprendizaje de otros seres, como las plantas, es genético y evolutivo. Hacen las cosas que están integradas en sus genes. Pero nosotros no traspasamos los conocimientos a las generaciones subsiguientes: los individuos que nazcan tendrán córtex y podrán aprenderlo todo durante su vida. Así pues, sugería Hawkins, las plantas son inteligentes en cierto sentido, pero es un nivel ínfimo: no se puede decir que tengan un nivel ideal de inteligencia.

¿Y cuando hablamos de mamíferos? ¿Una rata, un gato o un perro son inteligentes? «¡Claro que lo son! No son tan inteligentes como nosotros, ni pueden comprender el mundo como nosotros, ni pueden aprender lo mismo, pero, por definición, pueden hacer predicciones y tienen un mundo de percepciones. Por lo tanto, la rata, el gato y el perro son inteligentes en distintos grados. No sirve de mucho establecer marcas de inteligencia; no se puede decir: "Este animal es inteligente y éste no lo es". El mundo animal es una gama que va desde los humanos hasta el organismo más simple».

Hay una reflexión inquietante: los cerebros de los grandes especialistas están intentando crear una máquina que procese la información como la procesan sus propios cerebros, pero a unos niveles muy superiores, más fiables, más grandes, mejores, perfectos... ¿Está el cerebro humano intentando hacer algo que ignoramos?

Capítulo V

Cosas que nunca deberíamos aprender

En *Redes* dedicamos el décimo aniversario de su programación a repasar con nuestra audiencia todas aquellas cosas que habíamos «desaprendido» juntos. Me refiero a todo aquello que nunca debimos aprender y que tenemos que olvidar: por ejemplo, que estamos programados para morir, que somos más inteligentes de lo que éramos hace cincuenta mil años, que caminamos necesariamente hacia algo mejor... Son las cosas que nunca debimos aprender y que debemos olvidar.

La forma en que entendemos la naturaleza humana: tal vez sea ésta una de las primeras lecciones que debamos «desaprender». Tres décadas de progreso en neurociencia, biología evolutiva y psicología cognitiva nos ofrecen las herramientas para conseguirlo. La convergencia de estas tres disciplinas proporciona una nueva forma de entender la psicología: se trata de una nueva forma de analizar el cerebro, la mente y el comportamiento que está cambiando la manera en la que los científicos abordan las cuestiones de siempre y plantean nuevas preguntas. Hablamos de psicología evolucionista.

Desde el punto de vista de esta disciplina, el cerebro es un conjunto de máquinas procesadoras de información que fueron diseñadas por selección natural para solucionar los problemas adaptativos a los que se enfrentaron nuestros ancestros cazadores-recolectores. Este sistema de maquinaria computacional es la base de nuestras aptitudes naturales: en ella radica nuestra habilidad para ver, para hablar, para ena-

Si todo lo
aprendemos -cótex-
cómo y no podemos tras-
mitir lo aprendido dia-
logicamente ¿cómo es que
somos más inteligentes que los
de antes

morarnos, para temer las enfermedades, para orientarnos, entre otros muchos rasgos instintivos que solemos obviar o que, simplemente, asociamos a conceptos como la razón o la cultura.

Pero este punto de vista evolucionista en el estudio de la mente humana entra en conflicto con las ideas tradicionales. Antes y después de Darwin, la corriente principal que ha dominado las ciencias sociales ha sido bien diferente. Según esta corriente predominante, el contenido de la mente humana provenía del exterior, del entorno, de la sociedad... Nuestro cerebro simplemente nos permitía aprender, imitar, adquirir cultura. De acuerdo con esta interpretación tradicional, nuestra mente es una pizarra en blanco donde la experiencia va dibujando lentamente todo su significado. Otra imagen característica de la estructura de nuestro pensamiento y nuestro carácter es la figura de arcilla que se propuso durante la Ilustración, en la que lo externo imprime sus huellas y modifica nuestra mente.

SOMOS NUESTRO CEREBRO

Steven Pinker es profesor de Psicología en la Universidad de Harvard y autor de varios textos imprescindibles: *Cómo funciona la mente* (Destino, 2004) y *La tabla rasa: la negación moderna de la naturaleza humana* (Paidós, 2003), entre otros. En *La tabla rasa*, Pinker analiza todos los nuevos conceptos evolucionistas para intentar encontrar el origen biológico de la naturaleza humana y —no menos importante— para intentar saber por qué esta visión ha sido tildada de cínica y ha sido negada históricamente.

«A mucha gente le molesta la idea de que la mente humana sea un producto de la evolución, porque ésta es una visión cínica que requiere que los humanos sean violentos y competitivos», explica el profesor Pinker. «La mayoría de biólogos evolucionistas creen, por ejemplo, que el altruismo surgió por evolución en los seres humanos, porque si dos personas se hacen favores, ambos obtienen mejores resultados que si se comportan de un modo egoísta. Por tanto, la evolución también puede verse como la fuente del sentido moral y de las tendencias sociales positivas: la capacidad de amar, las emociones de la simpatía, la gratitud, la lealtad... todas estas emociones positivas son productos de la evolución, y se han desarrollado junto a los aspectos negativos de nuestra naturaleza».

Se trata de concebir nuestra mente —y no sólo nuestro cuerpo— como producto de la evolución. Pero ¿qué es en realidad la evolución? Llamamos evolución al conjunto de cambios que se producen como consecuencia de la selección natural; y la selección natural no es sino la selección de aquellos genes que proporcionan un comportamiento más adecuado al entorno en el que se vive. Por tanto, la interacción genes-entorno es la clave, y también el centro de un debate importante.

Imaginemos un jugador ante un videojuego. El jugador responderá a las exigencias del juego y, dependiendo de lo que éste requiera, se convertirá en un jugador más táctico o más agresivo. Pero... ¿hasta qué punto se *convertirá* en un jugador táctico o agresivo? ¿No será que está utilizando habilidades tácticas o agresivas de las que ya disponía? Éste es el debate: genes *versus* entorno. ¿Qué determina en mayor grado nuestra naturaleza: el mundo exterior o la información genética?

Steven Pinker piensa que no tiene mucho interés preguntarse qué es más importante, los genes o el entorno. «Sí: no es una pregunta muy relevante porque, si no fuera porque los genes nos proporcionan un cierto tipo de cerebro, el entorno no tendría ningún efecto trascendente. Un gato y un niño pueden crecer en el mismo entorno y, sin embargo, se desarrollan de forma diferente. ¿Por qué? Porque el gato tiene unos genes que le hacen responder a unas partes del entorno diferentes de aquellas a las que responde un niño. Los seres humanos no son como los juguetes mecánicos, que están en el mundo sin procesar ningún tipo de información. Lo que los genes nos proporcionan es la capacidad de reaccionar de forma inteligente a nuestro entorno en formas particulares».

Cuando se completó el Proyecto Genoma Humano, se descubrió que en el genoma humano había sólo unos treinta mil genes. Algunos pensaron que semejante escasez genética no era suficiente para construir un gran cerebro, y demostraba que debemos de tener mucho espacio para el libre albedrío.

Esta supuesta falta de material genético alimenta lo que se ha llamado «el mito del fantasma en la máquina»: la creencia de que las personas estamos habitadas por un alma inmaterial, responsable del libre albedrío y que no puede reducirse al funcionamiento del cerebro. Es una idea muy antigua y enraizada que está en el trasfondo, por ejemplo, de la polémica por el uso de células madre. ¿Los embriones de los que proceden estas células están ya provistos de alma y, por tanto, son ya una persona... o todavía no? Es la idea de que somos algo más que moléculas. Además, treinta mil genes es una cifra semejante a la de otras especies menos complejas. Por tanto, parece que estamos ante una prueba irrefutable de que el principal escultor de la naturaleza humana es el entorno porque, simplemente, no hay genes suficientes para construir algo tan complejo como nuestra mente.

Esta afirmación podría ser cierta si aceptamos que esos treinta mil genes no pueden construir un cerebro como el que poseemos. Steven Pinker piensa que esa idea es una falacia: «Hay otros organismos, como la lombriz de tierra, que tiene veinte mil genes, y no nos gustaría pensar que este pequeño gusano tiene más libre albedrío que nosotros. Lo importante es cómo se expresan los genes, la receta particular por la que los genes construyen estructuras biológicas de determinadas maneras en momentos determinados del desarrollo embrionario».

Por tanto, no es una cuestión de la cantidad de genes, sino de cómo operan dichos genes. A los humanos nos gusta pensar que tenemos un cuerpo (que incluye el cerebro) y una mente o alma. Y nos encanta creer que esa mente, alma o espíritu controla de algún modo nuestro cerebro, del mismo modo que una persona controla un ordenador. Sin embargo, lo cierto es que «todos los fenómenos que siempre hemos pensado que correspondían al alma, las emociones, la moralidad, el razonamiento, la percepción, la experiencia, todos, consisten en actividades fisiológicas en los tejidos cerebrales. La neurociencia demuestra que no se trata de que nosotros *tengamos* un cerebro, sino de que nosotros *somos* nuestro cerebro».

Evolución y cultura

¿Y desde cuándo tenemos este magnífico cerebro? ¿Es comparable con el que teníamos en la Edad de Piedra? Hay argumentos para suponer que sí. Durante miles de años, la presencia humana en este planeta ha estado vinculada a su capacidad como individuos que se dedicaban a la caza y la recolección; sólo muy tardíamente podemos considerarnos miembros de una civilización avanzada. El mundo actual es sólo un parpadeo si lo comparamos con nuestra historia evolutiva. Y este proceso ha dejado sus huellas.

Los niños, por ejemplo, todavía tienen un miedo innato a las serpientes: en realidad, es una previsión muy útil si se vive en contacto permanente con la Naturaleza, si se duerme en el suelo de una cueva y no se dispone de antídotos contra los venenos. Sin embargo, desde el punto de vista lógico, la reacción innata ante las serpientes es casi absurda en nuestros días, porque los niños sólo ven serpientes en la televisión o en el zoo. Curiosamente, los pequeños no tienen esta reacción ante los enchufes, que ahora representan un peligro cotidiano mucho mayor.

Tenemos ese pasado y esas huellas en nuestra mente, pero cuando vemos en televisión un documental sobre cazadores-recolectores, no nos identificamos con ellos. Persiste la idea de la época victoriana, cuando los colonizadores occidentales pensaban que los grupos humanos menos desarrollados desde el punto de vista tecnológico eran hombres y mujeres con una inteligencia infantil y menos evolucionada. Esa misma mentalidad es la que presupone que la ciencia, la fi-

91

losofía y el arte deben materializarse en habilidades mentales mucho más sofisticadas que las que pueden apreciarse en las sociedades tribales. «A menudo se piensa que la mente de la gente más primitiva tecnológicamente, como los cazadores-recolectores o la gente de la Edad de Piedra, es primaria y simple, como la de un niño, pero, en realidad, la mente humana de cualquier época y cultura es muy sofisticada», nos decía Steven Pinker. «Es evidente que nosotros tenemos ordenadores, automóviles, lenguaje escrito y matemáticas. Pero las personas de todas las culturas pueden leer las emociones y los pensamientos de otras personas, y eso es algo que los ordenadores todavía no pueden hacer».

La capacidad de esas culturas para controlar sus entornos naturales puede ser sorprendente, aunque nosotros quizá nos asombramos aún más a la vista del transbordador espacial, los ordenadores y las emisiones vía satélite. Pero no estamos hablando de habilidades tecnológicas, sino de habilidades mentales: intuición, imaginación, previsión, memoria, resolución de problemas afectivos... Como sugiere el profesor Pinker, «está claro que hay diferencias entre las sociedades tecnológicamente avanzadas y las de los cazadores-recolectores, pero probablemente las habilidades mentales son las mismas en todas las culturas».

A menudo la cultura popular muestra cómo se comportan los seres humanos. Y se tiende a creer que las personas adquieren el comportamiento, precisamente, a través de la cultura. Por ejemplo, en las películas y en la televisión, los hombres son más violentos que las mujeres, y a veces se cree que los hombres y las mujeres tienen un comportamiento diferente porque lo han aprendido de esos estereotipos. Pero puede que suceda al revés: puede ser que las películas o los libros reflejen el modo de ser de las personas y no sean la causa de nuestro comportamiento. Para que un elemento cultural sea plausible, tiene que reflejar lo que sucede y, en relación con los humanos, tiene que reflejar cómo somos. De modo que la cultura no siempre es la causa de nuestro comportamiento, sino un reflejo del mismo. Un ejemplo: en la mayoría de programas televisivos, los pájaros vuelan y los cerdos no lo hacen. Pero esto no quiere decir que los pájaros aprendan a volar porque lo ven en la televisión y que los cerdos no lo hagan porque jamás lo han visto. Es decir, la televisión se limita a reflejar la forma en que funciona el mundo. Steven Pinker piensa que, puesto que los humanos estamos profundamente influidos por la cultura, es muy tentador pensar que la cultura está situada en nuestro exterior y que el contenido de nuestra mente es lo que absorbemos del exterior.

Pero... ¿de dónde procede la cultura? ¿No somos nosotros los que la producimos? Como tantas otras veces, una interacción entre mente y cultura parece más razonable: el ser humano crea la cultura y la cultura se difunde y revierte en el ser humano.

Es fácil caer en la trampa de pensar que si un rasgo humano es producto de la evolución, éste debe presentarse desde el momento del nacimiento. Si no aparece desde el primer momento de nuestra existencia, consideramos que es aprendido y, por tanto, externo a nuestra naturaleza. En realidad, según Pinker, esta suposición es absurda: las niñas nacen sin pechos y los niños sin barba, pero eso no significa que «aprendamos» a tener pechos o barba. ¿Por qué las conductas iban a funcionar de un modo distinto? Al fin y al cabo, esos aspectos físicos y esos rasgos de nuestro comportamiento surgen de programas cerebrales que pueden madurar en cualquier momento del desarrollo.

¿Es el estereotipo de hombre duro el que hace que los niños «aprendan» a no llorar o, por el contrario, este estereotipo refleja el desarrollo *normal* de la conducta masculina? Existe la convicción generalizada de que adquirimos nuestro comportamiento imitando unas pautas que dicta nuestra cultura. Pero, una vez más, ¿de dónde procede esta cultura?

«La cultura no ha descendido del cielo con un paracaídas ni ha venido de Marte», nos decía Steven Pinker. «La cultura es el producto de la mente humana. Las personas tienen que inventar palabras y construcciones gramaticales para que existan las lenguas, hay que inventar formas artísticas... Y, para adquirir la cultura, el ser humano tiene que interpretar constantemente lo que hacen los demás cuando están hablando, o creando arte, o cuando están dando ejemplo. Los seres humanos no son fotocopiadoras o grabadoras de vídeo: deben interpretarlo».

Parece evidente, sin embargo, que parte de la cultura que asumimos se aprende imitando a otras personas. Pero este dato cierto no se puede interpretar como la demostración de que la naturaleza humana no existe y que todo se obtiene de la cultura. Pensemos cómo funciona la imitación: es un proceso muy sofisticado que requiere una gran cantidad de circuitos innatos en el cerebro para poder funcionar. Para poder imitar, hacen falta muchas habilidades cognitivas que permitan leer la mente de otras personas. La imitación requiere la *capacidad* de imitar, que es una habilidad muy complicada y, prácticamente, exclusiva del ser humano. De modo que la cultura, en sí misma, requiere unas habilidades mentales muy complejas para crearla, transmitirla y asumirla.

¿Cuántas veces habremos usado el concepto «instinto primitivo» de forma peyorativa? ¿Cuántas veces habremos asociado los instintos exclusivamente al sexo, la violencia o la alimentación? Es cierto que a veces decimos que un músico compone una melodía de forma «instintiva» o que un artista se deja llevar por sus «instintos» para crear arte, y eso nos parece atractivo y sugerente, pero, en general, los instintos nos resultan primarios, mientras que el aprendizaje se considera habitualmente como una característica de un ser «superior». Nos gusta pensar que nosotros, *Homo sapiens*, seres racionales, podemos obviar o eludir nuestros instintos. Y, en teoría, podemos arrinconar nuestros instintos gracias a la razón y a la cultura. Los animales, sin embargo, están atados a sus instintos. Por eso nosotros somos más inteligentes. Creemos que sus conductas están aferradas a los instintos naturales mientras nosotros actuamos conforme a lo aprendido. Nosotros contamos con el aprendizaje. Eso nos diferencia y nos hace superiores. ¿O no?

«¿Que el instinto es algo que sólo se observa en los animales y el aprendizaje sólo en los seres humanos?», se preguntaba Steven Pinker: «No, no... Estamos empezando a comprender que el aprendizaje se da en todos los animales, incluso en la mosca del vinagre y en la lombriz de tierra: así que el aprendizaje no es lo que hace especiales a los humanos. Al revés: los seres humanos tenemos probablemente más instintos que los animales, no menos. Por ejemplo, tenemos un instinto para la probabilidad, un instinto para el lenguaje, otro para el sexo...».

¿Tenemos un «instinto» para el lenguaje? ¿No decimos que los niños «aprenden» a hablar? Veámoslo detenidamente: el lenguaje supone probablemente el mayor logro de la especie humana. La capacidad de transmitir pensamientos mediante la mera ordenación de sonidos ha permitido acelerar el avance intelectual del hombre, y ubicarlo en el privilegiado puesto que ocupa hoy en la escala evolutiva. Sin embargo, este tesoro de la Humanidad también alza muros infranqueables entre países o entre comunidades vecinas. Desde sus inicios, el lenguaje ha progresado y se ha diversificado en una gran variedad de idiomas: se han contabilizado cerca de sesenta mil lenguas en nuestro planeta. La lengua se concibe hoy como uno de los signos distintivos de las civilizaciones: la lengua es una bandera emblemática que se custodia, mima y defiende a ultranza. Por eso inculcamos a nuestros hijos un legado lingüístico, con el fin de asegurar la perpetuación de un idioma amado. Tendemos a pensar que preservar una lengua tal vez sea una forma de conservar un modo distinto de pensar.

«A menudo se cree que las lenguas que existen en el mundo se aprenden y que los niños las van "introduciendo" en su cabeza», señalaba el profesor Pinker. «Y también es común la creencia de que las lenguas se diferencian de forma arbitraria entre ellas, y hacen que la gente piense de formas fundamentalmente diferentes. Sin embargo, yo creo que el niño *crea* la lengua: el niño no memoriza una serie de frases y las repite durante el resto de su vida, sino que tiene que componer nuevas frases, lo que quiere decir que tiene que pensar en la lógica del lenguaje». En efecto, estudiando las lenguas detenidamente, con sus estructuras y formas, los especialistas pueden concluir que, en realidad, todas las lenguas son muy similares. (Estamos hablando de estructuras lingüísticas, no del vocabulario). Todas las lenguas operan conforme a estructuras similares que combinan nombres, verbos, adjetivos... Es decir: el lenguaje no revela las diferencias, sino la unidad de las mentes humanas.

¿Y podríamos decir otro tanto respecto al sexo y los tabúes sexuales? Hasta ahora, creíamos que nuestra conducta sexual era un producto cultural, propio de una sociedad represiva, por ejemplo. Por tanto, si se modificaran los hábitos culturales, podríamos cambiar también nuestra configuración mental respecto al sexo... ¡Podríamos vivir en una especie de utopía sexual, como en Woodstock o en las comunas de hippies en los años sesenta!

Hace unos cuarenta años surgió en Estados Unidos un movimiento antibelicista y antidogmático que pronto consiguió adeptos en muchos otros países desarrollados. Se trataba del movimiento hippie. Bajo el lema «Haz el amor y no la guerra», los hippies concibieron «el sexo libre». Lo liberaron del pudor al que la sociedad de entonces lo sometía. El amor libre no duró mucho y las restricciones sociales de nuevo devolvieron el sexo al terreno de la intimidad. ¿Es concebible un mundo desinhibido sexualmente?

Para Steven Pinker, «la mayoría de las utopías sexuales no duran mucho», y ello se debe a nuestra configuración mental básica. «Creo que algunos conflictos sexuales y tabúes provienen de la naturaleza humana, de las emociones sexuales, como los celos o la conexión entre el sexo y el compromiso. A menudo hay personas que muestran interés en la sexualidad de unos sujetos concretos... Por ejemplo, a los padres les preocupa que sus hijos tengan relaciones sexuales. También hay que considerar la existencia de los que llamamos "rivales románticos", a quienes les molesta que otras personas tengan relaciones sexuales. Y en el seno de la propia pareja, es posible que el hombre y la mujer tengan ideas muy diferentes sobre la naturaleza de su rclación».

Los hombres, en general, están más interesados en la *cantidad* de relaciones sexuales y tienden a mantenerlas con un gran número de parejas. A las mujeres, sin embargo, les interesa más la *calidad*, la naturaleza de la relación con su pareja sexual, por ejemplo. En opinión de Steven Pinker, el resultado de estos comportamientos básicos es que nunca podremos vivir en un marco de sexo libre para todos: «Siempre habrá emociones muy complejas que rodearán al sexo. Esto no representa ninguna sorpresa para un novelista o un filósofo, pero es algo que niegan los intelectuales modernos».

Darth Vader y Luke Skywalker

Muchas personas que se consideran progresistas rechazan esta idea de la naturaleza humana. Temen que, si consideramos que las personas arrastran estos «fallos» (el egoísmo, la ambición, el sexismo o los prejuicios), ello convertiría a los humanos en seres inalterables: cualquier esperanza de mejorar la sociedad representaría una pérdida de tiempo. ¿Por qué intentar hacer del mundo un lugar mejor si la gente está podrida hasta los huesos y siempre hará trampas? Pero, según Pinker, esta deducción es una falacia (en terminología lógica, un *non sequitur)*, porque la mente es compleja y está sometida a equilibrios muy sutiles. Es decir, puede que la mente de una persona sea egoísta, estrecha de miras y corta de vista, pero hay otras partes de la mente humana que pueden aprender lecciones de la historia, que pueden simpatizar con otras personas, y darse cuenta de su dolor, y pueden controlar el comportamiento de tal manera que se maximice el bienestar humano, incluso a pesar de que podamos tener debilidades que tiendan hacia lo contrario.

Darth Vader contra Luke Skywalker: así es como la psicología evolucionista presenta la mente humana. Un combate incesante entre las debilidades y la capacidad altruista del hombre. Sin embargo, un pequeño pero no insignificante matiz separa la mítica *La guerra de la galaxias* de esta teoría evolucionista: el lado oscuro de nuestra mente jamás desaparecerá por completo, ya que es inherente a ella.

La imperfección innata del hombre no es fácil de asimilar. Por lo general, tratamos de identificar conductas reprochables en individuos con pasados traumáticos y hacemos uso frecuente de frases como «la vida lo ha hecho así». Este tipo de sentencias remiten a la teoría de la «tabla rasa», que pretende responder al enigma de la naturaleza humana. La «tabla rasa» defiende que nuestro cerebro no es más que un libro en blanco que escribimos con las experiencias vividas. Así pues, un sentimiento como el egoísmo deja de considerarse «patrimonio de la Humanidad» para convertirse en una conducta aprendida que se adopta al convivir con ella. Todos nacemos con capacidades idénticas: ésta es la base de la teoría de la «tabla rasa». Las diferencias entre los distintos comportamientos humanos serían, entonces, el simple resultado de las variantes que nos depara la vida. Cualquier progresista firmaría esta definición. A su entender, quizás, la única forma de erradicar la discriminación y los prejuicios sería establecer la igualdad innata de todos los individuos. Sin embargo, una cosa es lo que desearíamos que sucediera y otra bien distinta lo que sabemos que sucede. ¿Venimos todos al mundo con las mismas capacidades innatas? ¿En qué medida la cultura y la sociedad transforman nuestro comportamiento? ¿Somos todos esencialmente iguales?

Steven Pinker recuerda que el ideal de la igualdad política exige que todas las personas sean idénticas y que tengan el mismo conjunto de capacidades. «Si alguien descubriera que hay personas que son más inteligentes que otras, o más ambiciosas, o más violentas, esto representaría aceptar la discriminación y la opresión y la esclavitud. Pero no hay nada más alejado de la verdad que esa pretendida igualdad. Y en la medida en que reconozcamos a los individuos como individuos, que poseen derechos, no tienen que preocuparnos los descubrimientos científicos que indican que las personas pueden ser diferentes las unas de las otras, porque esas diferencias no influirán en el modo en que los tratemos».

Pero si los malvados o los criminales o los violentos son como son porque, simplemente, han nacido distintos, ¿dónde queda la noción de responsabilidad? A medida que vamos comprendiendo mejor las causas del comportamiento, se extiende el temor de que la noción de responsabilidad se irá desvaneciendo... Nunca podremos llevar a juicio a un criminal, porque siempre podrá alegar: «Son mis genes», «Es que tengo un cerebro defectuoso», «Es que mi educación ha sido errónea» o «Mi conducta es producto de un proceso evolutivo». Steven Pinker cree que estas deducciones son ilógicas: «En la medida en que hay una parte del cerebro que puede prever el castigo e inhibir el comportamiento, podemos seguir haciendo responsables a las personas, incluso si en cierto sentido el cerebro constituye un sistema físico sujeto a las leyes de la causa y el efecto. Si pensamos qué queremos decir cuando hablamos de "hacer a alguien responsable", esto significa que nos reservamos el derecho de imponer consecuencias a un comportamiento concreto: por ejemplo, castigarlo si hace algo que pueda herir a otra persona».

EL HOMBRE COMO SOPORTE INSTRUMENTAL DEL GENOMA. NATURALEZA IMPERFECTA

De todo lo dicho se deduce que la cultura nos enseña cosas que nunca debimos aprender y que necesariamente tendremos que olvidar. Son creencias ancladas en la historia y en la mentalidad moderna, pero tienen poco sustento científico. Por ejemplo, ¿por qué se entiende que el desarrollo humano tiende hacia lo mejor? ¿En qué medida somos distintos de los animales? Un recurso cultural e histórico al parecer inmutable es que estamos programados para morir: biológicamente preparados para morir. Esto es lo que creemos a pie juntillas. Ramón Núñez Centella, director de la Casa de las Ciencias de A Coruña, que conversó con nosotros en el estudio de *Redes*, respondió lacónicamente: «A mí no me suena bien». Y añadió: «A mí me gusta más la idea de que estamos programados para vivir. Y hay una prueba que confirma este hecho, y es que aún no sabemos asimilar la muerte. Supongo que eso es una prueba de que estamos programados... para vivir. Para vivir en plenitud, para gozar... Estamos programados para la felicidad». Ésta es también la teoría del gerontólogo Tom Kirkwood: «Nuestro cuerpo no está programado para morir, sino para sobrevivir».

Javier Sampedro Pleite, periodista científico, aportó otra perspectiva: «Sí, estamos programados para vivir, pero para vivir unos cuarenta años posiblemente. El envejecimiento no es una mera consecuencia inevitable del paso del tiempo, porque todas las células saben reparar sus componentes. Entonces, ¿por qué se detiene la reparación celular en un momento dado? Los procesos de reparación celular —la extensión de la vida— depende de las especies. Algunas especies apuestan por una reparación constante y emplean toda su energía en ese proceso y viven doscientos años, como una tortuga, y otras reparan menos y, a cambio, tienen camadas más amplias: un perro vive diez o quince años, pero puede transmitir sus genes a un amplio número de sujetos de su especie. Y una mosca vive tres semanas, pero deja cuatrocientos huevos dispuestos para la vida».

Cada especie emplea una estrategia y utiliza sus sistemas de reparación en función de esa estrategia. A nosotros nos ha correspondido vivir unos cuarenta años. «Por eso es tan fácil vivir cuarenta años, por muchos excesos que cometa uno y por muy mal que viva, y tan difícil llegar a los 80 o los 100 con cierta dignidad».

Las palabras de Javier Sampedro se basan en la lógica darwiniana y sugieren que estamos desperdiciando recursos en el mantenimiento de nuestro cuerpo —para que viva cuarenta años más—, cuando en realidad podríamos emplearlos en vivir los primeros cuarenta mucho mejor o, al menos, de otro modo. «En realidad, lo que vive es el genoma, no los individuos: la gallina es simplemente el instrumento de un huevo para llegar a tener otro huevo», añadió Ramón Núñez.

¿Somos el soporte instrumental del genoma humano? ¿Somos la pieza necesaria para la pervivencia de la fuerza de la vida? En ese desarrollo de la vida a veces se produce lo que llamamos evolución y, en cierto modo, podríamos decir que progresamos. Pero a veces las especies derivan hacia soluciones que no son ni las mejores ni las más eficientes: a veces opta por lo complejo, por lo ineficaz o por lo aparentemente absurdo.

Pensamos que la Naturaleza tiende a la perfección. Pero no. Para adaptarse a los cambios a los que se tiene que enfrentar, la Naturaleza acude a lo que tiene más cerca. Uno de los ejemplos más claros está cerca: nuestro propio ojo. Su estructura revela que la naturaleza no tiene finalidad ni perfección.

Hagamos un experimento.

Aquí tiene un dibujo sencillo: una cruz y un círculo.

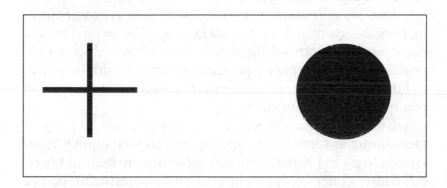

Sitúe el dibujo a unos veinte centímetros del ojo derecho. Ahora, cierre el ojo izquierdo y mire la cruz con el ojo derecho. Acérquese lentamente el dibujo al ojo. Llegará un momento en que el círculo desaparezca de su campo de visión.

Si sigue acercando el dibujo al ojo, el círculo volverá a aparecer. ¿Por qué?

Lo que sucede es que en el ojo tenemos un punto ciego, que no puede ver. ¿Por qué tenemos este punto ciego?

101

La retina es la capa nerviosa que recubre la parte interior y posterior del ojo, sobre la que se forman las imágenes que vemos. Está constituida por células sensibles a la luz. Estas células de la retina envían la imagen percibida al cerebro por unas prolongaciones que se entrelazan en el haz que forma el nervio óptico. Y, curiosamente, este nervio óptico, en lugar de salir por atrás, para no entorpecer la recepción de la luz, sale por delante de la retina. Así, la salida del nervio óptico y los vasos sanguíneos dejan un punto ciego sin células sensibles a la luz.

La existencia del punto ciego no fue conocida hasta el siglo XVIII, porque normalmente no lo percibimos. Como tenemos dos ojos, al mirar un objeto con ambos ojos, la percepción de uno compensa la del otro. Si cerramos un ojo, tampoco seremos conscientes de la existencia del punto ciego, porque el cerebro normalmente nos engaña y completa la parte que falta de la imagen.

Pero si realizamos un truco como el de la cruz y el círculo, ponemos de manifiesto que en la formación de nuestro ojo, como en tantos otros ejemplos, la Naturaleza soluciona sus problemas con lo primero que tiene a mano, sin diseño previo ni finalidad. La Naturaleza no tiene en absoluto esa perfección que muchos le atribuyen.

En fin, la evolución a veces se equivoca. Nos ha proporcionado un sistema de visión imperfecto y cualquier especialista lo podría haber montado seguramente con más pericia. Meter el nervio óptico por mitad de la retina no parece una gran idea. Un fontanero o un electricista medianamente habilidoso lo hubieran hecho mejor, sin duda. «Pero también es verdad que el cerebro ha resuelto brillantemente ese problema, ésa es la otra cara de la moneda», añade Javier Sampedro. «Ese punto ciego, lo que no vemos, se completa gracias a las potencias del cerebro: las áreas visuales de nuestro cerebro interpretan lo que falta a partir de la regularidad de su entorno y nosotros no somos conscientes en ningún momento de que hay un punto que no estamos viendo. Además, ese punto está justo en el centro de nuestra visión. El problema y la solución han venido en el mismo paquete y la solución es bastante brillante también: el cerebro rellena todo lo que falta... siempre».

UN CEREBRO DE ANDAR POR CASA

Así volvemos al centro de nuestro debate: el cerebro. Richard Gregory, profesor en Bristol y uno de los grandes psicólogos y neurólogos de nuestro tiempo, decía que no es verdad que el cerebro esté hecho para buscar la verdad. (Es otra de las ideas aprendidas que deberíamos desestimar). El cerebro no está hecho para buscar la verdad, sino para rellenar, para sobrevivir...

Ramón Núñez nos dijo en *Redes* que tenía la profunda convicción de que «la verdad» era una invención humana, como la utopía. «No necesitamos la verdad: necesitamos algo que nos sirva para ir tirando... Para vivir no necesitamos ninguna verdad: necesitamos una continua búsqueda de equilibrios entre nuestro deseo de placer, de comodidad, de bienestar, de paz, de amor, de todas estas cosas que son palabras que simbolizan nuestros deseos y las respuestas que vamos obteniendo del entorno. Evidentemente, también hay un deseo de saber; evidentemente hay también un ansia de satisfacer la curiosidad».

Seguramente al lector le resulten extrañas estas afirmaciones: al fin y al cabo, tiene en sus manos este libro porque quiere saber. Pero lo cierto es que la curiosidad nada tiene que ver con la verdad. No queremos saber la verdad de nada: queremos saber aquello que nos satisface, o queremos saber porque el saber nos satisface de algún modo. Nuestro cerebro se esfuerza en que no nos golpeemos cuando subimos unas escaleras o cuando caminamos por la calle, se esfuerza en controlar las asociaciones con otros seres humanos, procura que el individuo en el que se halla no sea atacado... En resumen: el cerebro se ocupa principalmente de evitar que el individuo no sea devorado por un depredador. Para ello tiene algunos recursos interesantes, como la capacidad de predicción y la evaluación de peligros.

Sin embargo, el cerebro no está biológicamente preparado para otros asuntos: «Por ejemplo, el cerebro humano no está hecho para la mecánica cuántica, para entender una partícula que está en dos sitios al mismo tiempo», añade Javier Sampedro. «La extravagancia de la mecánica cuántica es ajena a nuestro cerebro y, sin embargo, es el cerebro humano el que ha descubierto la mecánica cuántica. Servimos para cosas para las que no estamos hechos por la evolución».

Nuestro cerebro está acostumbrado a sus cosas... se ocupa de labores básicas, «de ir por casa», y con frecuencia, cuando se le plantean cambios y novedades, se defiende como un gato panza arriba: parece como si se resistiera a desarrollar su potencial.

Si alguien nos dice que el primer dibujo representa dos caras, no le creemos. ¡Está claro que es una copa! Y cuando tras mucho esfuerzo logramos encontrar al saxofonista oculto en la segunda imagen, nos cuesta entender cómo podríamos no haberlo visto.

Algo parecido ocurre con el conocimiento y la aceptación de nuevas ideas. Nuestro cerebro se resiste a cambiar la imagen preconcebida que tiene del mundo cuando realmente está convencido de otra cosa.

Antes de Copérnico, toda la Humanidad estaba convencida de que el Sol daba vueltas alrededor de la Tierra. ¡Era tan evidente...! ¿Cómo podía un científico insinuar que Aristóteles y todos los sabios habían estado equivocados? Era un cambio demasiado brusco para que la mentalidad del siglo XVI pudiera aceptarlo. Pero es justamente por el impacto filosófico que causó en la mentalidad del hombre por lo que su descubrimiento se considera una de las grandes revoluciones científicas de la Historia.

Según el filósofo Thomas Kuhn, el progreso científico no es una simple acumulación de conocimientos: una verdadera revolución científica es aquella que implica un cambio de paradigma; es decir, una nueva forma de interpretar la realidad.

Pero este cambio radical es tremendamente costoso para el cerebro. Quien haya creído durante toda su vida que Dios creó a los primeros humanos no puede aceptar la idea darwiniana de que venimos del mono. Y, después de habernos acostumbrado a mirar relojes durante siglos, ¿cómo vamos a reconocer que en algunas situaciones el tiempo pasa más despacio, como decía Einstein?

Para otro filósofo, Jacques Derrida, la clave para entender el cambio de paradigma era destruir o, según él, «deconstruir» el concepto anterior: no podemos ver copas y caras al mismo tiempo.

A lo largo de nuestra vida, el cerebro va creando un marco psicológico del que es muy difícil salir, como si desde pequeños nos hubieran puesto unas gafas que se interpusieran entre el pensamiento y la observación de la realidad. La clave, según Derrida, está en ser suficientemente valientes y quitarnos las gafas. Sólo así podremos llegar a entender una nueva visión del mundo.

Nuestro cerebro configura su mundo. ¿Qué ven aquí?

Un adulto, cuya mente ya ha recreado muchas veces escenas amorosas, verá una imagen distinta de la que puede observar un niño. Un niño sólo verá seis delfines. ¿Y ustedes... los habían visto?

O vemos el vaso o vemos las caras. O vemos el rostro de una chica o vemos al saxofonista. O vemos los delfines o vemos dos amantes. Lo uno o lo otro. Es como si nos hubieran acostumbrado a vivir con fronteras muy nítidas, pero resulta que un Premio Nobel de Física, Heinrich Rohrer, advierte que las fronteras entre lo inteligente, la materia viva y la materia inerte se están desplomando... Ramón Núñez nos dijo en *Redes* que «las fronteras, para los antiguos, podían estar entre lo racional y lo irracional, lo animal y lo vegetal, lo vegetal y lo mineral, lo vivo y lo inerte; pero hoy no sabemos dónde está la diferencia... Cuanto más sabemos, menos fronteras quedan».

El proceso del conocimiento, en fin, parece configurarse como la destrucción de las antiguas fronteras inmutables. Y ésa es otra de las cosas que tendremos que olvidar y que no deberíamos haber aprendido nunca. «Las fronteras o los compartimentos estancos están cayendo», advierte Javier Sampedro. «Conocer, como crear, es trazar metáforas, trazar nexos entre diferentes ámbitos del conocimiento. Los físicos lo saben muy bien porque la historia de la física es la historia de la unificación entre fenómenos y fuerzas que parecían totalmente dispares. Actualmente, los físicos persiguen la unificación final: una única ecuación que explique todos los fenómenos físicos del mundo. Y nuestra creatividad se basa en derribar las fronteras entre campos de conocimiento: por lo menos, deberíamos extraer una lección de ello y abolir para siempre el error de distinguir entre letras y ciencias».

Según Ramón Núñez, la gran unificación entre ciencias y letras, entre filosofía, ciencia y literatura y poesía y música es la única vía que lleva al conocimiento.

Para alcanzar este objetivo, debemos luchar contra lo aprendido y desembarazarnos de determinadas ideas. Por ejemplo, la idea de entender los hechos aisladamente. Uno de los grandes expertos en neurología y psicología, fisiología y psicología animal, John Bonner, decía: «La gente se detiene en una fotografía de la evolución y esto es un error: nos tenemos que acostumbrar a mirar procesos. Lo que hay son procesos».

¿Puede nuestro cerebro acostumbrarse a entender la realidad como procesos y continuidad? La realidad es continua pero nosotros la entendemos porque la fraccionamos, la categorizamos, inventamos conceptos opuestos y metemos todas las cosas en sus casillas: es nuestra forma de entender el mundo y, por otra parte, será difícil que alguna vez nuestro cerebro pueda operar de otro modo. Sin embargo, esos procedimientos (fraccionamiento, categorización, división en contrarios, etcétera) sólo contribuyen a forjar ideas erróneas, según Ramón Núñez. «Vamos a ver: cuando pensamos en Einstein, la foto que tenemos en la cabeza es la de un Einstein con canas, mayor, y sacando la lengua. Y, al mismo tiempo, pensamos en su teoría de la relatividad. Pues bien, ambas ideas no pueden ir unidas, porque su famosa teoría la desarrolló cuando tenía 26 años».

Nos contamos mentiras para poder entender el mundo. El cerebro funciona así porque tal vez le resulte más fácil, o porque no puede comprender la continuidad y los procesos, o porque sencillamente *es* así. Nuestro cerebro saca fotos fijas y parece conformarse con eso.

Otra de las cosas que hemos aprendido —y que posiblemente genera más conflictos que soluciones— es la suposición de que los sistemas necesitan de un liderazgo. El matemático Steven Strogatz sugiere que muchos sistemas funcionarían mejor si se les permitiera organizarse a sí mismos. Desde luego, en lo que toca a las sociedades humanas, esa teoría mantiene la fe en la autoorganización. Es difícil saber hasta dónde podría el hombre autoorganizarse, pero lo cierto es que la imposición de sistemas a veces destruye la posibilidad de realización automática de los procesos o la capacidad creativa. La burocracia o los organigramas empresariales, por ejemplo, tal vez estén cerrando las puertas a posibilidades de autocontrol y autorrealización. «En ese sentido, tenemos mucho que aprender de las abejas», comentó Javier Sampedro en *Redes*. «Las abejas, por ejemplo, consiguen mantener la temperatura de su colmena exquisitamente, a la décima de grado, y no hay nadie que decida a qué temperatura tiene que estar. Simplemente, los distintos individuos se agobian a diferentes temperaturas y se ponen a batir las alas para enfriar el ambiente o llevan a cabo los comportamientos necesarios para regular la temperatura. Nadie dirige el proceso: es la suma de todos y el hecho de que sean muchos y distintos lo que permite disponer de un termostato tan bueno». En el fondo, nuestra mente funciona así también: somos ciudades de neuronas que están haciendo propuestas sobre el mundo continuamente y la coalición de neuronas que gana es nuestra percepción consciente en ese instante. «Así que tenemos mucho de insectos sociales también... aquí, dentro de la cabeza».

Es necesario que sepamos esto: en nuestro cerebro no hay nadie encargado del mantenimiento, no hay control central, no hay un líder.

Y, finalmente, una de las mentiras más intrigantes es la que sugiere que el lenguaje está hecho para entendernos. Desde luego, cuesta admitir que el lenguaje no sirva para eso, pero si el lector mira a su alrededor, observará que el lenguaje también sirve para confundirnos. Al menos, se trata de una herramienta muy imperfecta. Nos cuesta definir con palabras nuestros pensamientos y emociones, y, por otro lado, nos cuesta adivinar qué quieren decir los otros cuando hablan. Por eso completamos nuestra comunicación oral con signos, con entonación, con gestos, con miradas, con sonrisas. Estos apoyos permiten mejorar las limitaciones del lenguaje. Las hormigas se comunican con feromonas, por ejemplo. Y nosotros, también, aunque no lo sepamos.

Nos comunicamos aunque sabemos que nuestra comunicación es imperfecta. Nos comunicamos a pesar de la confusión que generamos y a pesar de las limitaciones de nuestra comunicación. «A pesar de que el lenguaje no sirve para comunicarse, podríamos estar horas hablando», sentenció divertido Javier Sampedro en el plató de *Redes*.

Capítulo VI

Lavado de cerebro

El «lavado de cerebro» es la máxima invasión de la privacidad. Antes creíamos que el cerebro era sólido como un diamante, pero aprendimos que otras personas pueden controlar lo que hacemos —e incluso lo que pensamos— recurriendo a métodos como la coerción, la mentira y la violencia. Sabemos que pueden «lavarnos el cerebro». Al menos, ahora podemos analizarlo desde las bases de la neurología.

Vanidad del cerebro humano

En la década de 1950, al final de la Guerra de Corea, algunos soldados americanos que habían estado presos empezaron a defender a capa y espada la causa comunista. Las autoridades militares estadounidenses se dieron cuenta de que algo raro estaba pasando. Un cambio de bando y de ideas tan radical debía tener una explicación. ¿Qué había sucedido en la cárcel para que estos hombres renegasen de la política de su país y alabasen las teorías maoístas?

En 1993, después de 51 días de asedio policial a una granja de Texas, más de setenta miembros de la secta de los davidianos murieron en un enfrentamiento con la policía. Eran personas normales y corrientes, pero, en un momento dado, lo habían abandonado todo para seguir al líder: un iluminado que se autoproclamaba la reencarnación de Cristo. No dudaron ni un momento en luchar hasta morir para defender sus creencias y su comunidad.

Las denuncias por violencia doméstica no dejan de aumentar año tras año en todo el mundo. Bajo la presión del agresor, las víctimas lentamente se alejan de la familia y los amigos, y se convierten en un blanco fácil para sus maltratadores. Con la autoestima por los suelos y todos sus proyectos frustrados, piensan que el problema es *suyo* y la culpabilidad las mantiene al lado de su agresor. Se someten por completo a la autoridad cruel y sin límites de un pequeño tirano. Pero... ¿cómo se llega a una situación así?

Los tres párrafos anteriores son a su vez tres ejemplos de lavado de cerebro. En ellos se puede observar un proceso mediante el cual uno o varios individuos han conseguido manipular el tesoro más preciado del hombre: su mente. Pensamos que nuestro pensamiento es intocable, pero resulta que es relativamente fácil transformarlo. Con una «buena» técnica es factible reemplazar unas ideas por otras. La finalidad básica es evidente: eliminar la identidad independiente de la víctima para que no entorpezca el control total que se pretende ejercer sobre ella.

El deseo de controlar la mente de otro es tan antiguo como el hombre. A lo largo de la Historia se han desarrollado técnicas de lavado de cerebro muy variadas. Algunas de las formas más crueles son la tortura y el acoso psicológico. Pero también hay otras formas más sutiles: publicidad y educación.

Una actúa en beneficio de la otra: la manipulación de ideales y principios que consigue el tándem formado por educación y publicidad es poderoso y duradero. La educación encuentra la diana más fácil en las mentes jóvenes: su objetivo es forjar ciudadanos para que mejoren su poder adquisitivo y también inculcarles una buena predisposición a consumir. Del resto se ocupa la publicidad, que promete un poco más de felicidad con cada compra. No nos sentimos amenazados por este lavado de cerebro sigiloso: lo permitimos.

Tenemos una imagen de nosotros mismos muy elevada: creemos que somos seres libres, que tenemos unas creencias fundadas y que son difíciles de cambiar. Nos gusta pensar que nuestras mentes son sólidas e invulnerables y que podemos decidir quién nos influye y quién no. Pero hay pocas cosas más alejadas de la realidad que este espíritu vanidoso. Somos influenciables por naturaleza.

Las emociones nos traicionan y son el principal desencadenante de los cambios que suceden en nuestra mente. Una melodía que nos haga estremecer nos seducirá y fijará un anuncio publicitario en nuestra memoria.

En los casos más radicales de lavado de cerebro, el miedo, la pena o la soledad obligarán a una persona a ceder. No podrá soportar la presión y cambiará su modo de pensar y de ser. Las nuevas creencias quedarán íntimamente ligadas a estados emocionales extremos y la víctima se verá irremediablemente atrapada en su nueva percepción de la realidad.

PROGRAMACIÓN Y DESPROGRAMACIÓN DE LA MENTE HUMANA

Kathleen Taylor investiga en el Departamento de Fisiología de la Universidad de Oxford y su exitoso libro *Brainwashing: The Science of Thought Control* (*Lavado de cerebro: la ciencia del control del pensamiento*, Oxford University Press, 2004) plantea dudas sobre la tradicional perspectiva que teníamos de nuestro cerebro.

En efecto, la neurología moderna advierte que no somos lo que pensábamos que éramos. Pensábamos que nuestro cerebro era como un diamante, que no se podía «romper», pensábamos que podíamos conservar siempre nuestros recuerdos y que había una parte de nosotros mismos que jamás variaría. Kathleen Taylor llama a esta idea «solidez». Una solidez de pensamiento que en realidad... parece muy poco sólida. «Solemos pensar en nosotros mismos como algo relativamente uniforme una vez que alcanzamos la edad adulta. Por supuesto, la gente cambia, pero a menudo subestimamos hasta qué punto cambiamos... y hay buenos motivos psicológicos para ello. Pero lo importante es que nuestro cerebro está diseñado para hacernos sentir parecidos de un día a otro y de una semana a otra. Nos convence de que nuestras ideas permanecen invariables y que somos invariables, más de lo que verdaderamente somos. Esta habilidad cerebral nos ayuda muchísimo, porque nos permite desempeñar los mismos papeles de un día para otro, nos permite esforzarnos menos en intentar resolver los problemas cotidianos... ¡Imaginemos que cambiáramos mucho y fuéramos conscientes de lo distintos que somos cada mañana!».

Estaríamos perdidos. La doctora Taylor afirma que estaríamos perdidos y, además, tendríamos que esforzarnos mucho más para sobrevivir. Si podemos asumir que casi todo es exactamente igual, podremos seguir adelante y concentrarnos en las nuevas situaciones que se nos presenten. «El cerebro es muy efectivo cuando trabaja con la novedad, pero si las cosas son iguales, tiende a ignorarlas. Así que todo lo relativo a uno mismo —que es igual, o parece igual— puede ignorarse tranquilamente: lo dejamos de lado. Así podemos levantarnos y centrarnos en cualquier nuevo reto que se presente».

Así pues, resulta muy útil pensar en uno mismo como un elemento que no cambia mucho. Ello nos tranquiliza. Y nos hace la vida más fácil.

Sin embargo, no es verdad.

La gente subestima hasta qué punto su cerebro y su yo pueden cambiar. El lavado de cerebro no es más que un ejemplo extremo de estas modificaciones. La doctora Taylor propone un ejemplo: cierto día usted se encuentra con un amigo al que hace diez años que no ve. Su amigo era una persona normal, con su trabajo, su esposa, sus hijos... Pero ahora este amigo suyo le comunica que ha ingresado en un monasterio trapense y que ha consagrado su vida a Dios. Usted no dejará de sorprenderse, pero, al fin y al cabo, han pasado diez años... Es hasta cierto punto comprensible. Ahora bien, si hace sólo un mes que no ve a ese amigo y, de repente, le asegura que se ha convertido en un monje de clausura, usted pensará: «¿Qué ha ocurrido aquí? ¿Cómo ha podido cambiar tanto en tan poco tiempo?».

Sin embargo, podemos cambiar en muy poco tiempo y, de hecho, cambiamos en muy poco tiempo. Lo que ocurre efectivamente es que sustituimos unas ideas y unas creencias por otras, y éstas pueden ser completamente distintas a las antiguas.

Los ejemplos extremos de estos lavados de cerebro *(brainwashing)* se producen en tiempos de conflicto (aunque no sólo en estos períodos). La expresión «lavado de cerebro» comenzó a utilizarse en la década de 1950, pero las técnicas son mucho más antiguas y derivan, en general, de la tortura. La Inquisición y otras instituciones históricas (durante la Reforma en Inglaterra, por ejemplo) emplearon métodos que podrían denominarse «lavado de cerebro». En 1950, un periodista estadounidense llamado Edward Hunter acuñó este término propagandístico para describir lo que estaba ocurriendo con los soldados de la Guerra de Corea. Algunos soldados que regresaban a Estados Unidos, convertidos ya en civiles norteamericanos, cambiaban completamente su modo de pensar y se dedicaban a denunciar el estilo de vida estadounidense y todo lo que significaba. Aquello representó un escándalo. Los americanos estaban horrorizados y nadie entendía qué estaba ocurriendo. Era necesario encontrar una expresión o una palabra para describir aquel fenómeno tan extraño. Edward Hunter propuso la voz *brainwashing*, que en castellano hemos traducido como «lavado de cerebro».

Jim Jones era el líder de una secta religiosa que se hacía llamar Templo del Pueblo. Al parecer, en la década de 1950, sus miembros estaban aterrados ante la posibilidad de una catástrofe nuclear y fueron vagando por Estados Unidos y asentándose en distintos lugares hasta que finalmente acabaron en las tierras selváticas de la Guyana, en el Caribe, donde fundaron una colonia religiosa llamada Jonestown. Después de veinte años, todo concluyó en tragedia: mil personas se suicidaron ante la inminencia del fin del mundo. «Jonestown empezó como una misión cristiana, pero mucho más extrema y mucho más aislada, y con el tiempo desembocó en un suicidio colectivo», nos explicó Kathleen Taylor. «Nadie podía entender cómo se podía pasar de ser un simple cristiano, defensor de las buenas obras y bastante socialista, a convertirse en el líder paranoico que condujo a su gente a este tipo de acción. De nuevo, la gente necesitaba una palabra para explicarlo, así que dijeron: "¡Tenemos que llamarlo de algún modo! ¡No lo entendemos! ¡Pongámosle un nombre!"». Y la palabra que había inventado Edward Hunter respondía a sus expectativas: había sido un «lavado de cerebro».

Pero el deseo de manipulación de la mente humana no sólo es propio de perturbados como Jim Jones. La CIA investigó durante muchos años cómo se podían utilizar estas técnicas. El Proyecto Manhattan fue el nombre que se utilizó para encubrir las investigaciones destinadas a crear la bomba atómica y en él se invirtieron millones de dólares; pero los recursos que se emplearon para estudiar el lavado de cerebro no fueron menores. ¿Qué llegaron a saber? ¿Hubo resultados? ¿Se llegó a alguna conclusión? «Bueno... no soy estadounidense, ni trabajo para la CIA, de modo que no conozco exactamente qué ocurrió ni cuáles son los trabajos secretos que se están llevando a cabo actualmente...», nos decía muy en serio la profesora Taylor. «Pero lo que sé es que se encontraron con un problema, porque el lavado de cerebro se tiene que llevar a cabo en dos fases: en primer lugar, hay que eliminar las creencias anteriores y, en segundo término, hay que instaurar las nuevas creencias».

En el caso de los soldados estadounidenses de la Guerra de Corea, los torturadores debían conseguir eliminar de la mente de los combatientes la creencia de que el estilo de vida occidental era bueno y, posteriormente, debían conseguir instalar en sus cerebros la creencia de que el comunismo era bueno.

«Pues bien, se pueden eliminar las antiguas creencias... hasta cierto punto. Se puede utilizar el electroshock, las drogas o fármacos, o todo tipo de técnicas para intentar lavar el cerebro de la gente. El problema es que resulta extremadamente difícil introducir creencias nuevas. Los investigadores de la CIA descubrieron que no podían hacerlo. Efectivamente, podían "desprogramar" a las personas, como decían ellos, pero no podían adoctrinarlos e inculcarles nuevas creencias».

ASÍ LAVAMOS SU CEREBRO

La neurobiología actual muestra que el cerebro es un sistema dinámico y modificable. Algunos individuos aprovechan esta maleabilidad para lavar el cerebro a otras personas, para cambiar sus creencias, sus ideas y su comprensión del mundo. Tanto las víctimas como sus manipuladores son hombres y mujeres reales, y muchos están a nuestro alrededor.

En primer lugar, el manipulador aísla a su víctima, la aleja de sus seres queridos y de su entorno. Las creencias de la víctima son las de siempre, pero no hay nadie que las reafirme. Si el manipulador, además, controla todo lo que la víctima ve, oye y piensa, la identidad del sujeto se verá debilitada.

Aprovechando esos momentos de debilidad, el manipulador pone en duda las creencias de la víctima. Le crea incertidumbre y, por lo tanto, estrés. Nuestro cerebro nos permite resistir a influencias externas, pero es muy vulnerable en situaciones prolongadas de intenso estrés. En estas circunstancias se bloquea la capacidad del cerebro de la víctima para detenerse y pensar. Si la víctima duda de sus creencias, necesita alternativas... y allí está el manipulador para ofrecerle una nueva creencia.

El mensaje del manipulador será corto, coherente y simple. La víctima responderá a él automáticamente sin pararse a pensar. Ese mensaje se repite varias veces para romper su resistencia y conseguir que se familiarice con el mensaje. Pero estas técnicas precisan la implicación de las emociones de la víctima. Para conseguir esa implicación, acompañan sus antiguas creencias con imágenes negativas. Así, ahora odiará lo que antes amaba.

Aislamiento, control, incertidumbre, repetición del mensaje y manipulación emocional son las terroríficas técnicas que algunas personas utilizan para lavar el cerebro de sus víctimas y cambiar sus creencias.

Éste es el proceso. Pero no es necesario imaginar a un soldado americano en una celda, sometido a técnicas agresivas. El deseo de lavar el cerebro de los demás es mucho más cercano y, por tanto, mucho más peligroso. La doctora Kathleen Taylor nos explicaba detenidamente cómo son los procesos de adquisición de estas nuevas ideas: «¿Qué necesitamos para que una persona cambie su modo de pensar? En primer lugar, necesitamos emociones fuertes. Y, en segundo lugar, necesitamos que mucha gente alrededor del sujeto crea lo mismo. Eso lo hace mucho más fácil».

En efecto, cuando adquirimos una idea, la adquirimos por la información que nos llega. En el proceso de lavado de cerebro, la idea se forma por la invasión de información: lo que se ve, lo que se oye, la disposición de los objetos, la conducta de los demás... Todo dirige hacia esa nueva idea. «Si hay muchas personas que constantemente te dicen lo mismo y no hay nadie que te ofrezca algo distinto, la realidad se convertirá para ti en lo que esa gente te diga. No hay nada más, no hay opciones, no hay fuentes alternativas de información».

Por esa razón es importante detenerse y reflexionar. Por eso es esencial el pensamiento crítico. Es importante que haya personas que cuestionen las ideas tradicionales, las ideas asumidas como ciertas e irrefutables, la sabiduría popular o la información comúnmente aceptada. «Si uno vive en un mundo uniforme, y no hay nadie que se cuestione las cosas, todo se dirige a confirmar las ideas y a reforzarlas».

Eso fue lo que ocurrió en Jonestown: era un grupo pequeño y uniforme. No tenían acceso a los medios de comunicación. Jones, el líder, controlaba la información, de modo que sus palabras se convertían en «la realidad», porque no había modo de comprobarla. A una información única se sumaban las emociones, y las ideas se fortalecían y se convertían en verdades inmutables. Aunque hubiera aparecido alguien que hubiera cuestionado su mundo y hubiera dicho:

«Estáis equivocados», ¿cuánta repercusión habría tenido? Muy poca, o ninguna.

La única defensa contra la uniformidad de pensamiento, la única defensa heredada de la que disponemos, nuestra única defensa biológica, es la corteza prefrontal. Esa parte de nuestro cerebro es la que nos dice: «Espera. Detente. Piensa».

En realidad, según nos contaba la profesora Kathleen Taylor, no se trata de «un hombrecillo sentado que mira el resto del cerebro y le ordena que medite y reflexione». Es todo el cerebro, en su conjunto, el que opera así. La corteza prefrontal lo hace más lentamente que el resto del cerebro, y por eso atribuimos a esa parte del cerebro la capacidad para detenerse y reflexionar. «De hecho, los procesos de cuestionamiento e interpretación están pasando continuamente en el cerebro. Es decir, es como si las áreas neuronales interactuaran y conversaran entre sí. Cuando reciben un estímulo, se activan muchas áreas, casi como si tuvieran una conversación».

La doctora Taylor representó para *Redes* una conversación divertida en nuestro cerebro y sus distintas áreas. Al cerebro llega una información, y las neuronas y las zonas cerebrales «discuten»:

—Bueno... Mira lo que pasa.

—No, no... No estoy seguro de que eso sea así.

—Aunque grites más alto, no tienes razón.

—Es mejor que nos pongamos de acuerdo y decidamos algo.

—Muy bien. ¿Estamos de acuerdo en este aspecto concreto?

—Sí. De acuerdo. Lo aceptamos. Analicemos otro aspecto...

En el cerebro fluye la decisión y se consigue una acción y una respuesta. Desde luego, el lector entenderá que es un proceso mucho más complicado e interactivo. Pero la reflexión es mucho más lenta que cuando la «discusión» no se establece y se obedece a impulsos y una parte del cerebro no quiere «discutir»:

—¿Hacemos esto o no?

—¡Qué narices! Sí. Vamos a hacerlo. Ya está decidido.

Si alguien consigue que sus áreas cerebrales no establezcan una «discusión» profunda, es que le están lavando el cerebro. Piénselo.

EDUCACIÓN Y POLÍTICA

Desde luego, como se ha visto en páginas anteriores, hay situaciones extremas donde se produce un verdadero lavado de cerebro: soldados sometidos a tortura, sectas religiosas, maltratos físicos y psicológicos en el hogar... Pero ¿podemos estar seguros de que en la sociedad abierta y crítica que conocemos no se están produciendo asaltos semejantes a nuestra voluntad?

Por ejemplo, hay quien que dice que la educación es el mejor ejemplo del lavado de cerebro y que empieza en la infancia.

Kathleen Taylor dice que la educación puede convertirse efectivamente en un lavado de cerebro pero también puede ser todo lo contrario: ¡puede ser una manera de liberarse! «Hay que ir con cuidado con el lavado de cerebro, porque es un asunto sumamente político. Y uno de los problemas que surgen es que es importante saber de qué perspectiva estamos hablando en cada momento».

Durante la revolución china, por ejemplo, los mandatarios consideraban que estaban «reeducando» a la población. Consideraban que estaban procediendo positivamente. En sus textos puede observarse que describían ese proceso casi como una curación, o una salvación. Estaban intentando ayudar a esa «pobre gente» que vivía engañada, y decidieron mostrarle la luz del comunismo. Era muy positivo, y así lo entendían. En cambio, los estadounidenses observan la educación comunista desde un prisma negativo, y lo llaman «lavado de cerebro». Por eso es un término peyorativo, desagradable y denigrante.

Respecto a la educación, hay que preguntarse: ¿quién educa a esa persona? Y en el proceso de educación, ¿prevalecen los intereses de la persona que se educa o los intereses del educador? Evidentemente, si lo que se antepone son los intereses del educador, y se pretende conseguir un ciudadano agradable y dócil, entonces estamos ante un probable caso de lavado de cerebro. Porque se trata de un proceso de negación de la individualidad de la persona que recibe una educación y sólo se favorece la implantación de ideas del docente.

En cambio, si lo que se intenta es inculcar el pensamiento crítico, detenerse a pensar y ser un poco escéptico, comprender cuándo es mejor formular una pregunta, y cuándo es mejor dejarlo correr, si se trata de enseñar y favorecer la capacidad crítica para ahondar en la comprensión del mundo, si se hace todo eso, no estamos ante un proceso de lavado de cerebro. De hecho, es todo lo contrario.

Educación y política parecen ir de la mano en este sentido. A veces se ha sugerido que el poder político ejerce esta función de adoctrinamiento y de lavado de cerebro. Stanley Milgram, un famoso psicólogo social que trabajó sobre los conceptos de autoridad y sumisión en los grupos humanos (en castellano puede leerse el clásico *Obediencia a la autoridad* [Desclée de Brower, 2006]), mencionaba algunos datos espeluznantes: su investigación demostró que dos tercios de la población pueden comportarse de un modo cruel y maligno por el simple hecho de que una autoridad se lo ordene. Sabemos que el 1 por ciento de la población es psicópata. De acuerdo. Pero ¿es posible que el ser humano pueda comportarse cruel y salvajemente porque una autoridad se lo ordene? ¿Tan poca resistencia oponemos a la autoridad? Veamos en qué consistió el experimento del doctor Milgram.

El experimento Milgram

Un joven psicólogo pone un anuncio en el periódico. Solicita voluntarios para un experimento y ofrece cuatro dólares a quien se preste a participar. Es un anuncio engañoso. Se dice que es un experimento para evaluar la memoria, pero lo que realmente se quiere poner a prueba es la obediencia o la resistencia a la autoridad de los participantes.

A cada voluntario se le empareja con otra persona y se les asigna un rol al azar. Uno será el profesor y el otro el aprendiz. A continuación, se les pone en habitaciones separadas.

El procedimiento es simple: el profesor formula una pregunta al aprendiz y debe castigar cada respuesta errónea con una descarga eléctrica. El sistema de descargas funciona mediante un generador que transmite la electricidad a través de unos electrodos conectados al brazo del aprendiz. A cada respuesta equivocada deberá aumentar la potencia de la descarga.

Para demostrarle que el mecanismo funciona, el investigador aplica al profesor la descarga de mínima potencia, así comprueba en su propia carne el castigo que aplicará al aprendiz.

El investigador, con su bata blanca, es quien da las instrucciones: se convierte en la autoridad de referencia para los participantes. Las primeras descargas no representan ningún problema: el profesor pulsa el interruptor sin vacilar... Pero con los primeros gritos su tarea se vuelve más dura. Algunos «profesores» dudan: saben que están infligiendo dolor... Las voces de los aprendices pidiendo que los saquen de allí cada vez son más fuertes. La situación se vuelve muy tensa.

Cuando alguno de los profesores manifiesta su intención de abandonar, el investigador insiste, pero ni siquiera alza la voz: «El experimento requiere que continúes». O, simplemente: «Venga, continúa». Estas simples frases son suficientes para que el 65 por ciento de los participantes lleve el experimento hasta el final.

Sólo unos pocos deciden que no quieren seguir adelante. A pesar del progresivo aumento de los gritos de los aprendices, dos de cada tres voluntarios aplican la descarga de máxima potencia... sabiendo que existe un grave peligro para el que la recibe.

Sin embargo, no todo es lo que parece... El «profesor» voluntario no sabe que el «aprendiz» al que teóricamente ha estado maltratando es sólo es un actor. Sus gritos y súplicas son pura comedia.

La repartición de roles ha sido amañada para que todos los voluntarios ejerzan de profesores y todos los actores, de aprendices. Es una estrategia para que los voluntarios piensen que a los que se está poniendo a prueba son sus compañeros.

Este experimento se llevó a cabo en la Universidad de Yale a principios de la década de 1960. A pesar del truco, los resultados fueron muy reveladores. Muchos expertos consideran que este experimento ofrece una explicación a la obediencia ciega de la mayoría de alemanes durante el nazismo. Sometidos a una autoridad, las personas normales y corrientes pueden llegar a actuar con una crueldad extrema.

El secreto para entregarse a la crueldad es desprenderse de la responsabilidad: libres del sentido de culpa, aparece el lado más oscuro de la naturaleza humana.

¿Hasta dónde puede llegar el ser humano en la obediencia y hasta dónde pueden anularse la voluntad y los valores aprendidos?

Kathleen Taylor reconocía en *Redes* la importancia de este experimento, pero recordaba que las variantes en los contextos ofrecían divergencias notables. Por ejemplo, Milgram también incluyó un elemento distorsionador: había un personaje que le decía al «maestro»: «¡No! ¡No lo hagas!». En esos casos, el nivel de obediencia descendía a cero. De modo que es necesario que la autoridad sea absoluta para que los individuos acepten contravenir sus propias creencias. Y si el «profesor» se veía obligado a sujetar al «alumno» para propinarle la descarga eléctrica, el índice de resistencia a la autoridad también aumentaba muchísimo. «En definitiva, este experimento nos enseña mucho sobre la autoridad, pero también sobre la distancia: si estás lejos de la persona que sufre tus actos, si no eres realmente consciente de las consecuencias de tus acciones, si formas parte de un gran sistema burocrático, si estás lejos de la persona real a la que infliges daño, resulta más fácil hacer cosas horribles simplemente porque te lo mandan. En cambio, si estás ahí, si lo estás viendo, si estás mirando a la persona que sufre tus actos... la cosa resulta mucho más difícil».

En el experimento Milgram había dos tercios de personas que obedecían a la autoridad, pero había un tercio que se negaba a acatar la voluntad de otros si consideraba que ello iba en contra de sus creencias. Entonces, ¿hay personas que son más vulnerables que otras a estas imposiciones y «lavados el cerebro»? Ya sabemos que no hay dos cerebros iguales, y eso es fantástico, pero ¿qué diferencia unos de otros? ¿Por qué unas personas se dejan convencer y otras no? ¿Dónde radica la vulnerabilidad de algunas mentes?

Según la profesora Taylor, las personas varían en su susceptibilidad, en la facilidad con la que se les puede hacer creer cosas extrañas, en la facilidad con la que se les puede hacer entrar en una secta, en la facilidad para convencerlas de que se comporten violentamente, etcétera. «Y no acabamos de entender esos factores, pero podemos adivinar algunos de ellos. Por ejemplo, si una persona tiene creencias muy, muy fuertes, será mucho más difícil eliminarlas y, desde luego, será dificilísimo introducir creencias nuevas, por decirlo crudamente. Una persona dogmática o fanática, alguien que ya esté firmemente convencido de algo, será una pesadilla para quien quiera lavarle el cerebro. Sin embargo, si un manipulador da con una persona joven, por ejemplo, con una persona que no ha acabado de descubrir quién es en la vida, o que tiene dudas, que busca algo, pero no sabe bien qué, esa persona será una víctima maravillosa».

Una persona que busca respuestas está abierta a la información y, de hecho, no tiene convicciones muy arraigadas. Es carne de cañón para los manipuladores. Las sectas, los grupos fanáticos o las asociaciones criminales adoran a este tipo de jóvenes.

Kathleen Taylor propone un ejemplo ilustrativo: si una persona tiene un terreno donde crecen por doquier hierbas, arbustos y árboles en completo desorden, como en una jungla, resultará muy fácil diseñar el espacio y trazar un jardín. Pero, si esa misma persona tiene un jardín que ya está perfectamente trazado, con rocas y paisajes establecidos, le será mucho más difícil superponer otra estructura. ¡Sería necesario arrasar todo lo anterior!

Así pues, es un factor importante saber hasta qué punto están arraigadas las convicciones de la gente, y esto dependerá de la educación y de la motivación. «Si alguien está interesado y dispuesto a recibir nueva información, ése será un inicio inmejorable para lavarle el cerebro. Si no le gusta, y se muestra reacio a la nueva información, eso convertirá la tarea en un trabajo arduo. No será imposible, pero sí más arduo», concluía la doctora Taylor.

ESTRÉS MÁXIMO, MANIPULACIÓN INMINENTE

Probablemente, el gran salto evolutivo entre los homínidos se produjo el día en que uno de aquellos seres fue capaz de intuir lo que estaba cavilando otro miembro de su grupo. Saber lo que estaba pensando su interlocutor le permitió ayudarlo... o manipularlo. Esta tendencia a convencer a los demás de nuestras propias opiniones o a intentar manipular a los demás parece no haberse interrumpido desde entonces.

Humberto Trujillo, profesor de Psicología Social de la Universidad de Granada, que participó en la tertulia de *Redes* dedicada al lavado de cerebro, pensaba que no era necesario dramatizar: «Realmente, detrás del lavado de cerebro lo que hay es una situación de comunicación. Es una comunicación persuasiva que se puede dar a distintos niveles, más o menos agresiva, y más o menos violenta. Ese término, *brainwashing*, se acuñó efectivamente tras la Guerra de Corea, y se aplicó generalmente a situaciones bélicas de control y doblegamiento personal, pero las técnicas se venían utilizando desde mucho antes, en distintos momentos de la Historia. Pero, en fin, es así: desde que alguien cae en la cuenta que el otro puede pensar algo y el primero sabe que puede modificar ese pensamiento en alguna medida para su propio beneficio, desde ese mismo instante, empieza a producirse una comunicación agresiva y empieza a haber debilidad, desasosiego y dependencia. Si esa comunicación se produce en los momentos oportunos y con las secuencias y fases adecuadas, la víctima caerá en la manipulación mental o, en otras palabras, se le habrá lavado el cerebro».

Juan Martínez, profesor de Psicología Cognitiva en la Universidad de La Laguna (Tenerife), nos dijo que los chinos habían acuñado un término previo a «lavado de cerebro». Ellos lo llamaban «lavado de corazón». Lo aplicaban a una situación en la que se procuraba acercar los sentimientos de una persona a los de otra. Cuando evoluciona esa mentalidad, lo que acaba proponiéndose es la destrucción de una parte de la memoria, o bien ocultar una parte de la memoria y sus contenidos, y sustituirlos por unos contenidos más afines y manipulables.

¿Y qué técnicas se utilizan? Para empezar, es necesario plantear una situación de tensión. Es imprescindible someter a la víctima a una situación tensa. En la Guerra de Corea, por ejemplo, los prisioneros se enfrentaban a un guardia bueno y a un guardia malo. Se generaba entonces una tensión muy fuerte, el soldado se debilitaba y, en esa debilidad, iba imprimiendo los elementos positivos que le ofrecía el guardia bueno y, así, podía manipularlo.

El lavado de cerebro, en definitiva, necesita que la víctima esté en una situación de estrés máximo. «Sí, absolutamente», nos confirmó Juan Martínez. «Las sectas, por ejemplo, son un caso muy típico: se somete al sujeto durante muchas horas a comidas hipocalóricas, muy bajas en calorías, bajas en hidratos de carbono; no tendrá energías para aguantar y sobreponerse... Ese debilitamiento permitirá que se le vaya comiendo terreno y se le pueda ir manipulando».

Otras técnicas son menos sutiles. Por ejemplo, también se han utilizado corrientes eléctricas para lavar el cerebro de las personas. En realidad, aunque se dan distintas variedades de procedimientos, todos buscan lo mismo: romper la realidad física de una persona. Esto mismo es lo que se hace en el adiestramiento animal, con elefantes, asnos, perros, etcétera. Se genera tal nivel de desequilibrio en la respuesta electroquímica que el individuo no tiene ningún recurso para hacer lo contrario de lo que se le ordena.

El lavado de cerebro consiste en quebrar la realidad física de una persona, porque en realidad se le está quebrando el sistema nervioso central y el sistema endocrino mediante ciertos estados emocionales y anímicos. Cuando eso ocurre, la persona entra «en pérdida», y una persona «en pérdida» a nivel orgánico es muy fácilmente sugestionable, nos comentaba el profesor Trujillo. «Si además se produce un aislamiento de estímulos, caerá en una crisis de tal nivel que no será difícil que empiece a confundir la realidad con la fantasía, que empiece a dudar de dónde empieza su culpa y dónde acaba su culpa, que empiece a dudar de los despropósitos o de las malas intenciones del comunicador asertivo... O sea, empieza a dudar de todo. En ese momento, la persona es vulnerable, dependiente, se ha roto su resistencia psicológica como consecuencia del debilitamiento físico: ahora está dispuesta para el ataque y la modificación».

En ese estado, el individuo se ha desestructurado completamente. De acuerdo, es terrorífico. Este tipo de situaciones se producían o se producen en períodos de guerra, en algunos presidios, en algunas épocas históricas, etcétera. ¿Y hoy? ¿Podemos estar seguros de que no se están dando situaciones semejantes? Puede que no hagamos bien en llamarlo «lavado de cerebro», pero ¿no es posible que se utilicen técnicas semejantes? Y puede que nadie nos obligue a mantener una dieta hipocalórica para hacernos más vulnerables o puede que no tengamos que enfrentarnos al «poli bueno» y al «poli malo» para que nuestro sistema nervioso se desestabilice a causa del estrés, pero ¿no es posible que nos estén lavando el cerebro sin llegar a estos extremos? ¿Deberíamos estar preocupados?

TÉCNICAS MODERNAS... DE PERSUASIÓN

Desde luego, la publicidad o el márketing han utilizado recursos para tratar de influir en las decisiones que los seres humanos tomamos. El profesor Juan Martínez nos decía: «Cuando hay que promocionar un determinado producto y alguien quiere influir en esa decisión, utilizará técnicas persuasivas. En ese caso, las técnicas pueden ser una especie de guía para que el sujeto, al final, termine yendo a donde el persuasor quiera».

Tanto en situaciones extremas como en la vida cotidiana, el lavado de cerebro se previene con un mínimo control emocional. Se trata de ejercitar mecanismos vitales que nadie enseña y que tenemos interiorizados, como la llamada «autoeficacia», la controlabilidad, la inteligencia práctica, el control de objetivos y riesgos, etcétera. En realidad, no se trata sólo de sobrellevar o sobreponerse a situaciones graves o postraumáticas, sino de poder convivir. Y, como señalaba Humberto Trujillo, deberíamos poder utilizar ese repertorio básico de capacidades para afrontar tanto las situaciones límites como la vida normal.

En la base de nuestro comportamiento está la educación. Recordemos las palabras de la doctora Taylor: «La educación puede ser una liberación y sus contenidos pueden ofrecer una gran resistencia al lavado de cerebro», pero ella misma no escondía que muchos sistemas educativos se pueden convertir en atroces lavados de cerebro. Esto se llama adoctrinamiento.

El profesor Trujillo nos aseguraba en el plató de *Redes* que, en realidad, no estamos formando a nuestros jóvenes. Les estamos ofreciendo información masiva, estamos intentando que gestionen esa información de un modo más o menos adecuado, pero no estamos haciendo nada para instaurar los pilares fundamentales en cuanto a las emociones y el comportamiento. Y estos pilares, el control de la emoción y el comportamiento, son imprescindibles para que los individuos puedan gestionar adecuadamente semejantes niveles de información. Estamos creando jóvenes frustrados —y por tanto, agresivos, consigo mismos y con los demás—. «Hoy por hoy», nos decía Humberto Trujillo, «nuestros chavales, nuestras nuevas generaciones, chicos y chicas de 12 a 13 años, no tienen un verdadero "apoyo social percibido", o no tienen la percepción de ese apoyo social. Es posible que lo reciban, pero lo importante no es lo que uno recibe, sino lo que cree que tiene y de lo cual dispone. El apoyo social es un elemento de sosiego y de aproximación que permite a la persona un equilibrio suficiente como para empezar a entender a los demás».

Entre nuestros jóvenes, el lavado de cerebro no necesita de mayores complejidades: el deseo de pertenencia a un grupo es suficiente. Tras el asesinato de Martin Luther King, la profesora Jane Elliott llevó a cabo un famoso experimento para demostrar que la discriminación o la crueldad podían basarse en elementos completamente arbitrarios. Separó a dos grupos de chicos en función del color de sus ojos (azules o castaños) y concedió poder a uno sobre otro. Aquel experimento, conocido hoy como «Blue Eyes/Brown Eyes Exercise», demostró que la pertenencia a un grupo puede anular las capacidades de control emocional de sus integrantes.

Y es serio: no es necesario ser una nación para autoconvencerse y cometer actos horrendos, o discriminatorios, o violentos... Cuatro, seis u ocho jóvenes pueden convencerse, mediante el aislamiento o la imposición de una autoridad, de que su grupo es el *bueno* y el resto es el *enemigo*. O pueden creer que su idea del mundo es la correcta y la incorrecta o equivocada es la que tienen los demás. En ocasiones, ni siquiera es necesaria la presencia de un líder: las convicciones de unos miembros alimentan las convicciones de otros. «Son los comportamientos miméticos», nos decía Juan Martínez. «Los chicos hacen lo que ven hacer a otros. Entonces, si el modelo que están copiando es un modelo equivocado o un modelo erróneo, evidentemente están reproduciendo conductas erróneas».

Los modelos que persiguen la configuración de grupos, los modelos que socavan los valores humanos, los que imponen la consecución de la riqueza a toda costa y rápidamente, por ejemplo, son modelos equivocados. Y frente a la información masiva y sin control emocional y comportamental, podría plantearse la enseñanza de modelos positivos y no de confrontación.

En resumen y para concluir, dos recomendaciones basadas en los dos factores esenciales del lavado del cerebro, de la manipulación mental y la radicalización de las ideas:

1. Cuidado con el poder, porque el poder se legitima demasiado fácilmente y en nombre de la autoridad se pueden cometer enormes atrocidades.
2. Cuidado con la educación que están ofreciendo a sus hijos.

¿Está siendo usted manipulado? Es probable, porque en una empresa de publicidad o en un despacho ministerial, en una sala de reuniones de un medio de comunicación o en el otro extremo de su propia oficina, siempre habrá personas que estén calculando cómo pueden conseguir que usted piense lo que ellos desean que piense. El ser humano ha sido así desde que comenzó su andadura sobre la Tierra. La solución está en su cerebro. Como nos decía Kathleen Taylor: «Deténgase, piense, reflexione».

Capítulo VII

Nueva percepción del cerebro

Si desplegáramos la corteza del cerebro de una rata, no tendríamos una extensión superior a la de un sello de correos; si desplegáramos la corteza de nuestro cerebro, tendríamos una superficie semejante a la de una servilleta grande o un mantel de una mesa mediana. Ahí están, de algún modo, nuestra conciencia, la capacidad para controlar nuestro cerebro, la capacidad para controlar a los demás y para controlar el universo. Estamos descubriendo lo que de verdad nos ha hecho humanos.

REALIDADES, ILUSIONES E IMAGINACIONES

El cerebro puede deteriorarse por un traumatismo o a consecuencia de una enfermedad neurodegenerativa. Pero... ¿pueden recuperarse las facultades perdidas por estas causas? La respuesta es «sí», al menos en parte.

¿Recuerdan a Oliver Sacks? En *Despertares* o *En el hombre que confundió a su mujer con un sombrero*, Sacks nos mostró cómo el cerebro es capaz de recuperarse, de sustituir unas facultades por otras, de manipularse a sí mismo para solventar problemas... La clave de estos procesos es la plasticidad cerebral. Gracias a esta ductibilidad, nuestro cerebro se reorganiza y puede adaptarse a nuevas situaciones.

Un circuito dañado no puede repararse como se repara un golpe o un arañazo en la piel: cuando somos adultos, nuestras neuronas pierden en gran medida la capacidad para dividirse. La estrategia del cerebro es entonces brillante: busca otras neuronas con las que suplir las funciones de la zona dañada o busca otras funciones con las que suplir la actividad de las neuronas dañadas.

Cuando una persona pierde una mano, la parte del córtex dedicada a su control queda sin función. Pero nada se desaprovecha: poco a poco, las zonas circundantes del córtex van invadiéndola y comienzan a aprovechar los recursos disponibles.

Piensen en dos músicos: uno es pianista y el otro toca el violín. Y ahora imaginen el córtex cerebral como un mapa donde están localizados los diferentes órganos del cuerpo, incluidas las manos con las que estos músicos tocan. Pues bien, una buena imagen de la plasticidad del cerebro es ésta: mientras que el pianista tiene la misma cantidad de neuronas dedicadas a cada una de sus manos, el cerebro del violinista ha dedicado un área mucho mayor de su córtex al control de la mano izquierda en comparación con la zona dedicada al control de la derecha. (La mano izquierda del violinista es la que debe presionar rápida y ajustadamente las cuerdas del violín, mientras que la mano derecha sólo mueve el arco). Cuando nacieron, ambos músicos tenían aproximadamente el mismo número de neuronas para la mano derecha y la mano izquierda, pero la práctica y la plasticidad han modificado sus cerebros.

Aún sabemos poco sobre los mecanismos precisos que controlan la plasticidad cerebral. Si los conociéramos bien, no sólo podría avanzarse increíblemente en las distintas disciplinas neurocientíficas, sino que sus aplicaciones en neurorrehabilitación serían también numerosísimas.

Dentro de este campo, el Institut Guttmann de Barcelona es un centro de referencia en España, una institución pionera en tratamiento e investigación del cerebro humano. Las XV Jornadas Técnicas del Institut Guttmann contaron con la participación de Giacomo Rizzolatti (catedrático de Fisiología en la Universidad de Parma) y de Álvaro Pascual-Leone (investigador de Neurología en la Universidad de Na-

varra), dos figuras destacadas dentro del campo de las neurociencias, y con ellos tuvimos la oportunidad de conversar
en *Redes*.

Naturalmente, había muchas preguntas que se habían
suscitado a lo largo de los años que el programa lleva en an-
tena. Pero, para empezar, quisimos saber por qué el cerebro
tiene la extraña costumbre de engañarnos. Es difícil entender
por qué nuestro cerebro genera espejismos e ilusiones. Por
ejemplo, si salimos una noche al balcón y vemos la Luna sobre el horizonte, nos parece enorme, casi tan grande como la
Tierra. Luego va ascendiendo y adquiere su tamaño «normal». Sabemos que la Luna no ha cambiado de tamaño y sabemos que el satélite natural ni se acerca ni se aleja de nuestro planeta. Es sólo un ejemplo, pero hay miles de ilusiones
semejantes. ¿Por qué? La respuesta de Álvaro Pascual-Leone
es sorprendente: «En general, pensamos en el cerebro como
un sistema que obtiene cierta información, la dota de sentido
y la procesa. Pero me parece que esto es erróneo. Simplemente, no funciona así. Creo que, básicamente, lo que hace
el cerebro es generar una expectativa».

El profesor Pascual-Leone asegura que nuestro cerebro
«realiza una predicción sobre lo que debe esperar».

Por ejemplo, usted se encuentra con un amigo y le pregunta cómo le va en el trabajo. Usted no sabe exactamente
qué le va a responder, pero tiene ciertas expectativas sobre
lo que su amigo le va a decir y cómo se lo va a decir. Si, de
repente, su amigo le empieza a hablar de física cuántica o
de los conflictos internacionales, o le habla con otra voz, en
su cerebro se planteará un conflicto entre lo que usted espera y lo que ha obtenido. (Éste es también uno de los fundamentos del humor; las respuestas inesperadas, los objetos que
no están en su lugar, las personas que no actúan como esperamos, etcétera, causan sorpresa y, en ocasiones, hacen reír
a nuestro cerebro).

Nuestro cerebro está codificado para generar expectativas y detectar lo inesperado. Cuando algo no se corresponde con lo que esperamos, nuestro cerebro nos advierte. Así

que, en último término, las ilusiones no son más que un momento de desequilibrio inesperado entre lo que esperamos que suceda y la realidad que se nos presenta.

En realidad, lo que propone Álvaro Pascual-Leone es una manera distinta de pensar sobre la percepción. «Si lo vemos desde esta perspectiva, la percepción no puede separarse de la acción. Captamos el mundo y percibimos el mundo, pero el objetivo de esta capacidad es poder actuar sobre el mundo». De hecho, según este investigador, estamos preparados para actuar y establecemos expectativas de percepción antes incluso de recibir ninguna señal.

Pero... ¿cómo vamos a actuar si nuestro cerebro nos engaña? ¿Cómo actuaremos si lo que vemos no responde a la realidad? ¿Qué nos ocurre? ¿Es que no podemos distinguir entre realidad e imaginación?

Según Álvaro Pascual-Leone, el cerebro sí puede distinguir entre la información procedente de los sentidos y la información imaginada. El lector puede ver el libro que tiene en sus manos; pero también puede imaginarlo. Si no supiera distinguir entre el libro real y el libro imaginado, debería pensar que está sufriendo alucinaciones, que está enfermo y que necesita un psiquiatra. Puesto que el lector sabe que esas dos operaciones son distintas, tiene que haber algo en su cerebro que las distinga.

Durante mucho tiempo, la neurociencia ha insistido en el hecho de que muchas estructuras neuronales y muchos de los sistemas cerebrales que nos permiten ver se activan de un modo muy parecido cuando imaginamos. «Muy bien», dice el profesor Pascual-Leone, «pero si ver e imaginar son procesos tan parecidos, ¿por qué lo sentimos como algo totalmente distinto?».

¿Qué ocurre en el cerebro para que constatemos firmemente que ver e imaginar son cosas distintas? Ocurre esto: cuando imaginamos, efectivamente está activado el sistema visual, pero se desactiva la entrada de datos auditivos, somatosensoriales y visuales del ojo, y se inhiben estas áreas del cerebro. Si no se inhiben estas áreas, lo que estamos haciendo es ver. De hecho, si no se inhiben ciertas áreas sensoriales, estamos tocando y viendo, y nos estamos preparando para actuar. Todos los sentidos están actuando y captando información. Sin embargo, cuando imaginamos, hay zonas «desconectadas»: no se pretende actuar y, por tanto, sólo se activa parcialmente el sistema visual.

Giacomo Rizzolatti nos hablaba de la «imaginación motriz». Podemos imaginar que estamos jugando al tenis. Pero no movemos las manos ni los pies. Y atención: «Es un buen entrenamiento, porque pensar en el movimiento mejora las destrezas e incluso la fuerza. Parece una locura, pero es así». ¿Cómo es posible...? Según Giacomo Rizzolatti, cuando una persona imagina que juega al tenis, está utilizando las mismas estructuras cerebrales que emplea cuando *efectivamente* juega al tenis. Además, cuando se imagina este acto, se está activando un sistema llamado pre-SMA *(Presupplementary Motor Area)*, un sistema que conecta el lóbulo frontal y el sistema motor. «De algún modo», nos decía Rizzolatti, «la idea de jugar al tenis se transmite por esta vía al circuito que controla los brazos, las piernas... Se produce realmente la activación del plan de movimiento, salvo en el último paso. Este último paso, que conduce a la acción efectiva, se inhibe».

¿Es esto lo que los deportistas llaman «visualización»? Algunos deportistas están convencidos de que la visualización —la imaginación previa de un acontecimiento deportivo— les permite «entrenarse» y mejorar su rendimiento cuando llegue el momento de actuar efectivamente. «Sí», aseguraba Rizzolatti, «los entrenadores lo saben bien. Por eso dicen a sus atletas: "Antes de hacer algo, piensa en ello". Por ejemplo, en el tenis o en el salto de altura o en el esquí... La mayoría de los deportistas lo hacen. Piensan en ello y lo "practican". Y eso ayuda mucho».

Es increíble. De acuerdo. Pero piense por qué todos los deportistas de élite hablan de esa visualización previa y por qué consideran que es un entrenamiento imprescindible.

«Y los pianistas también lo hacen», aseguraba Álvaro Pascual-Leone: «Hace unos años se hizo un estudio que demostró que los procesos en la corteza motora son exactamente los mismos tanto si uno practica física como mentalmente».

Santiago Ramón y Cajal ya conocía este aspecto del cerebro humano. Ramón y Cajal decía que, si una persona deseaba adquirir ciertas habilidades, debería saber que necesitaría muchos años de práctica física y mental. Él ponía el ejemplo de los pianistas y citaba también otras habilidades; pero, sobre todo, aludía específicamente a la práctica mental: el entrenamiento mental.

Neuronas y espejos

Los niños aprenden observando a los adultos y a otros niños. Aun sin comprender totalmente el significado de nuestros actos, cuando somos pequeños copiamos los movimientos y acciones de los que nos rodean. Esta imitación es esencial para dominar las habilidades sociales básicas y para transmitir conocimiento e información. Por lo tanto, no es de extrañar que exista una explicación neurológica a este tipo de comportamiento.

Se ha demostrado que en una región del cerebro «habitan» unas células que son las causantes de que los humanos tendamos a imitar a los que nos rodean: son las «neuronas espejo». Su descubrimiento se produjo al experimentar con el cerebro de los monos. Se observó que ciertas neuronas que controlan el movimiento gestual se activaban cuando el animal debía realizar una determinada acción, ya fuese con la mano o con la boca.

Lo sorprendente fue constatar que las mismas neuronas se activaban también cuando el animal veía realizar a otro la misma acción. Es decir, el mono era capaz de simular mentalmente los movimientos de su compañero. Pero estas neuronas, además de reconocer las acciones de los demás, también las interpretan. Así, nos permiten deducir las intenciones de los otros. Éste es un factor clave para responder varias cuestiones interesantes: entre ellas, ¿por qué la risa o el llanto son tan contagiosos?

Las «neuronas espejo» esconden la respuesta.

Este sistema neuronal es el responsable de que sintamos una emoción cuando vemos a alguien emocionarse. Literalmente, *sentimos* esa misma emoción. Estas «neuronas espejo» también nos permiten «leer» la mente del otro e identificarnos con él.

Esta capacidad, al parecer, está íntimamente ligada a la aparición del lenguaje. En los humanos, las «neuronas espejo» se encuentran en el área de Broca, la zona cerebral responsable del habla. Probablemente, la habilidad para imitar gestos y acciones dotó al emisor y al receptor de un código común que propició un sutil diálogo gestual que más tarde se convertiría en comunicación verbal.

Pero la importancia de este sistema no se limita únicamente al surgimiento del lenguaje: todo apunta a que estas neuronas fueron vitales en el *Big Bang* de la evolución humana. Si tenemos en cuenta que el cerebro humano alcanzó su actual tamaño hace unos 250.000 años, resulta extraño que rasgos típicamente humanos como el arte o la música no se desarrollasen hasta hace tan sólo 40.000 años.

Hasta ese momento era como si todos los participantes en la carrera estuvieran en sus posiciones: sólo faltaba el pistoletazo de salida y la activación de las «neuronas espejo» fue el disparo que todos esperaban escuchar. Con su aparición se produjo el cambio estructural que necesitaba el cerebro para alcanzar su actual capacidad intelectual.

Suposiciones y expectativas

Así pues, cuando imaginamos algo, nuestro cerebro actúa como si lo estuviera viendo, aunque nos advierte de que no lo estamos viendo y, por tanto, no envía las señales para la acción. Y cuando imaginamos que hacemos algo, nuestro cerebro actúa como si efectivamente lo estuviéramos haciendo, pero también evita la acción motora. Y más: cuando vemos a alguna persona haciendo algo, en nuestro cerebro se activan las neuronas espejo y nuestro cerebro actúa como si estuviéramos haciendo lo mismo que esa persona, aunque inhibe la acción. Esto lo sabemos por los experimentos con simios: cuando un simio ve a un experimentador comer un cacahuete, en el cerebro del simio se producen las mismas reacciones que si él estuviera comiendo un cacahuete. Naturalmente, con algunas precisiones, como señalaba Giacomo Rizzolatti: «Bueno, son reacciones cerebrales parecidas: no lo sabemos con certeza, pero básicamente... es así».

¿Qué significa esto? ¿Cuál es la conclusión entonces? Rizzolatti asegura que se trata de un descubrimiento importantísimo, porque significa que el cerebro reconoce y entiende la acción exterior. Además, el cerebro crea copias en su sistema motor: ¿por qué se puede reconocer una acción únicamente mirándola? «Porque una vez que se ha producido la acción y se ha introducido en la red motora, ello nos permite saber cuál es el siguiente movimiento». De nuevo, expectativa y acción.

Rizzolatti nos propuso un ejemplo significativo: imaginemos a una criatura de Marte. Esta criatura es completamente distinta a nosotros. Y, de pronto, hace algo extraño: por ejemplo, se hincha. Probablemente digamos: «Está claro: está respirando». Sin embargo, no sabemos si está respirando o está mirando o está pensando. Quizá su modo de pensar consista en hincharse. Sin embargo, si vemos a un mono comerse una manzana, sabremos exactamente qué está haciendo. Sabemos qué es morder y sabemos qué es una manzana. Y sabemos qué ocurre cuando se muerde una manzana. En fin, morder una manzana es algo que compartimos con ese mono. Por esa razón, cuando vemos a un ser humano y vemos que hace algo, sabemos qué significa. «Se trata de un conocimiento que los filósofos llaman "conocimiento en primera persona": sabemos qué significa porque lo hemos experimentado y sabemos lo que significa morder una manzana». Por el contrario, no tenemos ni idea de cómo respiran los marcianos.

Entonces, es como si tuviéramos almacenados versiones o patrones internos: miles de millones de acciones almacenadas a las que recurrimos para comprender el mundo. De ahí la expectativa: lo que sucede en el exterior, generalmente, debería adaptarse a algunos de esos miles de millones de patrones o versiones interiores. «Efectivamente», admitía Giacomo Rizzolatti, «hemos forjado una especie de almacenamiento de acciones, de conocimientos. Cuando este almacenamiento se ve expuesto a los estímulos externos, sabemos exactamente qué significa, porque pertenece a nuestro yo».

¿Y qué ocurre con lo nuevo? ¿Cómo entendemos a esa figura marciana que se hincha? Si no existe un patrón interior, ¿cómo lo analizamos? Si no tenemos almacenado ese patrón o esa versión, nuestro conocimiento será muy superficial. Quizá podamos interpretarlo lógicamente y decir: «Bueno, si esta criatura se ensancha... significará que respira. Es posible que esté respirando». ¡Pero no sabremos exactamente qué significa esa acción de un objeto exterior sin patrón en nuestro interior! Ahora bien: esa visión del marciano hinchándose ya constituiría un patrón. La próxima vez que viéramos un ser semejante, nuestro cerebro recuperaría esa versión anterior y crearía una expectativa: «Muy probablemente, se hinche. No sabemos por qué lo hacen, pero estos seres se hinchan».

De modo que estos procesos permiten al ser humano elaborar una de sus capacidades más importantes: captar las intenciones de los demás y prever lo que puede suceder en el entorno: expectativas. «Exactamente, sí», confirma Giacomo Rizzolatti: «Sí, porque una vez que esas versiones y patrones están dentro de nuestra red, sabremos lo que ocurre *normalmente*. Si vemos que una persona coge una manzana, *normalmente* se la llevará a la boca. Y si la persona que coge una manzana va vestida con una bata blanca, probablemente será un investigador que parta la manzana y la coloque bajo el microscopio. Por supuesto, puedo engañarme: puede que esa persona de la bata blanca no investigue la manzana y, simplemente, se la coma». En todo caso, nuestro cerebro calcula con dos —o dos mil— patrones o versiones, y ninguno nos sorprendería. Nos sorprendería, por ejemplo, si intentara enroscar la manzana en el casquillo de la luz. Para esa ridícula acción, nuestro cerebro no tendría patrón.

Nuestro cerebro, como señalaba Álvaro Pascual-Leone, trabaja con lo previsto y lo imprevisto. Nuestro cerebro constantemente crea expectativas. En nuestro cerebro se han creado miles y millones de redes de acciones conectadas: son las llamadas «cadenas de acciones», y éstas generan expectativas: cuando usted pase esta página, encontrará otra con el mismo tipo de letra y el texto se referirá al estudio del cerebro. Si en vez de eso, usted encontrara unas viñetas con aventuras de Spiderman, seguramente se sorprendería. Usted está leyendo este libro y ha diseñado una «cadena de acciones» que considerará normales, pero, si la próxima página es gelatinosa, usted se sorprenderá. «Siempre que suceda algo que no esté en sus versiones interiorizadas saltará la sorpresa».

Hay un aspecto de este sistema de comprensión del mundo que afecta a las relaciones humanas. Si podemos comprender los motivos de los demás, e intuimos por qué hacen lo que hacen, y por qué se comportan como se comportan, ¿cuál es la razón de los enfrentamientos? En términos sencillos: ¿por qué nos llevamos tan mal? Según Giacomo Rizzolatti, la razón es que no estamos tratando sólo con intenciones, sino con sentimientos y emociones. De acuerdo con el sistema de neuronas espejo, podemos comprender las emociones de los demás: si una persona cercana está triste, usted también sentirá tristeza. Es lo que tradicionalmente se ha llamado «simpatía» (modernamente, empatía); esto es, asunción de las emociones de otro: compasión, conmiseración, congratulación, etcétera. Ahora bien, estas emociones hacia los demás, o este reflejo respecto a las emociones de los demás, se producen siempre que no afecten en exceso al sujeto. El profesor Rizzolatti nos ponía un ejemplo: «Pongamos que tengo una madre anciana que sufre. Por supuesto, intentaré ayudarla, pero si sufre demasiado... puede destruirme la vida. ¿Qué es lo que hace la gente normalmente? La llevan a una residencia y la visitan una vez a la semana, o una vez al mes... si no son tan buenas personas. Esto es lo que ocurre: incluso aunque comprendamos lo que los demás sienten y piensan, y aunque estamos codificados para actuar bien, si esa sensación es demasiado fuerte, intentaremos evitarla».

Conocer los actos o los pensamientos inmediatos de otra persona es un arma de doble filo. Así podemos comprender el mundo y todo parece bastante normal. Hay algunas perso nas que viven de sorprender las expectativas de los demás: los humoristas, por ejemplo. Si Charles Chaplin come los cordones de sus botas como si fueran espaguetis... nos sorprende y nos divierte. Y si un mago saca un conejo de la chistera que lleva en la cabeza... también nos sorprende, nos asombra y es fantástico. Ahora bien, como nos decía el profesor Pascual-Leone, los ladrones también sorprenden nuestras expectativas... Rizzolatti avanza una propuesta inquietante: «Sí, eso es muy importante, porque, probablemente, a efectos evolutivos, nuestra capacidad de conocer la intención de los demás no se creó por motivos positivos, sino para poder engañar a la gente. Algunos expertos lo llaman "cerebro maquiavélico", porque si una persona conoce la intención de otra... puede robarle la comida».

Al parecer, ésta fue la base para sobrevivir entre los primates. Pero, además —y afortunadamente—, tenemos aquel mecanismo que permite que sintamos empatía hacia los demás.

Sí, sentimos y tenemos emociones, nuestro cerebro es capaz de procesarlas, y es capaz de comprender el mundo de acuerdo con versiones o patrones aprendidos, pero lo más importante, según Álvaro Pascual-Leone, es que nuestro cerebro es un órgano desarrollado para hacer, para actuar. Sabe lo que sabe y siente lo que siente, pero finalmente... actúa.

ACTIVAR EL CIRCUITO PLACEBO

Cuando existe una lesión de la médula espinal se produce una interrupción total o parcial de funciones. La alteración en las funciones de los esfínteres es una de las que tienen más repercusión social: afectan a la salud y a la calidad de vida. Consideremos la orden «vejiga llena»; la vejiga emite esta orden («Estoy llena») a la médula espinal. Ésta es la que llegaría al cerebro, y el cerebro, que tiene toda la información de los ojos, de los oídos, de la posición, etcétera, sabe dónde nos encontramos, y es el que va a decidir si es el momento adecuado o no para vaciar la vejiga. Si existe una lesión medular, la información procedente de la vejiga no ha podido llegar al cerebro y, por tanto, no existirá un control superior que permita decidir si es el momento adecuado o no para vaciar la vejiga. Siguiendo con la cadena, la neurona inferior, que es la que regula los mecanismos de llenado y vaciado, no recibe ninguna contraorden y ella misma se va a encargar de que la vejiga se vacíe. Y, generalmente, lo hace de forma inadecuada.

Para tratar todo este tipo de desórdenes, tal y como nos dijeron Albert Borau (jefe de Neurología en el Institut Guttmann) y su equipo, la medicina actual dispone de técnicas terapéuticas, farmacológicas o quirúrgicas, pero también se está trabajando en la implantación de neuroprótesis. Estas neuroprótesis, en resumen, proponen la desconexión de ciertas terminaciones nerviosas para que no actúen incontroladamente y, al tiempo, se instala un mecanismo para que puedan activarse a voluntad del paciente. El Institut Guttmann es el único centro de España donde se practica la implantación de neuroprótesis en pacientes con lesiones medulares para el control de los esfínteres y otras lesiones.

Las investigaciones están aplicándose también a las lesiones y enfermedades cerebrales. Por ejemplo, Pascual-Leone y Rizzolatti han estado trabajando durante años en una técnica llamada «estimulación transcraneal repetitiva»: básicamente, consiste en la generación de actividad cerebral en pacientes que han sufrido una pérdida de actividad en alguna parte del cerebro. Mediante esta estimulación, consiguen que puedan funcionar las partes del cuerpo que antes no podían operar... Según estos doctores, la novedad no es que el cerebro se pueda estimular, porque esto se hacía ya, y desde hace mucho tiempo, sino que se puede estimular sin necesidad de utilizar métodos invasivos o agresivos (sin cirugía, sin craneotomía, por ejemplo, o sin electroshock). Al no tratarse de una experimentación invasiva, se puede realizar sobre individuos sanos y comprobar su efectividad. Se pueden simular lesiones y se puede estudiar la modificación del comportamiento cuando se anulan algunos grupos neuronales, por ejemplo. «Sí: se pueden crear lesiones virtuales, pero a mí me interesa especialmente una pregunta: ¿se puede modificar la actividad cerebral de tal modo que podamos mejorar el comportamiento?», nos decía el doctor Pascual-Leone.

Si esto verdaderamente se pudiera lograr, el tratamiento se podría convertir en una herramienta terapéutica para tratar ciertas enfermedades, pero también para corregir comportamientos. ¿Se podría evitar el dolor? ¿Se podría evitar o mitigar la depresión? Álvaro Pascual-Leone nos contestaba que «la idea es que, si podemos identificar el circuito cerebral que controla un comportamiento concreto o una disfunción específica, podremos utilizar esta técnica para modificar la actividad en ese circuito mediante un método de neuromodulación». Al parecer, este método de neuromodulación da resultados espectaculares en el tratamiento de la depresión.

Para asegurar que es el tratamiento lo que produce resultados y no la propia actividad cerebral (el efecto placebo, por ejemplo), es necesario realizar estudios clínicos rigurosos. Es muy importante saber si las soluciones que se aportan proceden del tratamiento o del propio cerebro. Sabemos que el efecto placebo existe. Y, si existe, es porque hay circuitos cerebrales que lo generan. Luego es necesario identificarlos.

«Sí: hay "algo" en mi cerebro que se puede activar para mejorar mi salud», nos decía Álvaro Pascual-Leone. Es decir, hay un circuito en nuestro cerebro que se activa cuando creemos que una terapia concreta va a dar resultado. Si nos duele el estómago y el médico nos ofrece un tratamiento y el dolor cesa, creemos que el tratamiento ha funcionado. ¿Y si el medicamento era inocuo y realmente no servía para nada? En ese caso, nuestras creencias, nuestra confianza o nuestra fe han activado circuitos cerebrales que han «curado» ese dolor de estómago. «Sí, suponemos que es algo que tiene algo que ver con la confianza, las creencias, la fe en las expectativas... Entonces se activa un circuito cerebral que tiene propiedades positivas para la salud. Y aquí está lo importante: si esto es verdad, tal vez podamos estimular el cerebro para activar esos circuitos. En ese caso, sería un complemento valiosísimo para los tratamientos de cualquier enfermedad».

¿POR QUÉ LOS JÓVENES SON 'IRRESPONSABLES'?

El tamaño de nuestro cerebro nos hace humanos y nos distingue del resto de los animales. Pero el tamaño hace referencia sólo al número de nuestras neuronas. ¿Seríamos como somos exclusivamente por el número de neuronas que tenemos en el cerebro? No. Tal y como señaló en el plató de *Redes* Salvador Martínez (Instituto de Neurociencias de Alicante), los homínidos ya tenían un tamaño considerable de cerebro, pero no habían desarrollado sus capacidades y habilidades. Además del tamaño, nuestro cerebro tiene una capacidad adaptativa increíble. Y esta capacidad adaptativa se denomina plasticidad. Tiene capacidad para crear, para adaptarse, para funcionar en distintos medios, para programar tácticas y proyectos que permiten que el ser humano se adapte al entorno y capacidad para que el entorno se adapte a nosotros.

Todas estas habilidades o capacidades pueden localizarse en el neocórtex y, gracias a él, el ser humano puede planificar, puede saber dónde está y, sobre todo, puede plantearse las preguntas que el lector se plantea: de dónde viene y a dónde va.

El cerebro ha sido capaz de desarrollar esta capacidad predictiva: preguntarse sobre sí mismo o sobre el entorno y aventurar respuestas. Esta capacidad se ha localizado en la parte anterior del cerebro, en el lóbulo prefrontal, que es la parte que madura más tarde en la especie humana. Esta parte del cerebro, nos decía Salvador Martínez, no aparece en la mayor parte de los primates y, por supuesto, no está en los mamíferos anteriores. Es propia de los humanos. «Ahí se establecen las conexiones neuronales definitivas y, sólo durante la adolescencia tardía, se produce un fenómeno que llamamos "mielinización", o conectividad neuronal, que es el estado funcional ideal del cerebro humano».

Ya saben por qué los adolescentes tienen algunos pequeños problemas de predicción: la parte de su cerebro que tiene que ayudarles a realizar estas tareas aún está inmadura. Puede que le parezca un tanto excesivo, pero, si usted ve a un joven que pilota una moto a 200 kilómetros por hora por una vía pública, puede estar casi seguro de que ese muchacho no tiene todas las neuronas prefrontales conectadas y, por lo tanto, le resulta muy difícil o imposible predecir que puede matarse. Lo llamamos «inconsciente», pero esa «inconsciencia» se basa en un hecho fisiológico: sus neuronas prefrontales no están firmemente conectadas y no es capaz de prevenir riesgos y hacer predicciones ajustadas. ¿Por qué la edad nos hace más prudentes? ¿Quizá porque la capacidad de predicción está firmemente asentada en las neuronas de la corteza prefrontal y, por tanto, calculamos mejor riesgos y previsiones?

CONEXIONES ERRÓNEAS Y DOLOR

Los neurobiólogos nos están enseñando las causas y las razones de nuestro cerebro. Y ello debería servirnos para la vida cotidiana: para entender y corregir al joven que va con su moto a 200 kilómetros por hora y para curar enfermedades y dolencias cuya raíz está en el cerebro. El estudio del cerebro y del sistema nervioso está proporcionando resultados asombrosos.

Josep Valls-Soler, del Hospital Clínic de Barcelona, nos ofrecía algún ejemplo significativo: «El mejor ejemplo de ciertas disfunciones propiamente humanas es la distonía. Se trata de un trastorno del control motor cuando se pretenden realizar trabajos manuales muy precisos. Existen distonías de varios tipos y, obviamente, distintos grados. Algunos niños sufren distonías complejas que condicionan su actividad motora. En los adultos suelen ser focales y suelen estar asociadas a tareas específicas. Por ejemplo, los escritores pueden tener trastornos del control motor: esto se llama rampa o calambre del escribiente; se trata de una disfunción o descontrol de los actos de la mano. También se da en los músicos».

Es un ejemplo de cómo la plasticidad cerebral juega en nuestra contra. «El proceso de aprendizaje en el cerebro se basa en un hecho fisiológico: consiste en conectar determinadas áreas del cerebro. Cuando uno está aprendiendo, está realmente siguiendo un camino que hasta entonces no conocía muy bien y lo está desarrollando. Peldaño a peldaño, está estableciendo conexiones en su sistema nervioso que le permitirán ejecutar movimientos precisos. Pero, obviamente, el proceso es tan complejo que muchas veces se producen errores y desviaciones».

Una persona puede cometer errores en una tarea y el cerebro entiende que ese error forma parte de la tarea. La plasticidad del cerebro le permite considerar ese error como funcionamiento correcto y, por tanto, el sujeto aprenderá de forma errónea porque se ha producido una plasticidad errónea. Un músico, por ejemplo, puede haber cometido el error de pulsar una tecla del piano con dos dedos: si ese error queda fijado en las conexiones neuronales, cometerá ese error constantemente y no habrá un control inhibitorio de uno de los dos dedos.

Hay aún otra disfunción o dolencia que parece tener su causa en las conexiones cerebrales: la alodinia. Se trata de una disfunción de la actividad cerebral que se manifiesta como una sensación de dolor cuando, realmente, el estímulo no es doloroso. El dolor es la interpretación de una sensación desagradable. Cuando una persona tiene una sensación y los impulsos que llegan al cerebro se interpretan como una sensación desagradable, se produce dolor. Esto puede producirse porque el impulso sea realmente doloroso o bien porque el mensaje de las fibras nerviosas sea erróneo. Se pueden estar estimulando determinadas áreas del cuerpo sin infligir dolor, pero el cerebro puede interpretarlas como una sensación dolorosa. Esto es la alodinia.

En el centro de neurorrehabilitación del Institut Gutt mann se tratan estas y otras disfunciones aún más graves, generalmente asociadas a accidentes, lesiones medulares o daños cerebrales (paraplejias, tetraplejias, etcétera). Cuando se produce una lesión del sistema nervioso central y, en especial, de la médula espinal, se produce toda una serie de fenómenos de adaptación llamados «neuroplasticidad», que consiste básicamente en la capacidad del sistema nervioso para adaptarse a la nueva situación. En muchos casos se producen «reconexiones» y se recuperan ciertos órganos que se han visto afectados tras una lesión de este tipo. La rehabilitación consiste en ejercicios específicos y personalizados para que el paciente desarrolle sus potenciales. Los fisioterapeutas y terapeutas animan al paciente, coordinan los ejercicios, establecen planes de futuro, aprenden a adquirir independencia funcional... La aplicación de terapias intensivas y terapias repetitivas pueden ayudar a que ciertos fenómenos espontáneos de neuroplasticidad y de recuperación motora tras una lesión puedan ser mucho más eficaces y ofrezcan mejores resultados.

Por otra parte, aunque las investigaciones aún están en curso, las células madre pueden ser decisivas a la hora de corregir daños neuronales o del sistema nervioso. Se sabe que las células madre pueden regenerar partes del cerebro dañadas y que reaccionan para intentar reparar las partes dañadas, pero aún no se han llegado a controlar completamente estas posibilidades. Se trata de una terapia llamada «celular» que aún está en vías de investigación. «Todos procedemos de una célula única: el embrión», nos decía Salvador Martínez en el plató de *Redes*. «Es decir, en principio, nuestro sistema nervioso también procede de unas pocas células: en el genoma de cualquier célula de nuestros cuerpos está el código completo, las instrucciones completas para convertirse en cualquier célula. Simplemente, habría que tocar el botón adecuado para que se abran las páginas del desarrollo y una célula adulta empezase a leer el libro que leyó cuando era una célula embrionaria. Al parecer, las células madre de los tejidos nerviosos parecen tener esa posibilidad y leer esas instrucciones embrionarias más fácilmente».

Por el momento, sin embargo, es difícil saber con certeza si esas células madre van a saber seguir el camino que deseamos (regenerar determinados tejidos nerviosos o cerebrales). En principio, parece que se adaptan al entorno y al tejido en que se coloquen, pero no es seguro. Si las conexiones nerviosas que establece no son las adecuadas, se producen trastornos llamados de reinervación: se establecen conexiones improcedentes. Estas reinervaciones erróneas se producen naturalmente en ocasiones: por ejemplo, cuando una persona sufre una parálisis facial. Una lesión de un nervio facial supone que el paciente no pueda mover parte del rostro; entonces, tras la lesión, se produce una reinervación. Si la reinervación es adecuada, todo irá más o menos bien, pero si es inadecuada o equivocada, el paciente acaba teniendo un pequeño trastorno de movimiento que le impide controlar esa parte de la cara. Se producen espasmos faciales que se denominan post-paralíticos. Son casos de trastornos de reinervación: conexiones erróneas en el establecimiento de nuevos sistemas nerviosos.

La dificultad para los especialistas consiste en asegurar que las nuevas células nerviosas implantadas en pacientes se incorporen a los circuitos adecuados y restablezcan dichos circuitos funcionales. Desde luego, estos experimentos se están llevando a cabo en animales, por el momento. Y uno de los graves problemas para los expertos es, precisamente, que el cerebro humano es distinto al de los animales. En una primera fase, los neurobiólogos pueden trabajar con animales, porque el cerebro animal y el cerebro humano son aparentemente similares; pero en una segunda fase, los expertos han entendido que el cerebro humano es distinto: presenta una etapa larguísima de maduración, tiene multitud de neuronas distintas, en número, en diversidad, en funcionalidad... El cerebro humano es cualitativa y cuantitativamente distinto a cualquier otro cerebro animal.

Salvador Martínez nos decía que existe una barrera que no podemos saltar: jamás podremos estudiar la capacidad artística o predictiva de un ratón de laboratorio. Tendremos que estudiarla en los seres humanos. No hay modelos animales que nos permitan saber cómo funciona el cerebro humano cuando se le presenta un cuadro de Van Gogh o cuando tiene una idea brillante. No hay modelos animales que nos permitan averiguar qué siente el hombre cuando ve a una persona triste o qué siente cuando evalúa una posibilidad, cuando tiene una intuición, cuando valora moralmente un acto externo... Sólo el hombre tiene en su cerebro las conexiones neuronales que le permiten establecer esos juicios.

Estamos intentando salir del laberinto. Y nadie nos podrá ayudar.

SEGUNDA PARTE

Secretos del laberinto

CAPÍTULO VIII

Educación emocional

Estamos preocupados. El comportamiento de muchas personas no nos parece adecuado. Nos gustaría modificar el comportamiento de los individuos violentos, de las personas crueles, de los asociales o de los criminales. ¡Claro que nos gustaría incidir sobre el carácter de la gente! ¡Y sobre los principios morales! ¡Y sobre el comportamiento cívico de los ciudadanos!

Pero la neurociencia moderna está descubriendo que nada de esto es posible sin estudiar la competencia emocional: nuestras emociones básicas y universales, los procesos emocionales con los que venimos al mundo. Sin el estudio de las emociones, no sólo no podremos hacer nada al respecto, sino que será un verdadero disparate pretenderlo.

EMOCIONES PARA VIVIR

Ha sido una comida deliciosa. ¿Qué le apetece? ¿Helado de fresa o de chocolate? Tiene una reunión importante: ¿qué cree que es más conveniente: pantalón o falda? Tiene problemas con su marido: ¿solicita la demanda de divorcio o intenta hablar con él y arreglar su convivencia?

Tomamos decisiones todos los días. Desde luego, algunas más trascendentes que otras. Podemos acertar o equivocarnos en cada una de ellas, pero nos gusta creer que cada decisión es el producto de un análisis objetivo, frío y racional. Hemos construido un mundo que favorece la ausencia de emociones en la toma de decisiones. Desdeñamos las emociones porque las consideramos un estorbo, una especie de niebla que nos impide ver los hechos con claridad... Pero la realidad es muy distinta.

Las emociones son el resultado de un conjunto de procesos fisiológicos que suceden en nuestro organismo: la felicidad, la vergüenza o la culpa son química en nuestro cerebro... ¡Simplemente son cambios moleculares! No podemos eliminar las emociones de nuestro cuerpo: forman parte de nuestra propia biología.

La forma en que nuestro cerebro percibe estos cambios es lo que llamamos sentimientos o sensaciones. Son esenciales para solucionar problemas que requieren creatividad o que deben elaborar y procesar grandes cantidades de información. Y, por tanto, nos ayudan a decidir.

Las personas con lesiones en una zona específica del lóbulo frontal del cerebro son aparentemente normales, hablan perfectamente y su cociente intelectual es normal, pero toman decisiones equivocadas. En estos casos, la zona del cerebro responsable de los sentimientos y las emociones está dañada, y las consecuencias son graves: pierden su trabajo, rompen sus matrimonios... Simplemente, parece que todo lo que sucede a su alrededor no les afecta emocionalmente. Saben que actúan mal, pero no les importa: carecen de sentimientos de vergüenza y de culpa.

Vivir es mucho más fácil si se tienen emociones y sentimientos. Y si éstos son adecuados, aún será más cómodo y placentero. Aprender y recordar también son tareas mucho más simples cuando van acompañadas de una emoción. Cuando existe una lesión en esta zona del cerebro, la persona no puede utilizar los recuerdos asociados a emociones y puede traicionar a un amigo sin ningún tipo de remordimiento.

Decidir sin sentir nada es quizá el sueño de un verdugo, pero para la mayoría de los mortales es una situación indeseable. Emoción y sentimiento van ligados a la especie humana y nos ayudan cada día a decidir qué queremos hacer con nosotros mismos.

Permítanme que les presente a Juanjo. Este joven ha sufrido un golpe, no excesivamente doloroso, pero lo suficientemente fuerte como para que haya lesionado una zona clave del córtex cerebral: allí donde convergen dos tipos de información: la cognición visual y la información emocional.

Cuando Juanjo mira al rostro de su padre, dos vías distintas emergen del córtex visual: la que pasa por el córtex temporal reconstruye las facciones y aporta un veredicto. La otra vía pasa por la amígdala y confiere a la imagen su valor emocional, asocia a ese rostro toda la carga de recuerdos emotivos y afectivos; entonces, todo un corpus de información emocional se vincula al rostro observado.

Las neurociencias revelan que la lesión en el cerebro de Juanjo impide que la emoción y la cognición trabajen juntas en su cerebro cuando observa a su padre. En un cerebro sin daño, esas dos funciones operan unidas en muchísimas situaciones.

Juanjo sufre el llamado «síndrome de Capgras», pero no es la única disfunción que afecta a las facultades emocionales. Hay otros muchos trastornos mentales que empiezan a comprenderse hoy y que están arrojando luz sobre el papel que desempeñan nuestras emociones y nuestros sentimientos en la actividad cerebral.

EL CEREBRO: TODO LO MEJOR... Y TODO LO PEOR

¿Los sentimientos y las emociones son imprescindibles en nuestro día a día? ¿Cómo se configuran? ¿Cómo se forman? ¿Cómo evolucionan? ¿Nos ayudan o entorpecen nuestra vida?

Para responder a estas y otras muchas preguntas, *Redes* se puso en contacto con Antonio Damasio, que ostenta la cátedra David Dornsife de Neurociencia y Neurología en la Southern California University. Además, es director del Instituto de Cerebro y Creatividad y fue galardonado con el premio Príncipe de Asturias de Investigación Científica del año 2005.

primero: emociones
luego → sentimientos

El profesor Damasio suele decir que los sentimientos son «escurridizos» y que, en realidad, consisten en una elaboración de hechos anteriores: las emociones. La importancia de estos dos conceptos no reside en el modo en que nos afecta como individuos, sino en la medida en que nos afecta como grupo social. Investigar emociones y sentimientos es casi, para el profesor Damasio, una necesidad política. Y, sin embargo, sabemos muy poco sobre las emociones. Ni en las escuelas ni en las instituciones públicas se ocupan de ello.

Probablemente el lector ha estado últimamente en un campo de fútbol. Si ha sido así, es muy posible que haya asistido a la escenificación de comportamientos manifiestamente racistas. Nadie ha comunicado a esos individuos que detectar diferencias era fundamental y probablemente necesario en los primates, pero que hoy resulta completamente ridículo. Nadie les ha dicho que están dejándose llevar por emociones características de neanderthales o austrolopitecus.

«Efectivamente», nos decía Antonio Damasio, «nos enfrentamos a un problema de divulgación. Hoy sabemos muchísimo sobre la biología neuronal de las emociones y los sentimientos, pero tenemos que ser capaces de trasladar nuestro conocimiento científico al público en general y, también, a los políticos».

Antonio Damasio nos decía que es necesario que los líderes políticos y educativos lleguen a entender lo importante que son los conocimientos sobre la emoción y el sentimiento: «Muchas de las reacciones que consideramos enfermas y patológicas en nuestra sociedad tienen que ver con las emociones, principalmente con las emociones sociales». Es asombrosa la facilidad con la que se desencadenan las emociones sociales y la manera en la que conducen a un conflicto social. Uno de los principales objetivos del programa que Antonio Damasio está llevando a cabo en la Southern California University consiste en intentar comprender las emociones sociales, precisamente, para poder abordar los conflictos.

Pasiones, emociones y sentimientos: cuando nos enfrentamos a un conflicto, nos estamos enfrentando a pasiones

156

no controladas. Y, para poderlas comprender, es necesario tener muy claro que su control no se puede establecer únicamente con la razón. En segundo lugar, el control de esa pasión puede obtenerse con la implantación de otra emoción que la apacigüe.

Antonio Damasio lo explicaba así: «¿Cómo se puede contener una pasión? La primera fórmula está asociada al pensamiento de Kant y consiste básicamente en la razón y la voluntad: dices y asumes que no te vas a dejar dominar por la pasión. La segunda fórmula, mucho más humanizada, suele asociarse al pensamiento de filósofos como Spinoza o Hume; ellos se dieron cuenta de que la mejor manera de contrarrestar una emoción negativa es tener una emoción positiva aún más fuerte».

Cuando hablamos de razón y voluntad, en realidad, estamos hablando de un método para educar la razón en la búsqueda de estímulos que conduzcan a emociones positivas y adecuadas: eso será lo que pueda reprimir la emoción negativa. Ésta es una de las aportaciones de Damasio en su libro *En busca de Spinoza: neurobiología de la emoción y los sentimientos* (Crítica, 2005). Spinoza comprendió en su momento que sólo una emoción positiva fuerte es capaz de neutralizar una emoción negativa.

Hasta hoy se pensaba que las emociones debían reprimirse y, en general, que todas las emociones eran «malas». Pero, como dice Damasio, «tenemos emociones de todos los sabores: buenas, malas y regulares». El objetivo de una buena educación para los niños, para los adolescentes, e incluso para los adultos debería consistir en organizar las emociones de tal modo que podamos cultivar las mejores emociones y eliminar las peores.

Como seres humanos, tenemos una capacidad emocional positiva fantástica... pero también somos capaces de hacer cosas terribles. Somos capaces de torturar a otras personas, de matarlas, de desearles todo tipo de males, de conspirar contra ellas... Todo ello, lo bueno y lo malo, es inherente al ser humano: no es que algunas personas sean buenas y otras, malas. Usted, que está leyendo este libro, y quienes lo rodean poseen ambas cualidades. Así pues, el objetivo de una buena educación y el objetivo de una sociedad próspera, según Damasio, deberían ser fomentar que se cultive lo mejor de la naturaleza humana y, del mismo modo, reprimir lo peor.

lo mejor reprimir lo peor

PROCESO EMOCIONAL

Pero volvamos al principio, tratemos de comprender cómo opera nuestro cerebro con las emociones: en primer lugar, ha de producirse un estímulo exterior; este estímulo desencadena una emoción y, luego, la mente elabora un sentimiento. ¿Cuál es el proceso?

Antonio Damasio arguye que es imprescindible distinguir las fases de este proceso: fase de la emoción y fase del sentimiento. Cuando experimentamos una emoción, ésta se produce porque existe un estímulo que tiene el poder o la capacidad de desencadenar una reacción automática. Por ejemplo, si usted levanta la vista de este libro y ve a un hombre embozado al fondo del salón, puede estar seguro de que su cerebro dispondrá inmediatamente de algunos recursos automáticos. Esa reacción comienza en el cerebro.

Puede que en algunos casos no actúe exteriormente, pero su cuerpo reaccionará de todos modos. Si oye un grito en el piso de al lado, primero sentirá inquietud, o miedo, y sentirá que su corazón se acelera, o que se le eriza el vello... Entonces, usted valorará la situación y decidirá si es mejor quedarse quieto leyendo este libro o no moverse y prestar atención o levantarse y ver qué ocurre o llamar a la policía... Cuando somos capaces de asociar ideas, reacciones fisiológicas y hechos exteriores es cuando se configura un sentimiento. «El conjunto de estímulo / reacción corporal / ideas es lo que constituye un sentimiento», concluye el doctor Damasio.

Sentir es percibir este grupo informativo y, por esa razón, lo asociamos a un proceso mental. De modo que, en resumen, todo empieza en el exterior, modifica o altera nuestro

sentimiento

organismo —porque así lo determina el cerebro— y evaluamos mentalmente todo el proceso.

Podría decirse que las emociones pertenecen al cuerpo y los sentimientos, a la mente. Sin embargo, la interacción parece muy estrecha: cuando el cuerpo funciona bien y cuando la fisiología es correcta, también surge un sentimiento de tranquilidad o placer. Y cuando se siente miedo o se está enfadado, se perturba la fisiología normal: se crea un conflicto, falta de armonía y, entonces, se percibe que algo no va bien, que algo no funciona...

Según Antonio Damasio, para tener sentimientos es necesario un sistema nervioso no dañado, con capacidad para proyectar en imágenes las emociones. Y, sobre todo, el sujeto tiene que ser consciente de sí mismo. «Sí... Sospecho que nuestros sentimientos, especialmente los sentimientos más simples, los que son fruto de emociones del entorno, suponen casi el principio de la conciencia. En cierto modo, no se puede tener un sentimiento propiamente dicho sin conciencia, pero no creo que se pueda tener conciencia sin sentimientos».

Antonio Damasio admite que esta teoría se asemeja bastante al problema del huevo y la gallina: ¿podemos tener conciencia de nosotros mismos sin sentimientos? ¿Y podemos tener sentimientos sin conciencia del yo? No. Conciencia y sentimientos configuran una espiral en la que la una configura a los otros y viceversa. En cualquier caso, siempre hay un principio: la emoción, que hace saltar los resortes fisiológicos y mentales del ser humano. Si no sintiéramos esos cambios en nuestro organismo, el cerebro no podría saber qué ocurre y no podría existir conciencia de uno mismo. «La conciencia está íntimamente vinculada a esta sensación inicial de uno mismo, y para tener sensación de uno mismo es necesario sentir tu propio organismo y lo que cambia en él».

Ahora entendemos por qué las plantas no tienen sentimientos. Aunque haya personas que hablen con las plantas, éstas no tienen sentimientos ni conciencia de sí mismas. No tienen emociones.

Por el contrario, el sistema nervioso de mujeres y hombres es muy complejo. Por un lado, contamos con el sistema nervioso autónomo, que controla el latido de nuestro corazón, la respiración y la sudoración en función de las necesidades de cada momento. Por otro lado, debajo de la corteza cerebral, tenemos el sistema límbico, responsable de nuestras emociones. Su actividad se dispara cuando nos enfadamos. El sistema nervioso autónomo y el sistema límbico están comunicados.

Compruébelo: la próxima vez que discuta acaloradamente con alguien, no sólo entenderá que tiene emociones y sentimientos referidos al enojo o al enfado; también percibirá que su sistema nervioso autónomo se activa y que su pulso y su respiración se aceleran; puede que sus pupilas se dilaten y puede que su rostro enrojezca; puede que le tiemblen las manos o las rodillas...

También podrá comprobar que el sistema límbico se relaja con más facilidad que el sistema nervioso autónomo. Cuando deje de discutir, percibirá que su frecuencia cardiaca aún es alta y que su respiración todavía mantiene alguna agitación. Serán necesarios unos minutos para que su organismo se calme. Pero, si usted es una mujer, su sistema nervioso autónomo tardará más en recuperarse. Afortunadamente, este desfase no es muy grande y en pocos minutos el sistema autónomo de la mujer también vuelve a la normalidad. Es extraño. ¿Qué significa eso? ¿Es que las emociones y los sentimientos afectan de modo distinto a hombres y mujeres? Más bien, como señala el profesor Robert Sapolsky, ello guarda relación con el modo en que hombres y mujeres afrontan las emociones y los sentimientos, y, sobre todo, qué deciden hacer con ellos.

¡Clic! Ya es usted una persona feliz

Antonio Damasio recoge una referencia aterradora en sus escritos: se trata de una investigación que desarrolló un científico llamado Yves Agid en el Hospital de Salpêtrière de París.

Estaban tratando a ciertos pacientes de Parkinson y estaban utilizando electrodos para activar algunos circuitos neuronales. De repente, mientras examinaban a un paciente, un electrodo afectó a una parte del cerebro no controlada y la persona cayó postrada en un estado de absoluta tristeza. Poco después, ocurrió algo parecido, pero el paciente parecía vivir en un mundo de alegría insospechada...

¿Es que los neurólogos tienen en sus manos la posibilidad de provocar alegría o tristeza? ¿Hasta qué extremos podremos llegar? Y, por otra parte, ¿nos conviene conocer y desarrollar estas posibilidades? Antonio Damasio asegura que verdaderamente existe la posibilidad de generar alegría o tristeza, por ejemplo. «Pero no hay que pensar en ello como algo aterrador, sino de un modo positivo: pensemos por un momento en la posibilidad de que alguien con una depresión, que esté profundamente triste y no responda a la medicación, pueda tratarse con estas terapias mediante la estimulación eléctrica de una parte concreta del cerebro. Pensemos en lo mucho que podríamos ayudar a esa persona».

Eso es cierto: como sucede en todos los aspectos de la investigación relacionada con seres humanos, siempre hay una parte que podría explotarse de manera negativa. Pero también hay otras posibilidades que podrían ser muy positivas. Es el mismo caso que podría aplicarse a las investigaciones con células madre: pueden ser el origen de un truculento mercado de órganos y personas, pero también pueden aliviar el sufrimiento de millones de hombres y mujeres. La sociedad, nos decía Antonio Damasio, debe asegurar el uso correcto e inteligente de estos avances científicos y, como seres humanos, debemos hacerlo de tal modo que contribuya al bien de la Humanidad.

Es posible que algún día podamos curar la depresión con un clic y es posible que algún día consigamos que las personas que tienen dañado su sistema neurológico puedan tener emociones y sentimientos; es posible que las neurociencias puedan «reparar» los daños de determinadas personas incapaces de sentir vergüenza o arrepentimiento. Pero la cuestión es que las perturbaciones emocionales no sólo afectan a individuos con daños cerebrales o trastornos neuronales, sino a personas como usted y como yo. Nos gustaría poder influir en el carácter de nuestros hijos y, en alguna medida, estaríamos dispuestos a utilizar ese mando a distancia para hacer ¡clic! y que no sintieran tristeza o que no tuvieran otros sentimientos que nos desagradan. A los políticos y a las instituciones también les gustaría poder influir en los principios morales o cívicos de un colectivo o de una nación. (Mejor que no dispongan de ese mando a distancia). Unos y otros, todos, estamos intentando influir en los sentimientos de los demás, pero hasta hoy no nos habíamos detenido en la importancia de las emociones. En la actualidad, muchos maestros, padres, responsables educativos y ciudadanos consideran que no se puede educar pensando sólo en la inteligencia y en el desarrollo cognitivo. Álvaro Marchesi, catedrático de Psicología Evolutiva y Educación en la Universidad Complutense de Madrid, nos decía que parece imprescindible incorporar las emociones, los sentimientos y el mundo afectivo a la educación. «No se trata sólo de tener emociones tranquilas y sosegadas, como se pensaba antaño, sino de incorporarlas para favorecer el desarrollo de la persona. Se trata, en fin, de aprender a disfrutar de la vida y ser feliz».

Debate sobre las propuestas de Antonio Damasio

Sometimos a debate las conclusiones de Antonio Damasio en el plató de *Redes* junto al citado Álvaro Marchesi y a Ignasi Morgado, catedrático de Psicobiología y Neurociencias en la Universidad Autónoma de Barcelona. En resumen, el profesor Damasio sugiere que el proceso emocional parte siempre de un estímulo exterior, después se produce una activación fisiológica y, casi inmediatamente, una evaluación mental (un grito, aceleración del pulso, llamar a la policía). Antonio Damasio reconocía que el proceso puede resultar un tanto confuso (el huevo y la gallina) y que la evaluación mental de un estímulo (un grito) es tan inmediata como la activación fisiológica (aceleración del pulso), que ambas consecuencias «son cuerpo», aunque la combinación de la emoción, la fisiología y la evaluación mental constituyen el sentimiento.

Ignasi Morgado nos decía que, en efecto, la diferenciación de los distintos pasos del proceso emocional aún se mantiene como debate. A principios del siglo XX, algunos psicólogos estadounidenses, como William James, planteaban el siguiente dilema: «¿Tiemblo porque tengo miedo o tengo miedo porque tiemblo?». Era un modo de plantear si el principio del proceso está en la actividad somática o en la actividad mental. Los primeros psicólogos científicos se preguntaban, pues, si la evaluación cognitiva era previa o posterior a los cambios que se producen en el cuerpo tras un estímulo emocional externo.

«El sentido común y nuestra intuición nos dicen que primero sentimos y después se producen cambios en nuestro cuerpo», nos decía el profesor Morgado. «Primero siento el miedo y, después, se acelera mi pulso y comienza la actividad corporal o somática: el corazón late más rápido, cambia la resistencia eléctrica de la piel, cambia la frecuencia respiratoria, etcétera. En efecto, esto parecía que era así, pero se trataba de un conocimiento intuitivo. Pero tanto William James como Antonio Damasio y otros neuropsicólogos modernos han demostrado que, si no se producen cambios somáticos que pueda leer y comprender el cerebro, no se puede organizar exactamente un sentimiento fuerte o intenso. En definitiva, el sentimiento es la lectura mental de lo que está ocurriendo en el cuerpo».

El debate sobre el proceso emocional aún no está cerrado, porque resulta complejísimo decidir si el cerebro *lee* las señales del cuerpo o es el cerebro primitivo el que *avisa* al cerebro cognitivo con esas señales del cuerpo. ¿Es que el corazón puede acelerarse sin que el cerebro comprenda que hay un individuo embozado en nuestro salón? ¿Es que el cuerpo *comprende* antes que el cerebro? Los procesos emocionales son tan rápidos y simultáneos que resulta dificilísimo establecer firmemente las estructuras de los sentimientos, pero es necesario seguir investigando para intentar averiguar cómo sentimos y qué ocurre en nuestro cerebro cuando sentimos y nos emocionamos.

La segunda propuesta de Damasio y de otros neuropsicólogos modernos abordaba los medios para encauzar determinadas emociones. Según estas propuestas, la neutralización o el control de determinadas pasiones no se pueden llevar a cabo con la razón. En todo caso, podemos utilizar la razón y la lógica para introducir emociones más fuertes que aplaquen la primera.

Según Ignasi Morgado, no es cierto que hasta hoy no nos hayamos ocupado de las emociones: es posible que no nos hayamos ocupado de ellas en un sentido científico, estructurado y organizado, pero las emociones son tan antiguas como el hombre y es difícil encontrar una sociedad o una civilización o un grupo humano que no se haya detenido en los procesos emocionales, sus causas y sus consecuencias. «Si uno se detiene a pensar, los grandes tratados éticos y religiosos, como la Biblia o el Corán, no son más que propuestas pedagógicas para intentar refrenar, controlar o modular las emociones».

La cuestión es que efectivamente esos textos se han manifestado como propuestas de control de ciertas emociones y, a su vez, como propuestas de otras emociones nuevas y dirigidas. Pero no ha existido una propuesta científica, intencional y coherente que atendiera al desarrollo emocional de los seres humanos. Es importantísimo que los niños reciban educación emocional (hasta los 16 o 18 años), porque hasta hoy sólo han recibido instrucción: ha existido una prioridad cognitiva y de conocimientos casi absoluta. Ahora lo que se plantea es que el maestro trabaje el campo emocional y se proceda a la «alfabetización emocional»: el papel de la amistad, la confianza, las relaciones sociales, entender cómo estos y otros factores facilitan la lealtad, la empatía, la solidaridad... Necesitamos construir esa estructura educativa y, para ello, es necesario establecer un debate científico y pedagógico, y saber cómo podemos llevarlo a cabo.

ROBÓTICA EMOCIONAL

Como hemos visto en páginas anteriores, una persona que tenga dañada la parte prefrontal del cerebro comprobará cómo su vida cambia de forma radical. Podría razonar y realizar ejercicios lógicos, pero se desconectaría emocionalmente. La neurología ha descubierto que a estos pacientes les resulta imposible discernir qué decisión es la más adecuada. Sin emociones, es muy complicado elegir. Y nos preguntamos: ¿por qué no dotar de emociones y sentimientos a estructuras tan lógicas como los ordenadores? ¿Se convertirían así en entes más avanzados?

Actualmente se están llevando a cabo proyectos para incorporar modelos emocionales en la robótica. El lector probablemente piense que es imposible porque las máquinas no pueden tener emociones, y, en realidad, tiene razón, porque no se trata de emociones verdaderas, sino de modelos emocionales. «Funcionan de un modo parecido a como operan las emociones en los seres humanos, pero permiten que al robot le resulte más fácil elegir entre las miles de posibilidades que se le ofrecen a cada instante», nos dijo Rodney A. Brooks, catedrático de Robótica del prestigioso MIT de Massachusetts.

Durante los últimos siglos de nuestra historia, el género humano ha visto cómo se le despojaba paulatinamente de aquellas características que había considerado especiales y únicas en su especie. Hubo un tiempo en el que la Tierra era el centro del universo, pero Galileo nos arrebató la idea del antropocentrismo. Al menos, seguíamos siendo muy distintos a los animales, pero Charles Darwin se encargó de situarnos en el plano que nos correspondía... Bueno, al menos los hombres tenemos emociones. Cuando el campeón del mundo Garry Kasparov perdió una partida de ajedrez en 1997 contra el ordenador *Deep Blue*, sintió que toda una vida de trabajo intelectual se había derrumbado ante las máquinas. Sin embargo, Kasparov decía que había algo que *Deep Blue* jamás podría conseguir:

—Bueno —dijo el ajedrecista—. Pero esa máquina no ha disfrutado ganándome.

Kasparov seguía siendo especial: tenía emociones. La máquina, no. Y tenía razón: la máquina no tenía emociones en absoluto. Pero los investigadores advierten que probablemente los robots sí tendrán emociones en el futuro y el pobre Kasparov tendrá que encontrar otra cosa para sentirse especial.

Rodney Brooks y su equipo del Instituto Tecnológico de Massachussets desarrollaron hace algunos años un robot que reunía características poco frecuentes. Se reunieron los términos «máquina» y «emoción» y apareció *Kismet*. Según sus diseñadores, este robot era capaz de interactuar con personas, reconocer actitudes en otros y transmitir su estado interno, y he aquí la confusión. ¿Qué era el «estado interno» de *Kismet*? ¿Estamos hablando del estado anímico de un robot?

Simplemente, a *Kismet* se le había incorporado un modelo emocional: un programa informático con muchas variables... Un conjunto de números que representaban aspectos distintivos; por ejemplo, representaban la alegría, la animación, la soledad... Esos números y fórmulas se convirtieron en las emociones del robot. ¿Eran emociones verdaderas o simples modelos de emociones? ¿Con cuántas fórmulas o «números» trabaja nuestro cerebro? ¿Y cómo operan realmente? ¿Hasta qué punto son complejas las emociones humanas?

Las emociones humanas son complejísimas, pero ¿las emociones de un perro lo son también? ¿En qué medida? ¿Y las emociones de un gato? ¿Y cómo son las emociones de un ratón? A medida que descendemos a animales más simples, los estados emocionales también parecen simplificarse. Es posible que aún falten muchos años para que las emociones de nuestros perros y gatos puedan ser semejantes a las que se simulan en un ordenador, «pero... ¿dónde está el punto en el que las emociones de esos animales coincide lo que podemos incorporar a los robots hoy?», se preguntaba el profesor Rodney Brooks.

Los robots que se han creado hasta ahora tienen modelos emocionales bastante simples. Sus capacidad emocional no es tan compleja como la nuestra, desde luego, ni siquiera puede asemejarse a la de otros animales, pero a veces

166

se puede interactuar con ellos durante unos pocos minutos... como si fueran criaturas. Quizá nos acostumbremos un día a estos seres que parecen animados y tal vez formen parte de nuestra vida. Las puertas que se abren automáticamente o los avisos que nos recuerdan que tenemos un *e-mail* no nos sorprenden... quizá un día no nos sorprendan las máquinas con emociones.

Los robots con emociones formarán parte de nuestras vidas. En un futuro, la robótica podría arrebatarnos la posición de seres únicos y especiales que nosotros mismos nos otorgamos. Tanto si lo hace como si no, el ser humano seguirá gozando de emociones y sentimientos y quizá la robótica nos ayude a entender mejor nuestro lado menos racional.

Por ejemplo, uno de los aspectos más notables de estas investigaciones es que nos permite estudiarnos a nosotros mismos «sin necesidad de abrir nuestro cerebro», argüía el doctor Brooks. No podemos estudiar fácilmente el cerebro humano o animal al tiempo que se producen los comportamientos emocionales. (En realidad, se podría; pero sabemos que moralmente no debemos experimentar con seres humanos y animales). Con los robots, sí se puede hacer. Esto permite desarrollar teorías sobre las emociones humanas y animales, y sus comportamientos.

En el fondo de estos trabajos de robótica emocional subyace una comprobación científica: los biólogos y los neurólogos han llegado a la conclusión de que no se puede tomar una decisión sin emoción y de que todas las decisiones supuestamente lógicas y razonables están contaminadas por una emoción. O existe emoción o no existe decisión.

Álvaro Marchesi nos contaba en el plató de *Redes* que un alumno suyo quería desarrollar la tesis doctoral en este sentido: pretendía diseñar un robot que simulara procesos de comportamiento y movilidad, y, al tiempo, reacciones emocionales ante los obstáculos. Al cabo de un tiempo, el alumno se presentó con un robot llamado *Sancho*. Estaba diseñado para moverse, y se movía bastante bien y solucionaba algunos problemas de movilidad. Pero cuando no encontraba la solución a ciertos obstáculos, se enfadaba y se ponían en marcha luces y sonidos que demostraban que el robot estaba incómodo, nervioso, agresivo... Y se enojaba con los obstáculos.

La emoción estaba en la mente del alumno, no del robot.

Es cierto: quizá fuera una metáfora. Pero se trataba de una metáfora muy interesante. Todos los niños se enfadan cuando no pueden superar un obstáculo. Y muchas personas se muestran agresivas cuando se les contradice. *Sancho* actuaba igual: examinaba posibilidades (quizá sólo unas pocas) y, si no daba con la solución, saltaba el dispositivo del enojo y la agresividad. Los niños, ante un obstáculo, examinan sus posibilidades (quizá unos cientos de miles) y, si no dan con la solución, lloran. Resortes, emociones, respuestas, sentimientos... ¿son «números»?

Nos resistimos a creer que nuestras emociones y nuestros sentimientos y nuestros comportamientos emocionales sean respuestas programadas como las de *Kismet* o *Sancho*. Nos resistimos a creerlo porque es nuestro último reducto, especial y singular...

RATONES ENAMORADOS

Los investigadores han estudiado la relación entre distintas hormonas y las emociones. Así, han podido determinar que algunos estados emocionales están íntimamente relacionados con la pura química: dopamina, oxitocina, serotonina, etcétera. Han descubierto que los animales de laboratorio que reciben dosis de estas sustancias no sólo reciben un estímulo dirigido al ámbito sexual, sino que... en fin, parecen enamorados. ¿Es posible?

El profesor Ignasi Morgado nos dijo en *Redes* que la liberación de ciertas sustancias, como las citadas, crea vínculos y apegos en ciertas circunstancias. ¿Qué quiere decir esto? ¿Significa que esos ratones «se enamoran» si se les proporciona dopamina u oxitocina? «La oxitocina es una hormona cuyos efectos están comprobados: si se elimina su efecto por procedimientos artificiales, la pareja sigue teniendo relación sexual y sigue copulando, pero ya no permanece unida. En algunas especies se ha podido comprobar que la oxitocina crea un vínculo estable y definitivo».

Hay unos ratoncillos silvestres (llamados campañoles de la pradera) en los que se han realizado estos experimentos. Y se ha demostrado que los altos niveles de oxitocina guardan alguna relación con los vínculos de estos animales. Algunos estudiosos han llegado a sugerir que estas hormonas son los productos químicos de la monogamia, lo cual parece bastante exagerado. Probablemente se trata de un tipo de relación de apego que no solamente se establece en situaciones puramente sexuales, sino que se debe a una compleja interrelación social entre dos o más individuos.

Es cierto que esas hormonas contribuyen al enlace entre los sujetos, pero lo que no está claro es que la liberación de esas hormonas produzcan los mismos sentimientos en animales y personas. «Nuestro cerebro es mucho más complicado», concluía el profesor Morgado.

NUESTRO MANDO A DISTANCIA ES INSERVIBLE

El problema crítico de los sentimientos está en la conciencia, y ni los robots ni los animales tienen conciencia. Y si no hay conciencia, el sentimiento no puede aparecer. Se pueden dar reacciones emocionales en un animal y un robot puede actuar conforme a patrones emocionales preestablecidos por sus programadores, pero ni los animales ni los ordenadores tienen conciencia de lo que les está ocurriendo. Los animales pueden compartir con los seres humanos algunos rasgos emocionales, pero el sentimiento es producto de una elaboración que sólo se da en las personas.

No todos los expertos están de acuerdo con esta argumentación de Ignasi Morgado, especialmente porque los sentimientos pueden apreciarse sobre todo en las relaciones sociales (empatía, por ejemplo), y hay muchos animales que verdaderamente parece que son capaces de interrelacionarse con otros miembros de sus grupos. Si la conciencia es necesaria, tal vez esos animales (mamíferos superiores, sobre todo) tengan algún tipo de conciencia.

Álvaro Marchesi nos decía en el plató de *Redes* que los estudios en este campo no deben guiarse por el reduccionismo: hay grados, niveles y baremos que no deben descuidarse. Cuando se estudian las emociones y los sentimientos, hay que tener en cuenta el plano biológico, sí, pero también el psicobiológico, el cognitivo, el emocional y... el mundo ético y moral. Todos estos aspectos se estructuran de manera progresiva y no se debería reducir uno al otro. La moral y la ética sí parecen exclusivas humanas: «Una parte de las decisiones morales están imbricadas en los sentimientos de empatía, de solidaridad, etcétera. Y algunas virtudes morales, como la compasión, están profundamente vinculadas a ese sentir, a ese vivir emocionalmente las circunstancias de otro. La ausencia de esos sentimientos limita la capacidad de conductas prosociales, la capacidad creativa, la razón comprometida, etcétera. El juicio moral debe ser también un juicio emocional y comprometido personalmente».

¿Cuál sería nuestra opinión de los jueces, por ejemplo, si no fueran capaces de distinguir el entorno o las circunstancias que envuelven un caso? ¿Cuál sería nuestra opinión si la justicia fuera fría y se estableciera conforme a los parámetros establecidos en un ordenador? Un juez no evalúa sólo los actos: estudia el entorno, intenta comprender los elementos personales, todas las circunstancias cuentan, y debe ser equitativo. Es decir, debe tener respuestas desiguales para los desiguales y no aplicar las normas de manera rígida, como las aplicaría un ordenador al que le señaláramos el delito y le hubiéramos incorporado la legislación vigente. El juez puede equivocarse, por supuesto, pero podemos estar casi seguros de que actuará como un ser humano.

Cuando la sociedad moderna se plantea una educación emocional, efectivamente, se está planteando cómo educar a los jóvenes en la autonomía moral y cómo incorporar ese desarrollo moral al mundo emocional: se trata, sobre todo, de comprender a las personas con las que convivimos. Si no nos sentimos preocupados y tristes y afectados cuando contemplamos la miseria, la pobreza, la guerra y la violencia, difícilmente podremos actuar éticamente. Y en cierto modo es necesario y casi imprescindible que tengamos esos sentimientos para poder ser humanos.

Imaginemos a una persona triste, y volvamos a imaginar aquel mando a distancia que permite que su tristeza se torne alegría. Quizá sería útil en procesos enfermizos y patológicos, como la depresión, pero sería un desastre para nuestra identidad como seres humanos. Ignasi Morgado aventuró en *Redes* que una fórmula de ese tipo —con electrodos o con pastillas, o con nuestro mando a distancia para la alegría— simplemente es imposible. «Creo que las emociones están sometidas a un sistema autoblindado; ello se debe a la evolución y a los procesos de supervivencia de la especie».

Nuestro protagonista está triste porque ha perdido a un ser querido. Le ofrecemos una pastilla para evitar su pena, o le proponemos la aplicación de unos electrodos para que ría y no llore, o le sugerimos que utilice nuestro mando a distancia para que pueda sentirse bien. Nuestro protagonista está triste y rechazaría todas las soluciones: necesita su tristeza. En primer lugar, la emoción le impediría tomarse la píldora o someterse a la operación con electrodos... Sería necesario que tomara otra píldora para vencer la emoción de superar la emoción para tomarse la píldora...

Nuestras emociones y nuestros sentimientos nos ayudan a decidir, a convivir, a sobrevivir. Evaluamos nuestro entorno y juzgamos nuestra existencia conforme a un conglomerado de razón y emoción. La alegría, el miedo, la repugnancia, la empatía, la compasión o la solidaridad son asimismo los pilares de nuestro pensamiento ético y moral. Todo ello nos ayuda a vivir.

Incluso la tristeza.

CAPÍTULO IX

La mente del psicópata

Cuando acaben de leer este capítulo, probablemente descubrirán que conocen a más de un psicópata... Espero que no sea un conocimiento íntimo, porque, de lo contrario, ya estarían sufriendo... y podrían sufrir mucho más.

EL HOMBRE SIN EMPATÍA NI CONCIENCIA

El psicólogo Robert Hare es profesor emérito de la Universidad British Columbia, en Canadá. Sus estudios sobre psicópatas le llevaron a desarrollar el test más utilizado hoy en día para el diagnóstico de psicopatías: la «escala Hare». A Robert Hare se le considera el científico más relevante en estas disfunciones mentales. En España se han publicado sus trabajos *La psicopatía: teoría e investigación* (Herder, 1984) y *Sin conciencia: el inquietante mundo de los psicópatas que nos rodean* (Paidós, 2003). Sin embargo, un especialista en psicopatías decía lo siguiente: «Cientos de miles de psicópatas viven, trabajan y rezan con nosotros: tu jefe, tu amigo, tu madre... Y es posible que sigan un camino hacia la destrucción sin tener conciencia de ello. Y aún hay algo más preocupante: ni siquiera Robert Hare sabe muy bien qué hacer». «Desde luego, eso es completamente cierto», respondió el interesado.

¿Por qué ni siquiera un experto como Robert Hare puede saber qué hacer con estas personas? «Los psicópatas son muy buenos manipuladores», nos dijo, «y nosotros los consideramos astutos e ingeniosos, ya que pueden engañar a otros. Incluso cuando se es un experto en la materia, es fácil que te engañen y se salgan con la suya». De hecho, el profesor Hare reconoce que los psicópatas le han engañado muchas veces.

De todos modos, la ciencia no está a oscuras en este asunto. Gracias a las investigaciones de Hare y de sus colegas, ahora distinguimos distintas psicopatías y puede reconocerse con bastante precisión al psicópata criminal o delincuente del psicópata que no lo es.

Entre las características del psicópata destacan la falta de empatía —son incapaces de ponerse en el lugar de los demás— y la carencia de remordimientos —no tienen conciencia—. «La falta de empatía es efectivamente la imposibilidad o la incapacidad para ponerse en el lugar de otra persona, pero los psicópatas se caracterizan por un ausencia de empatía emocional, más que intelectual. Es decir: un psicópata puede entrar en tu cerebro e intentar imaginar qué piensas; sin embargo, jamás podrá comprender cómo te sientes. Es como intentar explicarle los colores a un daltónico. ¿Cómo se puede explicar la empatía y las emociones a un psicópata?».

«Un psicópata puede llegar a relacionarse social o intelectualmente, pero ven y tratan a las personas como objetos», nos aseguraba el profesor Hare. Es difícil explicar que hay personas que no tienen esta capacidad, ya que tendemos a creer que todos, como seres humanos que somos, pensamos y sentimos de la misma manera. Pero no es así. Sin embargo, imaginamos que los policías, que están en contacto permanente con asesinos y violadores, saben distinguir inmediatamente quién es un psicópata, pero en realidad no pueden distinguirlos.

Robert Hare nos puso un ejemplo: en Estados Unidos había un hombre sospechoso de haber matado a ocho mujeres. Lo iban a condenar por el asesinato de tres mujeres, aunque sospechaban que había cometido el mismo crimen en más ocasiones. Le decían: «John, piensa en la familia de estas mujeres, piensa en lo que están sufriendo, confiésalo y limpia tu conciencia». Pero como era un psicópata, permanecía sentado en su celda pasándoselo en grande, y hacía con los inspectores todo tipo de juegos mentales.

La situación se había estancado y los inspectores no prosperaban, así que dejaron de apelar a su sentido de lo bueno y lo malo —ya que no lo tenía—, a su sentido de conciencia —del que carecía— y a su sentido de la empatía —que era irrisorio—. En cambio, empezaron a apelar a su sentido de la grandiosidad y a su megalomanía y a su vanidad. Comenzaron a decirle que otro asesino en serie había matado a treinta o a treinta y cinco personas, y que él sólo había matado a tres. Si conseguía demostrar que había matado a diez personas, ascendería de nivel y de categoría. Al final, aquel hombre acabó confesando todos sus crímenes.

En los libros de Robert Hare se sugiere algo terrible. (Los textos son maravillosos, pero no se puede decir que el lector disfrute precisamente). Ese hecho terrible es que el profesor Hare admite que el psicópata no nace psicópata, pero que el individuo desarrolla muy pronto esa malformación mental. La psicopatía no se desarrolla en la adolescencia y, por supuesto, nadie se convierte en un psicópata a los 30 o 40 años: la psicopatía comienza a revelarse a los 3, 4 o 5 años. Y aún hay algo más angustioso: no importa en qué entorno familiar se nazca. «El entorno familiar y social es muy importante para la mayoría de las personas, pero no ocurre así en el individuo psicópata. La naturaleza les ha concedido algo ligeramente distinto... Nuestros estudios parecen demostrar que las fuerzas normales de socialización, que moldean nuestra personalidad y nos convierten en seres sociales, no funcionan en la mente del psicópata».

La cuestión es: ¿por qué no funciona la socialización en esas personas? Un psicópata puede nacer en cualquier familia. ¿Es exclusivamente un problema de genética? No. ¿Es un problema del entorno? No. Lo más probable es que se dé una interacción entre las características genéticas y el entorno, una interacción entre el papel que desempeñan estos dos elementos y cómo contribuyen a formar la personalidad del psicópata. Pero eso aún no se ha podido describir científicamente. «Sin embargo, puedo decir que el psicópata es una persona que desde muy niño tiene unas características personales muy concretas, como la falta de miedo, o la falta de ansiedad, el gusto por una vida fácil y la tendencia a ser impulsivo... Estos individuos no pueden ser inhibidos o formados por el entorno del mismo modo que las personas normales».

En siglos pasados, los psicópatas entraban en la categoría de los llamados «alienados»; es decir, los apartados de la sociedad y también de su propio yo, de su auténtica naturaleza. Hoy a los psicópatas no se les puede considerar enfermos mentales. Se ha de aceptar que debemos tratar la psicopatía como un trastorno de la personalidad.

Frente a una persona afectada por la ansiedad o por la depresión, cuyas emociones están amplificadas, el psicópata se caracteriza por una falta de control de las suyas. En realidad, parece que no pudiera sentir o manejar sus propias emociones, incluidas las de culpa o remordimiento. El psicópata es incapaz de empatizar y de establecer lazos afectivos con su entorno. Todo ello le lleva a acometer sus impulsos pasando por encima de cualquier norma social o moral. Así, muchos de los asesinos en serie son psicópatas: sus acciones violentas carecen de pasión o de descontrol; suelen tener una gran capacidad para la planificación y encuentran placer en hacer daño y matar. Sin embargo, no se entregan al crimen para liberar tensiones, sino como una fuente de deleite.

Pero la psicopatía no necesariamente conduce al asesinato. La inmensa mayoría de los psicópatas se manifiestan mediante el desarrollo de la manipulación y el engaño con las personas que lo rodean. Con frecuencia, el perturbado diseña sus argucias para alcanzar sus objetivos económicos, sexuales o de poder. Para conseguirlo, le resulta muy fácil fingir que tiene emociones y que comprende a los demás.

Las trayectorias vitales de estos individuos dejan un rastro de personas atormentadas, arruinadas, perseguidas, violadas o traumatizadas. Todo apunta a que esa falta de emociones provendría de una característica diferencial en el sistema ner-

vioso: una falta de conexión entre el sistema límbico —la amígdala, en particular, relacionada con las emociones y la agresividad— y la corteza prefrontal —que controla los impulsos
emocionales del sistema límbico—. El origen de tal desconexión puede ser una lesión durante el desarrollo, a causa de
accidente o maltrato, o por alteraciones genéticas.

Sin embargo, para definir el perfil del psicópata no parece suficiente esa predisposición biológica: también son de-
terminantes las condiciones afectivas y familiares durante la
infancia. El ambiente social y físico modulan la expresión del
comportamiento del trastorno y llevan al individuo a ser excesivamente egoísta o lo conducen al delito, la tortura, la manipulación o incluso, en ocasiones, al asesinato.

A pesar del dolor que este trastorno provoca, la psicopatía
sigue fascinando a gran parte de la sociedad. Muchas gentes
encuentran cierto placer en las historias que cuentan la vida
de los psicópatas y es fácil pensar que hay algo de ellos... en
cada uno de nosotros.

¿Es usted un psicópata?

Robert Hare ha desarrollado una especie de manual que ahora se utiliza en todo el mundo para identificar a los psicópatas: es el Psycopathy CheckList Revised (PCL-R) o escala
Hare. El gran inconveniente de este sistema de identificación
psicopática es que —como cualquier método— puede utilizarse mal; y si se le pone la etiqueta de psicópata a una persona y esa caracterización pasa a formar parte del historial criminal, esa persona está condenada de por vida. Si se evalúa de
forma incorrecta, se puede destruir a una persona. En el lado
positivo, desde luego, puede decirse que es un instrumento
que el profesor Hare creó para diagnosticar la psicopatía del
modo más objetivamente posible.

Si aplicáramos la escala Hare a todo el mundo, el porcentaje de psicópatas sería muy similar al porcentaje de esquizofrénicos (aproximadamente, un 1 por ciento). ¿La cifra

parece pequeña? ¡Es muchísimo! Sólo en Estados Unidos habría cerca de dos millones de psicópatas, y en España habría casi quinientos mil psicópatas, y en Madrid la cifra rondaría los cincuenta mil psicópatas... «Sí. Es más de lo que pensamos», admite el profesor Hare. «Es mucho, especialmente si pensamos no sólo en el número de casos, sino en el impacto que producen en la sociedad». La esquizofrenia afecta a la familia, a los amigos y al propio individuo que la sufre, pero los psicópatas no sienten ninguna angustia personal: ellos no tienen ningún problema. El problema lo tiene *usted*. Durante el curso de sus vidas, como nos decía el profesor Hare, su conducta afectará a cientos e incluso a miles de personas, de modo que su impacto en la sociedad es tremendo y va más allá del simple número de casos diagnosticados como psicopatía.

Estamos de acuerdo con el lector: ¡es increíble!

Intentemos encontrar algún motivo fisiológico que explique este problema. Vamos a analizar al cerebro del psicópata: ¿tienen un cerebro... extraño? «No», afirma el doctor Robert Hare. «Al menos, no es extraño en su estructura, que es la misma que la de la gente normal. Lo distintivo es su funcionamiento. A lo largo de los últimos ocho o nueve años, hemos estado analizando cómo funciona el cerebro de estas personas y hemos podido establecer qué partes se activan cuando procesan ciertas tareas o cierta información. Uno de los hallazgos más significativos es que cuando un psicópata intenta analizar algo que contiene una carga emocional, ya sean fotos o palabras, las partes del cerebro que se activan en él no son las mismas que las que se activan en la gran mayoría de la gente».

Si a una persona normal se le presentan las palabras «violación», «mutilación», «sangre» o «dolor», esa persona activará casi automáticamente determinadas áreas del cerebro vinculadas a la emoción. Si esas palabras se le presentan a un psicópata, las áreas del cerebro que procesan este material son distintas. «De hecho, lo que sucede es que si a un psicópata le mostramos la palabra "violación" en la pantalla del ordenador, la trata como una palabra neutra, como las palabras "mesa", "silla" o "árbol"». Los psicópatas responden de un modo parecido ante palabras o imágenes que al resto nos hieren emocionalmente, ellos responden como si se les mostraran objetos comunes e intrascendentes. Sus cerebros se activan del mismo modo ante la imagen de una ejecución y la imagen de una casa. Esto es muy curioso: ¿por qué es así? «Tenemos los resultados de varios experimentos en los que enseñamos imágenes muy desagradables, como escenas de crímenes, y, a nivel del funcionamiento del cerebro, las tratan como si estuvieran mirando algo normal y corriente, como a un perrito o a un árbol. También hemos descubierto que hay partes de su cerebro que no se activan, y son las partes del cerebro asociadas al procesamiento de emociones: el sistema límbico; el cerebro emocional, como se le llama popularmente. O sea, lo analizan lingüísticamente, no emocionalmente».

Tal y como se ha señalado, el doctor Robert Hare es el creador del examen psicológico más utilizado actualmente para identificar a psicópatas: la escala Hare. Con este método se evalúa si un individuo cumple algunos de los veinte criterios establecidos para diagnosticarlo como psicópata. Estos criterios no son más que rasgos característicos de la personalidad psicopática. Algunos rasgos son la falta de empatía, el encanto superficial o un egocentrismo extremo.

Para llevar a cabo un diagnóstico preciso, el paciente es sometido a un cuestionario estructurado. Es entonces cuando do el evaluador concede para cada criterio 0, 1 o 2 puntos en función de si el paciente no lo cumple, lo hace parcialmente o lo cumple en su totalidad. Tras el test, el evaluado adquiere una puntuación final que varía de 0 a 40 puntos. Se consideran psicópatas a los individuos con calificaciones superiores a 30.

Recientemente se ha desarrollado una nueva prueba para detectar si la percepción de la violencia varía entre criminales psicópatas y aquellos que no lo son. Su resultado ha sido un éxito y tan sólo diez minutos parecen suficientes para reconocer a individuos con trastornos psicopáticos. Este sencillo examen obliga al evaluado a clasificar palabras en agradables, desagradables, violentas o pacíficas. Por ejemplo, ¿es la palabra «sangre» agradable o desagradable? ¿Y «matar» se cataloga como violenta o pacífica? El tiempo requerido para asociar términos, tanto de forma correcta como errónea, parece ser mucho menor en psicópatas, dejando constancia de la concepción anómala que poseen de la violencia.

Además, nuevas técnicas en el campo de la visualización cerebral, como la resonancia magnética, han permitido relacionar la conducta psicopática con defectos biológicos. Así, la corteza prefrontal, vital para gestionar los impulsos, presenta una reducida actividad en los sujetos psicopáticos. Los neurotransmisores inhibidores de la conducta agresiva, como la serotonina, también parecen escasear en el cerebro del psicópata. En definitiva, los últimos avances en psicología y técnicas de imagen cerebral han facilitado la diagnosis de la psicopatía. El reto, ahora, consiste en descubrir un modo de curar a estos individuos y en procurar la reinserción de los que la padecen.

Pero... ¿es posible la cura o la rehabilitación? ¿Es posible una terapia? Robert Hare sugiere que nos vayamos olvidando de los programas de rehabilitación para estas personas, porque muy probablemente los resultados sean contrarios a lo que se pretende, ya que esta gente aprende a engañar. De manera que es mejor no utilizar los programas de rehabilitación convencional. ¿Cómo explicamos esto a los políticos que creen que eso es posible, a los jueces que de buena fe piensan que es factible la reinserción, a los encargados de las cárceles, a los profesores que enseñan las bondades de la reintegración social...? «Sí... es difícil. Los programas tradicionales de rehabilitación ayudan muy poco a los delincuentes psicópatas. Y existen estudios que demuestran que los delincuentes que siguieron estos programas acabaron cometiendo crímenes más graves que si no se hubieran tratado. No es que el programa empeorara la situación: es que el programa no era el adecuado y todo lo que hicieron estas personas fue aprender nuevas formas de manipular a los demás. Pero no quiero que se tenga la impresión de que no hay nada que se pueda hacer; porque hay varios países, como Nueva Zelanda, el Reino Unido y Canadá, donde se está trabajando con programas diseñados específicamente para estos individuos».

Robert Hare y alguno de sus colegas están investigando un nuevo programa para tratamiento de psicopatías que no apela a un sentido de la conciencia, que no tienen, o a su falta de empatía, sino que se basa en el comportamiento. Pretenden modificar el comportamiento. Es muy difícil, pero hay que probarlo: hasta hoy, lo único que se ha hecho con estas personas ha sido encerrarlas. Mucha gente prefiere ese sistema y entienden que, como no se puede hacer nada con ellos, mejor están en la cárcel o encerrados en una institución psiquiátrica. Pero esta solución es un peligro y no representa una solución, según el profesor Hare. «Lo que queremos hacer es presentar unos programas adecuados, que logren reducir la propensión a la violencia».

Los científicos, los psicólogos y los psiquiatras han tardado mucho tiempo en distinguir el comportamiento de los psicópatas respecto a otros criminales. Pero el hecho cierto es que hay criminales psicópatas y criminales que no lo son. Y es necesario distinguirlos. «Tendemos a pensar que los demás piensan de la misma manera que nosotros, y nos gusta creer que la gente es buena. Pensamos que todo el mundo es inherentemente bueno. Y pensamos que si a los criminales les damos una oportunidad todo mejorará y todo irá razonablemente bien. Por ejemplo, algunas personas piensan que, si a un criminal le entregamos un cachorro de perro, un abrazo y un instrumento musical, ya no volverán a delinquir o a actuar como actuaban. Pero no. La psicopatía no se cura así. Y pensar que ésa es la solución es en realidad una parte del problema».

No todo el mundo es inherentemente bueno: es difícil de aceptar. Aunque, en realidad, como advertía el profesor Hare, no es que sean inherentemente malos: es que algunas personas son más difíciles de socializar que otras. Y los psicópatas se encuentran entre los más difíciles.

Y uno de los problemas para tratar esta enfermedad en concreto es que resulta extremadamente difícil identificarlos. Robert Hare ha publicado recientemente un libro titulado *Snakes in Suits. When Psycopaths Go To Work (Serpientes con traje: cuando los psicópatas van a trabajar);* en este ensayo, Hare habla de los psicópatas que no están en la cárcel, sino en el equipo de gestión, o entre los comerciales, o es un marido o una esposa. Son personas a las que no reconocemos como psicópatas... pero las víctimas sí las reconocen. Leyendo su libro o acudiendo a una de las conferencias del doctor Hare, uno acaba diciendo:

—Acabas de describir a una persona con la que trabajo...

O bien:

—Pensé que estabas describiendo a mi marido... y no está en la cárcel.

Los gobiernos y la sociedad quieren una salida fácil, y una salida fácil es decir que todos estos problemas son económicos o sociales. O suelen argumentar: «Si invirtiéramos más dinero, todo el mundo estaría bien». Pero esto no es así. En un mundo utópico, el psicópata sobresaldría, ya que sería el depredador, porque eso es lo que hacen: se aprovechan de las personas. Podemos llegar a tener una sociedad perfecta, pero seguirá habiendo psicópatas». Decir lo que dice Robert Hare es, desde luego, políticamente incorrecto... y ni siquiera se nos ocurre utilizar la palabra «psicópata» para personas que viven y trabajan con nosotros y que carecen de empatía, que son manifiestamente simuladoras y manipuladoras, que se aprovechan de los demás, que son incapaces de sentir emociones reales, que no distinguen la crueldad ni el dolor, que están dispuestas a todo por el dinero... ¿Qué son estas personas? «Están en todas partes», dice Robert Hare: «Están allí donde puedan obtener algo, desde pozos con agua a tierras de labranza, o allá donde haya poder o prestigio. Donde se pueda obtener dinero, habrá un psicópata bien vestido e inteligente y lo hará muy bien para conseguirlo. De manera que hay muchas áreas donde pueden medrar: negocios, política... Allí, el psicópata inteligente encontrará un hogar muy confortable».

Inteligente y malvado: el ser más peligroso

Millones de mujeres, de hombres y de niños de todo el mundo sufren el dolor, la humillación y la ansiedad que les infligen los psicópatas que se han encontrado en sus vidas. Es un problema real del que apenas estamos levantando el velo. Y ni siquiera los grandes especialistas como Robert Hare saben muy bien qué hacer al respecto.

Vicente Garrido es psicólogo criminalista de la Universidad de Valencia y autor de varios trabajos científicos y divulgativos sobre las psicopatías (*El psicópata: un camaleón en la sociedad actual* [Algar, 2000] y *Cara a cara con el psicópata* [Ariel, 2004]). Según Garrido, la dificultad de abordar este problema se debe a que «los psicópatas, en buena medida, no manifiestan su comportamiento de manera pública, salvo que sean criminales, se les capture y se les diagnostique como tales». Al parecer, un número muy importante de psicópatas —probablemente la mayoría— están integrados en la sociedad: han tenido la oportunidad de vivir en un ambiente favorable, se han socializado, han completado sus estudios con mayor o menor fortuna y están aceptados como personas «normales». Pero la psicopatía constituye personalidades muy especiales y ésa es justamente la razón por la que millones de personas pueden estar afectadas al estar en contacto con ellas.

Lluís Borrás es psiquiatra forense, estudia la delincuencia, el crimen y la violencia, su objeto de investigación son los grandes asesinos, y es autor de *Asesinos en serie españoles* (Bosch, 2002). En páginas anteriores habíamos llegado a la conclusión de que un asesino o un individuo violento no es necesariamente un psicópata y un psicópata no necesariamente se comporta de un modo agresivo. Entonces, las preguntas para Lluís Borrás son las siguientes: ¿en qué se diferencian unos y otros? ¿Por qué el psicópata es un caso tan especial? ¿Qué es lo que le distingue de otros delincuentes? «Los delincuentes pueden ser de varios tipos; entre ellos están los psicópatas. Puede decirse que el principal componente de la delincuencia es la psicopatía. Desde luego, también hay sociópatas, que son asociales, y gente con problemas de marginación o de otro tipo, como toxicomanías. Pero yo diría que el grueso de la delincuencia está precisamente en los psicópatas, en los trastornos de personalidad».

Sin embargo, hay psicópatas que pueden llevar una vida social más o menos normalizada mientras que otros son extremadamente violentos y peligrosos. La diferencia, al parecer, reside simplemente en la cantidad: «Como se dice vulgarmente, hay *psicopatines* y *psicopatones;* es decir, hay personas que tienen una tendencia a la agresividad tan elevada y tienen tanta dificultad para controlar sus impulsos que pueden llegar a matar».

Pero la «cantidad» no es un baremo fijo: una psicopatía leve puede llegar a ser grave y peligrosa dependiendo de las circunstancias. Vicente Garrido nos dijo en el plató de *Redes* que es muy importante el lugar que estos psicópatas ocupan en la jerarquía social desde el punto de vista del ciudadano común. «Una persona que tenga un grado muy elevado de agresividad, de necesidad de estímulo, de necesidad de dominio para sustituir su ausencia de emociones tiene más probabilidades de convertirse en un gran asesino o un asesino en serie. Pero si una de estas personas llega a ocupar puestos altos en la jerarquía del ejército, de la policía, de la política o del mundo de las finanzas puede causar auténticos estragos. Por ejemplo, gente como Slobodan Milosevic o como Sadam Husein probablemente podrían tener un diagnóstico de psicopatía. Esta gente ha llevado a la ruina, a la destrucción y a la muerte a millones de personas. La Historia está llena de casos parecidos».

El psicópata integrado, en la medida en que controle su agresividad —y si no es un estadista o alguien muy importante—, no matará... pero puede humillar y puede causar mucho daño. Puede destruir. El psicópata no integrado finalmente acaba en la cárcel: se le captura después de haber matado o haber cometido distintos crímenes. Pero el psicópata integrado difícilmente sale a la luz y es capaz de ocultarse: son los pederastas, los maltratadores y otros muchos que cometen delitos ocultos.

Lo verdaderamente terrible, lo asombroso y lo escalofriante es la sugerencia de que estas personas pueden haber nacido en una familia normal, en un ambiente social estable, sin problemas económicos acuciantes, sin problemas raciales o de otro tipo. Es decir, que estas personas son malas sin motivo aparente, sin que existan impulsos o condicionantes externos. Y aún peor: ¡no hay nada que se pueda hacer con ellos! Los políticos, los funcionarios de los ministerios, los empleados de las instituciones penitenciarias, las personas y familias estragadas por estos individuos sin conciencia ni compasión deben saber que no hay modo de devolverles la conciencia ni posibilidad de que adquieran empatía.

«Creo que la ciencia ha demostrado sobradamente que el ser humano no nace ni bueno ni malo: nace con unas propensiones o unas tendencias que pueden conducir a una agresividad y a un comportamiento explotador de los demás si no se canalizan bien», nos decía el profesor Garrido.

Los seres humanos estamos preparados y capacitados para socializarnos y para vivir en sociedad, y por tanto, podemos desarrollar una cultura. Para establecer las reglas del juego, hemos creado una moral y una ética, mediante la cual nos regimos, y canalizamos nuestros sentimientos para fomentar ese potencial de solidaridad del género humano. «Ahora bien, los psicópatas representan el lado más oscuro del ser humano, puesto que estas personas —por las razones que sean— se revelan como depredadores del resto de la especie», concluía Vicente Garrido. La psicopatía, en fin, es una parte de la naturaleza humana que no tiene esa capacidad para desarrollarse en la dirección del bien, de la solidaridad o de la compasión: por eso, precisamente, el psicópata es el ser humano más peligroso que existe. En la medida en que su ambiente le provea de las satisfacciones necesarias, puede estar integrado y no ser especialmente peligroso; puede que sus actividades y las relaciones que tenga le satisfagan. Pero... ¿qué ocurre si necesita algo que su ambiente no le proporciona? Entonces se convierte en un asesino, en un depredador: puede matar sistemáticamente, puede violar... Y, si está integrado en estructuras de poder, puede utilizar su potencial para causar mucho mal.

¿TIENE USTED UN HIJO PSICÓPATA?

Como se advirtió en páginas precedentes, los especialistas, los neurólogos, los psiquiatras forenses y la comunidad científica explican que las psicopatías no aparecen tardíamente y de modo repentino, sino que comienzan a manifestarse cuando el individuo tiene pocos años y es un niño. El déficit de atención o la hiperactividad se han propuesto como indicios o indicadores de riesgo. «Efectivamente, desde la más tierna infancia se ve que un niño puede ser psicópata», nos aseguraba el doctor Lluís Borrás. Pero antes de pensar «Tengo un niño psicópata» o antes de recomendar a alguien «Trata inmediatamente a tu hijo porque tiene toda la pinta de ser un psicópata», antes de arriesgarnos a una valoración imprudente, deben manejarse los indicadores de riesgo.

«Uno de los factores de riesgo que puede llevar a una persona a ser agresiva y conflictiva en el futuro es un parto problemático. Los partos con hipoxemia, los problemas de falta de oxígeno durante el parto, y los malos tratos infantiles, sobre todo, son indicadores de riesgo». Los malos tratos en la infancia generan problemas de cortisona: se produce un aumento de cortisona en la sangre y esta sustancia lesiona las neuronas. Un niño que ha sido maltratado antes de los 3 años tendrá seguramente más dificultad para controlar los impulsos cuando sea mayor.

Además, tal y como nos recordaba el doctor Borrás, algunos niños presentan lo que se llama «trastorno de hiperactividad con déficit de atención». Se trata de niños muy inquietos, niños que caen fácilmente en el fracaso escolar o que les cuesta mucho concentrarse: se están moviendo continuamente, tocan constantemente las cosas de la escuela, roban objetos de los demás, etcétera. Estos niños tienen un cierto riesgo... No necesariamente serán psicópatas, pero tal vez sufran ciertos trastornos de personalidad, o alguno de los muchos tipos de trastornos que se han identificado.

Lo interesante y lo problemático, entonces, es que pueden existir determinadas lesiones neurológicas que incapaciten a un individuo concreto para aprender las normas, para relacionarse adecuadamente con los demás o para distinguir el sufrimiento ajeno. Pero no siempre se trata de lesiones cerebrales: a veces, como señalaba el profesor Robert Hare, ocurre que su cerebro, simplemente, funciona de otro modo. Y no sabemos por qué.

Entre los tribunales y los hospitales

Robert Hare y sus compañeros en la investigación de las psicopatías advierten que los programas tradicionales de reinserción no sirven. Con frecuencia, el remedio es peor que la enfermedad y, muy a menudo, esos programas abren nuevas vías para la psicopatía: estos individuos aprenden nuevas técnicas y nuevos modos de hacer el mal.

En Estados Unidos, la solución política y judicial ha consistido básicamente en el encierro y el internamiento. Como no está claro que su comportamiento se deba a una enfermedad o a un problema fisiológico, se entiende que son simplemente malvados, y se les encierra de por vida: en un juicio, si los peritos determinan que una persona es un psicópata, será difícil que se le conceda la libertad condicional u otros permisos, y será raro que lo incluyan en programas de rehabilitación.

¿Y en España? ¿Qué hacemos en España con los psicópatas?

Lluís Borrás nos decía que, tradicionalmente, la jurisprudencia del Tribunal Supremo ha considerado siempre que el psicópata era imputable; es decir, que el psicópata era responsable de sus actos, porque, de hecho, cuando el psicópata actúa y comete un hecho delictivo, lo hace con pleno conocimiento y con plena voluntad. «El psicópata sabe lo que hace y, además, es muy inteligente y sabe por qué lo hace. Esto lo diferencia del psicótico: el psicótico es el individuo que está fuera de sí, el individuo que ha perdido el sentido de la realidad. A las personas con enfermedades mentales y psicosis se les ofrecen otras vías, pero el psicópata generalmente es condenado. Es condenado porque se considera que actúa con pleno conocimiento y con plena voluntad».

Ahora bien, los jueces saben que los psicópatas son enfermos, por supuesto. Lo saben y se han dictado sentencias que consideran que debe aplicarse lo que se llama «atenuante analógica», una pequeña atenuante que rebaja muy poquito la pena, pero permite aplicar lo que se llama una «medida de seguridad»; es decir, permite considerar que el psicópata es susceptible de un tratamiento y, por tanto, se puede hacer algo con esa persona.

Ahí radica el problema: ¿verdaderamente se puede hacer algo con esas personas? Los jueces condenan a los psicópatas porque son un peligro. Las condenas se establecen para proteger a la sociedad. Si consideráramos que los psicópatas son enfermos y abriéramos las cárceles, se generaría una situación de inseguridad alarmante. Por esa razón, los jueces tienen que considerar imputables a los psicópatas.

Cuando una persona mata, viola y destruye, la sociedad tiende a considerarla enferma, porque su comportamiento no es «normal». Se tiende a buscar disfunciones físicas o mentales cuando, quizá, el psicópata actúa como actúa tras una reflexión personal o un impulso consciente. El doctor Borrás nos puso un ejemplo: un individuo tenía alquilado un local y en él desarrollaba su actividad comercial. Para no tener que pagar el dinero del alquiler al propietario, lo mató. Al cabo de un tiempo, mató a un inspector de trabajo que le reclamaba las nóminas de la Seguridad Social. Y poco después, mató a su pareja porque no le interesaba mantener aquella relación. La arrojó por el balcón de su domicilio, pero simuló que la joven se había suicidado. Este psicópata sabía perfectamente lo que hacía y había establecido sus objetivos: un bien lucrativo y una decisión de evitar una relación sentimental. Era puro egocentrismo. ¿Era un enfermo?

«El concepto de enfermedad es un concepto un poco complejo y difuso en estos casos», señalaba Vicente Garrido, «porque el psicópata es plenamente consciente de lo que hace. El psicótico, el enfermo de una psicosis, por el contrario, no es consciente. Un esquizofrénico, por ejemplo, pierde cualquier contacto con la realidad, no tiene sentido de la realidad y, por tanto, es incapaz de distinguir el bien del mal, lo que se debe y lo que no se debe hacer. El psicópata es completamente distinto: sus actos demuestran, en primer lugar, que no le importa lo que hace y, en segundo lugar, sabe que lo que está haciendo es un delito. Sabe que moralmente está equivocado, pero no le importa: la vida de los demás, simplemente, no le concierne».

Entendemos por enfermedad aquella dolencia sobre la cual no tenemos control. Por eso la esquizofrenia es una enfermedad. El psicópata es consciente y ésa es la razón por la cual resulta complejo considerarlo un enfermo.

Robert Hare era pesimista: «No puedo devolver la conciencia al que no la tiene, ni puedo conseguir que un individuo que no conoce la compasión sea compasivo, ni puedo conseguir que un cerebro que no conoce la empatía pueda situarse en el lugar de los demás». Sin embargo, también hablaba de la posibilidad de trabajar en la conducta, en el comportamiento, en manifestaciones como la irritabilidad o el control de los impulsos. Entonces, ¿puede tratarse la psicopatía de algún modo?

Lluís Borrás nos explicó que en los últimos años se estaban abriendo caminos interesantes en el tratamiento de la psicopatía. Uno de esos caminos es el estudio conductual al que se refería Hare; el otro es la vía farmacológica. Los trabajos conductuales tratan de forzar la disciplina del sujeto. Al parecer, desde el punto de vista académico, este método está un poco pasado de moda, pero está bien estudiado: se ha comprobado su efectividad —hasta de un 70 por ciento— en jóvenes delincuentes. Los jóvenes ingresan en un campamento durante seis meses con una disciplina férrea y muchos dejan de delinquir. Respecto a la vía farmacológica, los tratamientos afectan sobre todo a los síntomas y los medicamentos parecen mejorar la conducta impulsiva o desadaptativa. Algunos de esos fármacos están relacionados con los tratamientos suministrados a los esquizofrénicos y a pacientes epilépticos: son antipsicóticos y antiepilépticos que se proporcionan en pequeñas dosis. En todo caso, son medicamentos que pueden mejorar la impulsividad, pero no curar.

Entonces, por fin hemos llegado a una pequeña conclusión... La psicopatía tiene dos grandes componentes: un componente relacionado con la personalidad básica, con las emociones, con la conciencia, con la insensibilidad emocional, etcétera, y un componente conductual. Robert Hare y la investigación actual admiten que no pueden hacer nada o casi nada respecto a la personalidad básica: no podemos cambiar la personalidad básica de un psicópata. Si no tiene conciencia, no la va a tener jamás; si no puede sentir emociones humanas básicas, no las va a tener nunca. Sin embargo, sí se puede hacer algo respecto al componente conductual: podemos ayudarle a que se controle; podemos utilizar su pensamiento egocéntrico, egoísta y vanidoso a nuestro favor. Vicente Garrido nos aseguraba que podemos conseguir que el psicópata se pregunte: «¿Me conviene seguir delinquiendo? ¿Me resulta rentable seguir cometiendo delitos? ¿Salgo favorecido siendo una persona violenta?». La cuestión es convencerlo de que pueden irle mejor las cosas si cambia su conducta: no podemos conseguir que tenga compasión ni que tenga ningún interés en los demás, pero puede reconducirse su egoísmo. La investigación actual no pretende que el psicópata sea una buena persona, sino que se convierta en una persona a la que le interese egoístamente cumplir con la ley y no delinquir.

Convivimos con psicópatas y nuestros hijos y nietos convivirán con psicópatas. ¿Cómo podríamos conseguir que en el futuro hubiera menos individuos de este tipo?

Con personas de 18, 20 o 30 años, la actuación es complejísima, porque han desarrollado un potencial muy fuerte;

con ese psicópata, lo único que podemos hacer es divulgar la existencia del problema. A él no le importa en absoluto considerar a los demás como seres humanos. Para él, somos medios para conseguir sus objetivos.

Respecto a las futuras generaciones, la prevención es esencial para evitar que haya sujetos que desarrollen ese potencial de violencia innata. Según el doctor Borrás, la prevención de la psicopatía es importante, sobre todo, en la escuela. «La escuela sirve para aprender, pero con frecuencia se utilizan métodos competitivos: aprendemos a querer ser los mejores, a ser los más guapos, a ser los más ricos. Se han perdido los valores humanos, y quizá este hecho tenga alguna relación con el espectacular incremento de asesinos en serie en nuestro país. El asesino en serie es la máxima expresión del psicópata. Entonces, ¿cómo se puede prevenir esto? Sobre todo, se podría prevenir si en la escuela se enseñaran valores humanos: a ser solidario, a ser persona, no a ser el número uno ni a ser el mejor. Yo diría que la sociedad competitiva agrava la psicopatía».

Tanto Lluís Borrás como Vivente Garrido estaban de acuerdo en un detalle: una sociedad que exalta los valores de la psicopatía facilita que la tendencia a la psicopatía se desarrolle y tenga un mayor caldo de cultivo.

¡Sangre, sangre, sangre!

En el siglo XV, el príncipe rumano Vlad *el Empalador* ordenó ajusticiar a miles de personas mediante el sanguinario método del empalamiento. Se asegura que ejecutó a cien mil almas en seis años: eran enemigos turcos, adversarios políticos o simples súbditos cuya conducta desaprobaba. Esta figura histórica está en el trasfondo del personaje literario creado por Bram Stoker en el siglo XIX: Drácula.

La impunidad casi absoluta de la que disfrutaban los nobles antiguos permitió a la condesa húngara Erzsébet Báthory torturar y asesinar a seiscientas cincuenta muchachas en cuya sangre se bañaba para conservar su juventud. Como Vlad

Tepes, la «condesa sangrienta» era una verdadera psicópata, incapaz de sentir remordimientos ante su conducta. Ambos alimentaron la leyenda de los vampiros.

El mito de los hombres lobo también se ha nutrido de las tradiciones de asesinos sin conciencia: en el siglo XVI, dos casos conmocionaron Europa: Guilles Garnier y Peter Stubbe asaltaban a niños en los caminos de Francia y Alemania y los devoraban. Uno de ellos, incluso llegó a matar a su propio hijo y comerse su cerebro.

Ya en el siglo XX se han registrado casos similares. Durante la Segunda Guerra Mundial y en medio del caos urbano de Berlín, Georg Grossman mató a más de cincuenta mujeres para vender su carne por las calles de la ciudad. Fritz Haarmann, llamado *el Vampiro de Hannover*, tuvo la misma idea, pero se inclinó más por los hombres: al parecer, mientras les mordía en la yugular, el asesino alcanzaba el orgasmo.

Pero no todos los asesinos múltiples han sido tan sangrientos. Las mujeres suelen ser más refinadas. Existen numerosos casos de criadas y enfermeras aficionadas al veneno, capaces de asesinar a familias enteras bien por quedarse con sus posesiones bien por el misterioso placer de matar. Algunas incluso llegaron a acabar con sus propios hijos para cobrar sus seguros. La más célebre fue Louise Pitt, llamada *la duquesa de la muerte:* además de matar a dos de sus maridos, fue capaz de inducir al suicidio a cuatro hombres perdidamente enamorados de ella.

Pero, sin duda, los más célebres psicópatas están relacionados con crímenes sexuales. Jack *el Destripador* es el más conocido, pero los ha habido mucho más activos: en los años setenta Ted Bundy, un atractivo y culto universitario, violó y asesinó a veintiocho muchachas antes de ser atrapado. Y John Wayne Gacy, que ejercía de payaso en fiestas para niños, torturó y mató a treinta y tres chicos en el sótano de su casa. En Sudamérica, Pedro Alonso López llegó a violar y estrangular a más de trescientas niñas.

Las razones que se esconden detrás de estos actos pueden ser muy variadas. Por ejemplo, tras ver la película *Los diez man-*

damientos, un individuo sintió un impulso irrefrenable que le hizo atacar a más de quince mujeres en sólo un año. Y Charles Manson creyó oír en el disco *White Album* de los Beatles un mensaje apocalíptico que le impulsó a matar. A veces la soledad puede despertar ciertas mentes enfermas. Es el caso de Jeffrey Lionel Dhamer, el famoso *carnicero de Milwaukee:* según su propia confesión, la falta de compañía le impulsó a coleccionar partes de sus víctimas... para no sentirse tan solo.

Para el psicópata, cualquier motivo es *bueno.*

Capítulo X

Claves violentas

¿Han oído la expresión «se comportaron como animales»? Habitualmente pronunciamos esta frase cuando tratamos de explicar que dos o más personas se han comportado conforme a lo que nos parecen instintos básicos o salvajes y, más concretamente, cuando han sido extremadamente violentos. Pero resulta que los homínidos, nosotros, somos mucho más violentos que la mayoría de los animales. La violencia y la delincuencia es hoy un problema planetario que gobernantes y sociólogos tratan de resolver, pero en *Redes* ahondamos aún un poco más para tratar de conocer cuáles son las claves de esta violencia específica de los homínidos y ver cómo podemos reducirla.

VIOLENCIA: DÉFICIT CEREBRAL

Para adentrarnos en el mundo de los comportamientos violentos, *Redes* conversó con varios especialistas: uno de ellos fue Adrian Raine, profesor del Departamento de Psicología de la Southern California University. El objetivo de sus investigaciones es intentar comprender las bases biológicas y sociales del comportamiento violento.

La primera cuestión es, prácticamente, la constatación de una preocupación mundial: desde Barcelona a Nueva York, desde Madrid a Londres, y desde Ámsterdam a Los Ángeles, la sociedad teme la violencia y el crimen. Constantemente se arguye que se está produciendo un supuesto aumento de la violencia y de los delitos. A veces no se trata más que de argumentaciones con intereses políticos, pero lo que parece evidente es que el transcurso de los siglos no consigue reducir sustancialmente el crimen. La violencia parece una costumbre humana y... quizá nuestra mentalidad también es una costumbre que deberíamos modificar. Creíamos que la violencia era la consecuencia de actos conscientes, decididos por la inteligencia humana; creíamos que podíamos ser pacíficos o violentos dependiendo de nuestra voluntad...

Y, de repente, el profesor Adrian Raine se atreve a publicar que «la conducta criminal debe tratarse como una enfermedad clínica».

«Efectivamente», nos dijo Adrian Raine, «en la conducta delictiva y en la violencia hay una base biológica. Vamos a concretar: hay muchos factores que conforman el comportamiento de los adultos; algunos los conocemos bien, como los malos tratos en la infancia, la falta de educación por parte de los padres o la pobreza... Pero las nuevas investigaciones parecen demostrar que también hay factores genéticos y biológicos que contribuyen a la conducta delictiva y a la violencia».

Según Raine, uno de estos factores biológicos es el mal funcionamiento y la estructura defectuosa de una parte del cerebro que está situada justo encima de los ojos, y se esconde detrás de la frente. Esta zona se llama córtex prefrontal. Es una parte del cerebro que interviene en la regulación del comportamiento y, al mismo tiempo, es la parte del cerebro que se activa a la hora de tomar decisiones complejas. Pero lo más importante es que el córtex prefrontal es también la zona del cerebro que inhibe la agresividad. Si esta área del cerebro no funciona con normalidad o existen impedimentos estructurales que afectan a esa parte del cerebro, ello puede suponer una predisposición hacia la violencia y la conducta delictiva.

El lector tiene derecho a asombrarse. Todos hemos visto en la televisión y en los informativos a individuos extremadamente violentos. ¿Es posible que sus actos se deban a ciertas condiciones ambientales o a una carencia de materia gris en el córtex prefrontal?

Pero nadie está a salvo de comportarse violentamente. ¿Eso significa que pueden darse errores incluso cuando el cerebro funciona bien? Admitámoslo: todos nos hemos sentido agresivos en algún momento. El lector puede enfadarse mucho si entiende que este libro no le está explicando bien las cosas, por ejemplo.

Imagínese que tiene una discusión con su jefe o con un compañero de trabajo. ¿Qué es lo que le impide levantarse, cogerlo por el cuello y matarlo? Su córtex prefrontal. Si su córtex prefrontal funciona con normalidad —lo deseamos fervientemente—, esa zona del cerebro le enviará determinadas señales a la parte más profunda de su cerebro y le dirá: «¡Espera! ¡Alto! ¡No actúes ahora! Ésta no es la situación adecuada ni el momento para mostrarse físicamente agresivo y violento». Pero, si se produce un mal funcionamiento de esta parte frontal del cerebro, los mensajes quedarán distorsionados, invertidos o no se emitirá ningún mensaje y, entonces, usted tenderá a actuar más instintivamente, de manera más primitiva: cuando sienta algún signo de agresión, se dejará llevar por el odio.

Así pues, en primer lugar, se da una base biológica. No es la única, por supuesto, pero cuando se da un déficit mental —un déficit en el volumen cerebral, de hecho—, es muy probable que se den actitudes agresivas y violentas.

Las consecuencias son sociales y guardan relación con nuestra conducta hacia los criminales y delincuentes. Por supuesto, nos desagradan los delincuentes y odiamos a los que matan, y por eso los castigamos y los encerramos. Decimos que tenemos que proteger a la sociedad y, por tanto, tenemos que apartarlos. Pero, si los delincuentes y los criminales actúan como actúan porque les funciona mal el cerebro y tienen una predisposición a la violencia, las consecuencias tal vez deberían ser distintas. Hay personas que tienen el cerebro dañado: no les funciona bien, según el profesor Raine, pero quizá sufrieron ese daño mucho tiempo atrás. El debate es inmediato: ¿tiene razón nuestra sociedad al castigar a esas personas con tanta dureza como nosotros lo hacemos? ¿Eran realmente libres para decidir si iban a cometer un acto violento o no? ¿Qué es el libre albedrío? El profesor Raine aporta una idea: «Creemos que se necesita un córtex prefrontal que funcione correctamente para poder disponer realmente del libre albedrío. Si se tiene una enfermedad que limita el funcionamiento de esa parte del cerebro, sospechamos que eso significa una limitación del libre albedrío».

DÉFICIT CEREBRAL Y RESPONSABILIDAD

Consideramos la violencia humana como algo primitivo, como un instinto que nos lleva a nuestros orígenes. En términos evolutivos, durante cientos de miles de años, los homínidos han tendido a actuar agresivamente: era una medida de autoprotección. El hombre moderno, al menos teóricamente, ha conseguido solventar sus conflictos de una manera más civilizada. Así, cuando una acción nos molesta, nos gustaría reaccionar violentamente... pero algo en nuestro interior nos invita a pensárnoslo dos veces antes de actuar: «Debes tener calma... No te conviene enfurecerte... Ésta no es manera de resolver las cosas». Esta voz surge del córtex prefrontal, una zona del cerebro situada detrás de nuestros ojos que se encarga de la toma fría de decisiones. Su interlocutor es el sistema límbico, una zona que genera nuestras reacciones más instintivas y emocionales: «¡Lo voy a matar! ¡Le voy a dar una paliza...!».

El equilibrio entre ambos criterios es el que permite que seamos capaces de amar o de proteger a los nuestros, pero también de ser conscientes de que debemos respetar ciertas normas de conducta para poder entendernos socialmente con nuestros semejantes. Algunas personas, las que cometen actos delictivos, no son capaces de mantener este equilibrio.

Siempre se ha creído que el ambiente y la cultura son los responsables de este tipo de comportamientos, pero, como hemos visto, investigaciones recientes parecen indicar que la biología puede dar una pista para entender cómo funcionan las mentes de los criminales más agresivos.

Por ejemplo: el estudio detallado del cerebro de un grupo de psicópatas ha ofrecido ciertos resultados sorprendentes: se ha constatado que todos esos psicópatas tenían un volumen del córtex prefrontal reducido, hasta en un 11 por ciento. Parece ser, por tanto, que sus instintos más primitivos tenían más poder a la hora de decidir su conducta final en distintas situaciones. Esto podría explicar por qué actuaban sin ningún tipo de lógica racional.

En todo caso, éste no es el único mecanismo que parece estar relacionado con las conductas agresivas: hay otras estructuras cerebrales que también participan en nuestra conducta; es decir, la violencia puede estar asociada a otras anomalías cerebrales. Una de ellas se encuentra en el hipocampo, área del cerebro donde se almacenan los recuerdos. Una disfunción en esta zona —por ejemplo, el olvido de que las reacciones violentas pueden acarrear castigos— podría predisponer a repetirlas.

Este análisis conduce directamente al problema de la responsabilidad. ¿Es posible que algunas personas violentas no sean verdaderamente responsables de sus actos? ¿A quién deberíamos echar la culpa entonces? Al profesor Adrian Raine le gustaría pensar que los detenidos y los acusados son ciertamente los responsables de los actos que han cometido... «Pero los verdaderos culpables son los factores que fueron la causa de la patología del cerebro y que pueden llegar a producir la barbarie. Y, en algunos casos, los verdaderos culpables son los padres del criminal».

El profesor Raine nos explicaba que, si se maltrata a un bebé repetidamente, se dañan o se laceran las fibras nerviosas blancas que unen la parte prefrontal del cerebro con las estructuras cerebrales más profundas. Por esa razón, en ocasiones, los verdaderos culpables de la agresividad de las personas son los padres que maltratan físicamente a los niños y consiguen dañar sus cerebros.

Los maltratos infantiles no deberían repugnarnos simplemente por una cuestión moral o humanitaria. Recuérdelo: una simple bofetada puede dañar el cerebro de una manera irremediable. «En efecto: al golpear a un bebé se le puede causar un gran daño en esta parte frontal que no toca al cráneo. Si se golpea contra el cráneo, daña el córtex prefrontal. No se produce ningún efecto. Si se mira la cara o la cabeza del niño, no se aprecia nada, no hay ninguna señal y tampoco hay síntomas. El niño no se pone enfermo, pero puede haberse dañado de por vida la capacidad de procesar estímulos emocionales y tomar decisiones sociales correctas».

Entonces, volvamos a las preguntas clave: ¿la violencia de ciertas personas se debe realmente a una decisión personal? ¿Es realmente culpa suya? Y ese joven delincuente que fue maltratado en su infancia, ¿tiene alguna culpa al emplear su vida en la comisión de actos terribles? Es posible que incluso haya matado a alguien: ¿es absolutamente responsable de sus acciones? «Sospecho que en todo esto existen grados», nos decía el profesor Raine: «No todo se puede definir claramente, no todo es afirmativo o negativo, blanco o negro: existen grados en los que sí somos responsables de nuestro comportamiento».

Adrian Raine está seguro de que la mayoría de las personas somos responsables de nuestros actos violentos en un cien por cien, porque la mayoría contamos con un cerebro que funciona correctamente. Pero... ¿qué sucede con las personas que tienen el funcionamiento del cerebro alterado y se conducen con violencia? ¿Debemos echarles la culpa al cien por cien? «Creo que ésta es una pregunta peliaguda que la sociedad deberá comenzar a tomar en consideración en el futuro».

Al menos, ahora podemos plantearnos esta pregunta; al menos, ya sabemos a ciencia cierta que un cerebro dañado es peligroso o puede ser peligroso.

ESTÍMULOS, INTELIGENCIA Y CRIMINALIDAD

Hay un aspecto de la violencia que está en los márgenes de la actividad cerebral y que, probablemente, guarda más relación con la conducta social.

El profesor Raine está dispuesto a hacer temblar las ideas comunes acerca del comportamiento humano: en su opinión, los niños sociables y los que interactúan entre ellos suelen ser más inteligentes y menos violentos que los niños que han vivido aislados y sin contacto con otros niños. «Sí... Creemos que los niños que no han tenido demasiados estímulos sociales o los que han permanecido en un ambiente social poco enriquecido son proclives a desarrollar una trayectoria violenta y una forma de vida criminal». Y... atención: «Estas consecuencias se deben, al menos en parte, a que vivieron en un entorno deficiente que por sí mismo conduce a una estructura cerebral deficiente y a un funcionamiento deficiente del cerebro».

Adrian Raine no cree que la pobreza sea una causa determinante en estas deficiencias cerebrales, sino que, más bien, la pobreza puede conducir a una carencia de estímulos sociales. «Hemos descubierto que los niños de 3 años que gozan de este tipo de estímulos tienen un coeficiente de inteligencia mucho mayor a los 11 años; es decir, ocho años más tarde. En otras palabras: los niños de 3 años que buscaban una gran estimulación obtuvieron doce puntos más en las pruebas de IQ [cociente intelectual] que los niños que no exploraban el entorno ni buscaban los estímulos».

¿Por qué sucede esto? Los especialistas han establecido la hipótesis de que los niños que buscan estímulos enriquecen su entorno, tienen muchas más experiencias enriquecedoras, tienen más interacciones sociales con otros niños... Todo ello enriquece sus experiencias sociales mucho más en comparación con niños que no buscan la estimulación. Es así de simple: si enriqueces tu entorno, enriqueces el cerebro, y enriquecer el cerebro conduce a mejorar la inteligencia. «Y ahora sabemos que un cociente intelectual bajo, poca inteligencia, es un importante marcador cognitivo o correlativo del comportamiento criminal».

El lector tiene razón: ¡es increíble! Raine nos había hablado de la violencia como una consecuencia de deficiencias cerebrales y, ahora, nos decía que el comportamiento criminal es la consecuencia de inteligencias menores... Así pues, hay al menos una parte de la conducta agresiva que guarda relación con los niveles intelectuales: «Claro. Los niños y los adultos tienen que interactuar, aprender las reglas de la sociedad, aprender respuestas emocionales adecuadas en ciertas circunstancias: así se consigue ser una persona sociable y no se cometen actos violentos o delictivos. O, al menos, se disminuye sustancialmente la posibilidad de convertirse en un delincuente violento».

El profesor Raine cree «con toda certeza» que hay cosas que podemos hacer de cara a la próxima generación para producir un funcionamiento cerebral mejor. Y una de las estrategias que propone es mejorar la salud infantil, mejorar la nutrición de los niños y enriquecer su entorno educativo. «Creo que estos tres aspectos conducirán a un mejor funcionamiento del cerebro y creo que tenemos la posibilidad de poder hacer algo para reducir el índice de violencia y delincuencia en la próxima generación».

Si nos enfrentamos a un delincuente violento de 33 años con un funcionamiento del cerebro deficiente, realmente no hay mucho que podamos hacer ya para cambiar a esta persona. Sin embargo, una de las mejores inversiones que puede hacer la sociedad para reducir la violencia es mejorar la inversión en los niños más pequeños.

CRIMINALES SIN SEROTONINA

Puede que Jack *el Destripador* o cualquier criminal en serie padecieran algún tipo de desequilibrio en la producción de serotonina. La serotonina es una sustancia química que segrega el cerebro y que calma la irritabilidad y el comportamiento violento.

(Sin embargo, los expertos tienen muy en cuenta que la violencia también está producida por perturbaciones en el cerebro causadas por la educación y por factores ambientales; entre otros, el consumo de drogas o de alcohol).

En los últimos años se han llevado investigaciones decisivas en el campo de la actividad cerebral relacionada con la violencia y, especialmente, se ha estudiado el nivel de serotonina en el cerebro asociado a conductas violentas. La conclusión científica es ésta: cuando desciende el nivel de serotonina, se incrementa la agresividad. Numerosos trabajos científicos han descubierto que la agresividad animal, incluida la humana, se corresponde con niveles bajos de serotonina en el fluido cerebro-espinal.

Sin embargo, todavía es muy difícil demostrar la relación causa-efecto, ya que el sistema nervioso y cerebral es muy complejo.

Se conocen catorce receptores de serotonina en el cerebro. Si a un primate o a un roedor se le suministra cierta droga, hay un receptor que reduce su agresividad; sin embargo, esa misma droga —contrariamente a lo esperado— disminuye los niveles de serotonina y, por tanto, mantiene los índices de agresividad. Actualmente se está investigando el tratamiento de la agresividad con fármacos inhibidores, como el Prozac, que impide que se fije la serotonina en los receptores. (Si la serotonina no se fija en los receptores, permanece «fluida» en el cerebro, se incrementan sus niveles activos y, por tanto, funciona como inhibidora de la agresividad).

La fluoxetina, cuyo nombre comercial más conocido es Prozac, además de ser muy utilizada para tratar la depresión, también se ha probado para otras afecciones psiquiátricas. Concretamente, se usa en personas agresivas para aumentar la cantidad de este neurotransmisor que interviene en la comunicación entre sinapsis neuronales. La fluoxetina u otros fármacos inhibidores selectivos de la recaptación de la serotonina han mostrado una gran eficacia en pacientes depresivos con manifestaciones de agresividad. En un estudio de ocho semanas de duración, los pacientes redujeron en un 71 por ciento las manifestaciones coléricas, irritativas y agresivas.

A pesar de todo, este fármaco no se ha mostrado tan eficaz en el control de la agresividad en niños y adolescentes. Incluso algunos estudios especifican que hay casos en que los pacientes jóvenes incrementan los síntomas violentos con la medicación; sobre todo, esto se produce en los pacientes autoagresivos y los que tienen comportamientos suicidas.

Además, hay otros neuromoduladores, neurotransmisores —como la dopamina— y hormonas —como la testosterona— que también pueden estar involucrados en procesos agresivos y desórdenes antisociales.

Emil F. Coccaro es profesor de Psiquiatría en la Universidad de Chicago y uno de los grandes expertos mundiales en agresividad impulsiva. Es el primer investigador que ha relacionado ese tipo de agresividad con la biología y, en particular, con la serotonina. En sus palabras, la conclusión es clara: «Cuando se tiene un bajo nivel de actividad de la serotonina, es posible tener agresividad impulsiva».

Una vez que el profesor Coccaro y su equipo llegaron a esta conclusión, la cuestión fue saber si con una medicación adecuada se podría aumentar la actividad de la serotonina y, por tanto, provocar algún control en las personas impulsivas y agresivas. Así que utilizaron Prozac. Como se ha señalado más arriba, el Prozac (fluoxetina) es un inhibidor de la fijación de la serotonina en los receptores: si no se fija, se incrementa su presencia en el cerebro. Y, cuando hay más serotonina en el cerebro, las personas son menos agresivas. «No es la píldora mágica, no funciona con todo el mundo, pero, cuando funciona, funciona muy bien», nos dijo Emil Coccaro. El profesor Coccaro también reconoció que la fluoxetina funciona mejor en las personas que son irritables y agresivas ocasionalmente: aquellas que se comportan violentamente en un momento concreto. Aquellas que son violentas constantemente y que lo han sido durante toda su vida no responden tan bien al tratamiento con Prozac.

¿Adónde nos conduce este planteamiento? Hasta hoy, cuando deseábamos estudiar la violencia, nos centrábamos en aspectos sociales, políticos, económicos... ¡Ahora se trata de observar nuestro cerebro y los niveles de serotonina! Antes pensábamos en la educación, en la instrucción, en la corrección... ¡Ahora se trata de neurotransmisores, receptores, anatomía y fisiología! ¿Es posible desestimar la tradicional gestión de la violencia para centrarnos en este otro modo de control fisiológico?

Emil Coccaro cree que ambos modelos son compatibles. En todo caso, el Prozac no elimina todos los problemas de agresividad cuando las disfunciones son graves. A veces funcionan los estabilizadores farmacológicos, pero es necesario combinarlos con la psicoterapia: «la gestión de la ira». Señalaba Coccaro: «Los medicamentos incrementan la inhibición, y el paciente puede refrenarse mejor, pero no enseñan cómo gestionar los impulsos y los estímulos exteriores». Así pues, si un individuo agresivo se enfrenta a alguien que comienza a provocarlo, los fármacos conseguirán que le sea más difícil responder a la provocación, pero tarde o temprano responderá. Si alguien lo molesta continuamente, tarde o temprano perderá los estribos. «La psicoterapia es necesaria, porque ayuda a eludir la provocación. Por eso se precisan dos terapias: farmacológica y psicológica».

Emil Coccaro es uno de los investigadores que descubrió que la percepción y la imaginación activan las mismas áreas del cerebro. (Véase el capítulo «Nueva percepción del cerebro»). ¿Cómo opera la imaginación en el asunto concreto de la violencia y la agresividad?

Emil Coccaro nos recordaba un estudio reciente en este campo: se tomó un grupo de personas sanas y se les pidió que imaginaran que iban en un ascensor con su madre. En una primera fase, se les pidió que imaginaran esa situación y, además, que visualizaran cómo dos hombres se metían también en el ascensor. En una segunda fase, se les solicitó que imaginaran que uno de aquellos dos hombres comenzaba a golpear a su madre. Los sujetos debían imaginar que ellos no hacían nada aunque estuvieran golpeando a su madre. En la tercera fase, un señor pegaba a la madre y el otro sujetaba al protagonista para que no pudiera hacer nada. En la cuarta y última situación, se le pidió a los sujetos que imaginaran que aquellos dos hombres pegaban a su madre y que ellos comenzaban a pegar a los dos agresores.

«Lo que se descubrió», nos decía el profesor Coccaro, «es que hay diferentes patrones de activación para cada situación». En concreto, cuando el sujeto se imaginaba a sí mismo golpeando a los agresores, se desactivan las áreas del cerebro que se utilizan para la inhibición. O sea, es como si esas zonas permitieran la agresividad. Desde luego, no se trata de unificar realidad e imaginación, sino de saber que el cerebro se activa del mismo modo cuando imaginamos que cuando experimentamos una situación concreta.

UNA RECETA PARA TENER SALUD Y SER FELIZ

Adrian Rainer hablaba de déficits cerebrales y Coccaro reflexionaba sobre la influencia de la serotonina en las conductas violentas. Son perspectivas realmente nuevas, porque hasta hoy nos habíamos centrado en valores educativos y en circunstancias sociopolíticas y económicas. En *Redes* quisimos consultar a un viejo conocido del programa, Antonio Damasio, neurocientífico en la Facultad de Medicina en la Universidad de Iowa, y especialista en el estudio de los trastornos cognitivos y de la conducta causados por enfermedades en el sistema nervioso central. La pregunta inmediata era ésta: ¿qué hay de fisiológico en la violencia y qué hay de condiciones ambientales?

«Existen muchos factores implicados en la generación de la violencia», subrayó el profesor Damasio. «No podemos hablar de este tema tomando en cuenta un solo factor o una causa. No podemos hablar únicamente de la cultura o la sociedad, o de un fallo en la educación, o de un fallo en el cerebro, o de los genes o accidentes y daños cerebrales. Realmente, tenemos que pensar en la violencia como un resultado. Ese resultado se produce en circunstancias específicas, en un contexto dado, en individuos que tienen un cierto historial de desarrollo, y en individuos que también tienen una larga historia evolutiva tras de sí: porque en tanto que seres humanos, no acabamos de nacer hace un instante, tenemos toda una historia evolutiva detrás».

En fin... si tenemos en cuenta la evolución humana, no podemos negar que todos tenemos algo violento en nuestro interior y que todos tenemos rasgos que pueden conducir a una demostración de violencia en determinadas circunstancias. Sin embargo, si admitimos la violencia como uno de los rasgos distintivos de nuestra evolución, quizá deberíamos sospechar que existe alguna ventaja evolutiva en el hecho de ser violentos. «Sin duda», admite Antonio Damasio: «Se pueden obtener ventajas tanto del hecho de ser violento como del afán de colaboración. Así que siempre se puede decir que hay algunas ventajas en el hecho de ser violento».

Si a usted, que lee apaciblemente estas líneas, le apuntaran con una pistola, quizá su respuesta sería agresiva y violenta. Es una de las opciones que puede elegir a la hora de afrontar ese problema. Puede que no sea la mejor solución, pero es una opción, desde luego. Otras opciones son la sumisión, el diálogo, la compasión, la empatía, el engaño, etcétera. Estas opciones se han dado a lo largo de toda la evolución para solventar problemas y conflictos, y, ciertamente, hay muchas situaciones en las que la mejor opción es el espíritu de colaboración. Unas y otras actitudes o resoluciones están en nuestro interior: tenemos el potencial para ser agresivos y tenemos el potencial para ser colaboradores fiables. «El modo como se cultiven esos rasgos y la forma como se ajusten a la realidad configuran naturalmente el gran secreto de la cultura, de la civilización y de nuestra propia educación».

Según Damasio, tenemos la gran responsabilidad de asegurar que la cultura y el desarrollo individual ajustan adecuadamente esos rasgos que todos los hombres y mujeres tenemos. «Por esa razón, no debemos concentrarnos sólo en un tipo de factores que pueden generar violencia, sino en muchos tipos de factores. Cuando nos enfrentamos a una persona violenta, a una persona que claramente resulta perjudicial para la sociedad, hemos de pensar en todas las causas posibles: no sólo en las causas sociales o culturales, y no sólo en las causas que se pueden atribuir a disfunciones cerebrales, sino a una posible interacción entre el cerebro y la sociedad».

En opinión de Antonio Damasio, hay ciertos sistemas cerebrales que interactúan y dan lugar a ciertos tipos de comportamientos. Por ejemplo, el lector está comprendiendo lo que aparece escrito en este párrafo, y después puede comentárselo a un amigo. Para que eso se produzca, tiene que existir un estímulo exterior y una elaboración del pensamiento que se transformará en una respuesta o una comunicación posterior con palabras. Todo esto es posible porque hay áreas del cerebro que trabajan juntas, de un modo muy cooperativo, utilizando circuitos de axones y neuronas que se proyectan hacia diferentes regiones cerebrales mediante transmisión electroquímica... Pues bien, el comportamiento violento es parecido: requiere de la participación de distintos sistemas y componentes, muchos niveles de actuación, desde el nivel de los genes al nivel de las moléculas que actúan entre las neuronas, los conocimientos, las emociones...

Admitamos que podemos ser violentos, compasivos, agresivos, cariñosos, destructivos, filántropos o malvados. Pero... ¿no existe una diferencia fisiológica entre unas y otras actitudes? ¿No debería la Naturaleza premiar la cooperación en vez de la agresión? Quizá la respuesta es que la Naturaleza no funciona conforme a parámetros e ideas humanas. Lo cierto es que las emociones de amor, de cariño, de colaboración «iluminan felizmente» nuestro cerebro. Por decirlo de algún modo, el cerebro es más feliz en esas circunstancias. Antonio Damasio nos aseguraba que esto es completamente cierto: «Sí. Es cierto. Nuestro cerebro funciona mejor cuando estamos trabajando de manera óptima, con emociones buenas y positivas. Si somos felices o si somos amables con los demás, tenemos mayores posibilidades de nutrir a nuestro cerebro para que produzca buenos resultados. Si estamos tristes, enfadados, disgustados o profundamente avergonzados, de hecho, nos estamos haciendo daño a nosotros mismos, y no digamos a los demás...».

Querido lector, recuérdelo: ser buena persona es magnífico para su salud. Todos conocemos «personas tóxicas», incapaces de controlar el sistema de regulación de la vida.

Antonio Damasio lo expresaba así: «La felicidad, la compasión y la colaboración en general están relacionadas con la supervivencia y con el bienestar. Todos tenemos un sistema de regulación de la vida que requiere de un equilibrio para que la vida pueda continuar».

A la hora de evaluar la violencia, las emociones desempeñan un papel fundamental. José Sanmartín, catedrático de Lógica y Filosofía de la Ciencia de la Universidad de Valencia y director del Centro Reina Sofía para el Estudio de la Violencia, nos explicaba que uno de los grandes errores de nuestra cultura es haber intentado separar la razón y la emoción. «La razón sin emociones es tan perjudicial como la emoción sin razón», nos decía. «Los peores asesinos o algunos de los peores asesinos son aquellos cuya razón está obnubilada por las emociones y aquellos cuyas emociones están hipotecadas por la razón».

José Sanmartín, como Antonio Damasio, es partidario de estudiar el problema de la violencia desde una perspectiva multidisciplinar: «Los factores sociales son muy importantes para explicar la existencia de violencia, pero un factor social es importante porque opera sobre nuestro cerebro. Si una persona no tiene trabajo, puede tener estrés, y, detrás del estrés, hay una hormona, la cortisona, y la concentración excesiva de cortisona puede dañar estructuras cerebrales y puede afectar a determinados neurotransmisores... Eso es lo importante. La gente debería saber que, cuando hablamos de violencia y hablamos del cerebro, no estamos dejando fuera los factores sociales. Los factores ambientales son importantísimos, tan importantes que pueden alterar la maquinaria fundamental a través de la cual podemos construir un mundo mejor: el cerebro».

PROYECTOS DE ASESINOS

El análisis de la violencia llevó a un equipo de *Redes* a entrevistar a Jonathan Pincus, neurólogo en la Universidad de Georgetown y experto en las bases neuropsicológicas y sociales del comportamiento violento. La primera pregunta fue ésta: «¿Por qué matan los asesinos?».

Según el doctor Pincus, las personas extremadamente violentas han sufrido la interacción y la intersección de tres factores principales: la experiencia de haber sido torturados sexual o físicamente en la infancia, reiteradamente y durante años, el daño cerebral y la enfermedad mental. «El maltrato físico o sexual, unido a un daño cerebral o a una enfermedad mental son los tres factores de la violencia». El maltrato físico o sexual deja secuelas tremendas en el niño y en el adulto, y conduce a toda clase de dificultades de tipo psiquiátrico. La enfermedad mental normalmente es hereditaria, pero el daño cerebral puede producirse en una gran cantidad de circunstancias.

Jonathan Pincus precisa que la violencia es más frecuente cuando estos tres factores interactúan: «La mayoría de los enfermos mentales no son violentos; la mayoría de los que tienen defectos neurológicos no son violentos; y la mayoría de los que han sido maltratados en la infancia no son violentos. Pero, cuando estos tres factores se dan a la vez en un individuo, existe una tremenda vulnerabilidad hacia la violencia y resulta muy difícil que esa persona pueda inhibir los impulsos violentos».

Según el doctor Pincus, si una persona reúne esos tres factores y se encuentra en una situación en la que nadie le imponga prohibiciones, entonces esa persona actuará como un verdadero asesino. Pero en los tres factores del doctor Pincus no encontramos razones sociales, como la pobreza, la riqueza, la marginación... Según este especialista, la pobreza es un término demasiado general que es necesario precisar. «Efectivamente, encontramos una inclinación particular hacia la violencia en algunos medios sociales... Por ejemplo, en los grupos sociales más desfavorecidos económicamente. Los que tienen unos ingresos familiares de sólo 10.000 dólares presentan un índice de maltrato infantil doce veces mayor que los que tienen unos ingresos familiares de más de 50.000 dólares. Podríamos decir que esto se debe a la pobreza, pero no...

No se debe a la pobreza, sino a otros factores relacionados con la pobreza. El maltrato infantil puede tener su origen en la drogadicción, el alcoholismo o en una enfermedad mental relacionada con la pobreza. Pero, sea lo que sea, la causa de la violencia en una persona es el maltrato que ha sufrido en su infancia, no la pobreza».

En Estados Unidos hay un índice de violencia altísimo entre los afroamericanos. El índice de homicidios en este país es de 7 por cada 100.000 personas; entre los jóvenes se sitúa alrededor de los 30 por cada 100.000 personas; y entre los negros llega a ser de 130 por cada 100.000 personas. El porcentaje entre los afroamericanos es enorme. ¿Por qué? Según el doctor Pincus, resulta imposible creer que se trate de factores hereditarios y, por supuesto, no hay nada que pueda relacionarlo con el color de la piel. Las razones que ofrece el doctor Pincus para explicar estos índices tienen que ver, precisamente, con el maltrato infantil y con los daños cerebrales causados por el envenenamiento con plomo, el alcoholismo, el consumo de drogas durante el embarazo, etcétera.

Uno de los aspectos destacables de la investigación de Jonathan Pincus es que pone el acento en la infancia y en el desarrollo cerebral de las personas desde su nacimiento hasta que se completa el proceso, hacia los 25 años. «Se trata de una experiencia bien conocida: el desarrollo del cerebro está sometido en un grado altísimo a las influencias ambientales».

Los Premios Nobel de Fisiología de 1981 David H. Hubel y Torsten N. Wiesel demostraron que las primerísimas experiencias de un ser humano tienen un efecto permanente y que incluso puede perderse para siempre la información genética del cerebro a causa de determinados factores ambientales. Ellos lo demostraron en relación con las áreas visuales: por ejemplo, una persona puede quedarse ciega si se le han cubierto los ojos desde muy pequeño. Aún otro dato: si un adulto se opera de cataratas, aunque haya padecido ceguera durante años, recuperará la visión; pero, si un bebé que sufre cataratas no se opera inmediatamente, nunca será capaz de desarrollar el sentido de la visión, aun cuando después se le opere de cataratas. Ello se debe a que el sistema neurológico del bebé es extremadamente sensible a las influencias ambientales.

El cerebro, en fin, es un órgano en constante evolución: cambia y se moldea con la experiencia a lo largo de toda la vida, pero hay una fase crítica durante la primera infancia. En ese periodo, la influencia del entorno es fundamental. Un ambiente saludable y rico en afectos y en estímulos permitirá un desarrollo adecuado de las capacidades cerebrales de la persona. Por el contrario, un ambiente violento puede dañar un cerebro para siempre.

Los estudios del doctor Pincus y otros especialistas han puesto en evidencia que el maltrato repetido en la infancia deja huella en el cerebro. Y los daños pueden ser irreversibles.

Es fácil maltratar a un niño: no sabe defenderse. Desde la tortura física o el abuso sexual hasta el maltrato psicológico, en sus distintos grados, contribuirán a malformar el cerebro del bebé. Una forma sutil de maltrato es descuidar al recién nacido, por ejemplo; no proporcionarle algo tan primario como el consuelo cuando llora, acunándolo o meciéndolo, puede afectar a su desarrollo.

Al parecer hay una conexión entre los malos tratos y la formación del cerebelo, especialmente en su parte media: el dermis cerebelar, muy sensible a las hormonas del estrés. Y se ha comprobado que los adultos que sufrieron maltrato en su infancia tienen disfunciones en el dermis cerebelar. Por otra parte, se sabe que esta parte del cerebelo juega un papel determinante en muchas enfermedades mentales.

Hay otras zonas del cerebro muy sensibles a los malos tratos. Como se ha advertido en páginas anteriores, los golpes en el cráneo o los fuertes zarandeos acaban lesionando el córtex prefrontal: la sede del razonamiento moral y donde se controlan los instintos primarios que proceden del sistema límbico. Al fallar el freno principal que reprime las emociones, la persona queda a merced de su agresividad instintiva. Pero también el sistema límbico se puede deteriorar en un ambiente violento. La amígdala que filtra e interpreta las informaciones sensoriales puede crecer menos debido al estrés que supone el maltrato, y otro tanto sucede en el hipocampo, pieza clave en la formación de la memoria.

Los adultos con una historia traumática suelen tener un sistema límbico sobreexcitado, lo que propicia conductas antisociales o violentas. Hay una correlación entre el maltrato infantil, un coeficiente intelectual bajo y los comportamientos violentos. En procesos de maltrato físico pueden dejar de desarrollarse zonas importantes para la formación de la memoria o el aprendizaje. También el maltrato y la salud mental están relacionados. Un ambiente perjudicial puede echar a perder el patrimonio genético de un cerebro sano para siempre.

Las causas por las que todos estos daños no afloran hasta que la persona es joven aún no están claras. Lo más verosímil es que esa afloración tardía se deba a la lentitud del desarrollo de las zonas cerebrales dañadas, que no concluye hasta que no se llega a la adolescencia.

Actualmente, un 15 por ciento de adolescentes desarrolla conductas violentas. Las razones son múltiples y complejas, pero la ciencia ya puede demostrar que las lesiones cerebrales producidas en la infancia están en la base de buena parte de ellas*.

Nicotina violenta

Si el mapa general de la violencia se puede establecer conforme a parámetros fisiológicos o anatómicos, podríamos

---

* El martes 3 de octubre de 2006, muy poco antes de la publicación de este libro, apareció en el diario *El País* la siguiente noticia: «Tres alumnas de corta edad murieron ayer en una escuela amish en Nickel Mines (Pensilvania), cuando un hombre que había asaltado el centro les disparó a quemarropa tras obligarlas a ponerse ante la pizarra. Armado con una pistola, el asaltante dejó salir de la escuela a los alumnos varones, pero maniató a las niñas y bloqueó las puertas. Tras matar a tres escolares y herir de gravedad a otras tres, se suicidó. Es el tercer tiroteo en colegios de Estados Unidos en una semana. [...] Según informaba la CNN, el hombre, de 32 años y que no pertenecía a la comunidad amish, había ido a repartir leche con su camión. Charles Carl Robert dejó una nota de suicidio a sus tres hijos en la que aseguraba actuar por venganza, «por algo que le sucedió cuando tenía 12 años».

identificar claramente a los asesinos potenciales. Bastaría comprobar que una persona ha sufrido maltratos físicos y examinar su historia clínica para determinar que estamos ante un asesino en serie, por ejemplo.

Jonathan Pincus reconoce que la cosa no es tan sencilla. «Pudiera ser que conociéramos que se dan todos los factores y, sin embargo, esa persona no fuera violenta». El profesor Pincus nos recordaba un caso estremecedor: se trataba de un individuo que había asesinado a diecisiete mujeres con sus propias manos. Comenzó su carrera criminal cuando tenía 32 años, y lo apresaron cuando tenía 36. Sin embargo, si los especialistas lo hubieran examinado a los 31 años, nadie podría haber concluido que aquel hombre era un individuo violento. «En fin, no se pueden hacer buenas predicciones», concluye el doctor Pincus. «Lo que sí se puede hacer es prevenir e identificar el maltrato infantil, porque sabemos que puede desembocar en un comportamiento violento». En otras palabras: reduciendo las tasas de maltrato infantil, se reducen también las tasas de violencia al cabo de veinte o treinta años... «Aquí no estamos hablando de maltratos: estamos hablando de tortura. Estamos hablando de cortar, de quemar, de pegar y de dejar inconscientes. Estamos hablando de un maltrato extremo. Estas torturas, asociadas a disfunciones mentales, son las que pueden generar en alto grado conductas violentas en el futuro».

Así las cosas, quizá sea más razonable tender hacia la prevención que esforzarnos en la rehabilitación de los criminales. «Sí, la rehabilitación puede ser muy difícil. Se pueden tratar las enfermedades mentales, y muchas disfunciones neurológicas, pero es muy difícil librarse de los efectos del maltrato infantil. La rehabilitación es mucho más difícil que la prevención. La prevención es algo que resulta relativamente fácil y barato».

Curiosamente, en Europa y en Japón, que tienen índices muy bajos de violencia (en comparación con Estados Unidos y otras zonas del mundo), se ha conseguido inopinadamente llevar a cabo esa prevención. Según Pincus, en Europa existe menos criminalidad porque desde hace muchos años se insiste en cortar de raíz los malos tratos infantiles. No se sabía que aquella actitud humanitaria sería esencial en la prevención de la violencia: la sociedad europea se esforzó sólo por razones éticas, morales y humanas, pero el resultado es un bajo índice de criminalidad. A las mujeres que tenían un niño se les enseñaba que tenían que cuidar a los niños y las instituciones se esforzaron en decirles cómo debían hacerlo. Y eso es lo que hacen. Está aceptado y es popular... y lo pagan los gobiernos. En cierto modo, empezamos a actuar sin saber bien las razones... pero las respuestas estaban en Europa, según Pincus. «En Estados Unidos no existe nada de eso», nos decía. «Se considera que el Gobierno no tiene competencias para decidir cómo se educa o cómo se trata a los niños; se considera una tremenda invasión de la intimidad y sería especialmente inaceptable en el sur».

En el fondo de los maltratos infantiles, nos decía Pincus, hay mucha ignorancia y mucha inmadurez. Hay madres y padres que no comprenden exactamente qué es un bebé y todas sus respuestas consisten en zarandear o golpear al niño cuando llora, sin preguntarse y sin analizar las causas del llanto, por lo demás muy fáciles de resolver. Y así es como se hacen los asesinos. «Sí: así es como se hacen los asesinos. Si hay enfermedad mental y daño neurológico, puedo casi asegurar que vamos a tener a alguien que se convertirá en asesino, o podría ser un asesino si se dan las circunstancias adecuadas».

La actitud de los padres deja huellas indelebles en los hijos. La irresponsabilidad de los primeros es la infelicidad futura de los segundos. Y la ignorancia o los malos hábitos de los progenitores representan en ocasiones la desgracia de las generaciones siguientes. Un ejemplo será suficiente: desde hace muchos años los médicos avisan de las consecuencias negativas que el tabaco tiene en el organismo, pero hasta ahora no se habían encontrado las bases biológicas de su toxicidad. Experimentos recientes con ratas han demostrado que la nicotina se une a las células del sistema nervioso y es capaz de detener el crecimiento de las neuronas e incluso de destruirlas. Como consecuencia de esto, disminuye la capacidad del cerebro para crear nuevos circuitos nerviosos, de manera que el tabaco perjudica seriamente la memoria y el aprendizaje. Este hábito incluso podría ser responsable, al menos en parte, de ciertos comportamientos agresivos y antisociales. Lo relevante es que esto no ocurre necesariamente en los adultos, sino en los hijos de los fumadores. Eso es lo que indica un estudio comparativo realizado con mujeres embarazadas fumadoras y no fumadoras en el que los científicos han constatado diferencias en la conducta de los hijos varones de ambos grupos. El 16 por ciento de los descendientes de madres fumadoras tienen antecedentes policiales por conductas violentas. En el caso de hijos de madres no fumadoras este porcentaje se reduce a la mitad. Desde luego, los expertos intentan explicar en términos biológicos cómo puede la nicotina relacionarse con las tendencias violentas comprobadas. De momento, se sabe que esta sustancia daña el cerebro de los fetos, puesto que su presencia en la sangre disminuye la cantidad de oxígeno que el embrión recibe de la madre y, al tener menos oxígeno, el feto puede sufrir daños en el cerebro. Por otro lado, los datos indican que existen diferencias entre la repercusión que el consumo de tabaco en las embarazadas puede producir en niños y en niñas. Mientras que los adultos varones son más proclives a ser agresivos, parece que muchas hijas de fumadoras tienen amplios historiales clínicos debido al abuso de sustancias adictivas. De todas maneras, no conviene alarmarse: todavía es demasiado pronto para establecer una correspondencia firme entre la madre fumadora y el hijo delincuente. Existen muchos otros factores ambientales que determinan la conducta de un individuo desde su nacimiento y el entorno es un elemento fundamental para el desarrollo de la personalidad. La desidia materna o un ambiente estresante podrían determinar un futuro antisocial para el recién nacido, independientemente de la cantidad de nicotina que le feto reciba. Esta situación también se puede enfocar desde un punto de vista genético, según el cual una madre que no deja de fumar durante el embarazo es una persona irresponsable y quizá esa conducta viene determinada por su ADN, de manera que ese comportamiento podría ser heredado por los hijos y degenerar hasta ser la causa de sus problemas de integración en la vida adulta.

Patricia Brennan es profesora de Psicología en la Universidad de Emory (Atlanta, Georgia) e investiga cómo afecta el entorno familiar en la conducta violenta infantil. La doctora Brennan sugiere que la prevención de las conductas violentas pasa por observar desde muy temprano el desarrollo de los niños, incluso cuando todavía son embriones, porque algunos de los elementos que se proyectan en las primeras etapas de las vidas de los niños podrían tener terribles consecuencias más tarde. La doctora Brennan y su equipo están estudiando los efectos del tabaco en los fetos, las complicaciones del parto, etcétera. Algunas acciones podrían causar daños cerebrales en el bebé y, como consecuencia, podrían desembocar en conductas asociales en el futuro. Sin embargo, Brennan nos hizo una precisión importantísima: «Pero eso no significa que la biología sea lo único que importa. Lo que hemos descubierto en este campo de investigación es que se necesita tomar en consideración también el entorno social. Si tenemos a un niño cuya madre ha fumado durante el embarazo, o que tiene complicaciones en el parto, es decir, a una edad muy temprana, este daño cerebral no ha de conducir necesariamente a la violencia a no ser que viva en un ambiente social muy negativo».

Para Patricia Brennan no hay duda de que el tabaco tiene una importancia clave: «Sí, existe una correlación y tiene el aspecto de una relación de dependencia a una cierta dosis: cuantos más cigarrillos fuma la madre durante el tercer trimestre del embarazo, más probable es que el niño acabe cometiendo un delito o un acto violento, o que sea un delincuente habitual. Y no somos los únicos que hemos descubierto esto, ha sido un hallazgo generalizado en todo el mundo cuando se han investigado las enfermedades que dan lugar al comportamiento agresivo, particularmente en los niños».

Nuestra sociedad todavía es reticente a enlazar biología y violencia. En general, aún tendemos a explicar los comportamientos asociales desde un punto de vista socioeconómico o político, pero los investigadores llevan años advirtiendo de la necesidad de calcular también los elementos fisiológicos, derivados o no de las condiciones ambientales. «Antes no podíamos hablar de biología y criminalidad», nos decía la profesora Brennan: «Eso no se podía decir. Ahora la gente está más abierta y quiere saber qué sucede realmente, pero las preguntas sólo se centran en la biología. No. Necesitamos una cierta combinación con los factores sociales, tenemos que retroceder y observar tanto los factores biológicos como los sociales».

Finalmente, hay un detalle que debíamos consultar a los especialistas. Ese detalle está relacionado con la maternidad, desde luego, pero también con el sexo de los futuros delincuentes y criminales. Le preguntamos a la doctora Brennan si había algo en los niños y las niñas que los predispusiera a la violencia. En su opinión, unas circunstancias desfavorables para el feto y para el bebé predisponen a los niños a la violencia y a las niñas, a la depresión. «La agresividad es sobre todo un problema que afecta a los hombres; para las mujeres, el problema es la depresión».

Hay muchas teorías acerca de esta variante... y realmente no se ha establecido la causa de que las mujeres tiendan a ser más depresivas. «Pero podría ser, una vez más, una cuestión de socialización. A las mujeres se las anima a no manifestarse. Se pretende que escondan sus opiniones y sus sentimientos, a que se concentren en sí mismas, y por ello sufren de depresión».

SOCIEDAD Y NEUROLOGÍA: EL DEBATE ABIERTO

El debate o la necesidad de diálogo al respecto parecen imprescindibles. ¿Qué circunstancias impelen a una persona a la violencia: su fisiología cerebral o el entorno? ¿O se trata, como sugieren los expertos, de una combinación de ambos factores?

En el plató de *Redes* conversamos con la doctora Manuela Martínez, especializada en violencia de género, que aportó algunos elementos interesantes respecto a las opiniones referidas y, especialmente, respecto a las sorprendentes y reveladoras investigaciones del doctor Pincus. Manuela Martínez admitía que «obviamente, el maltrato físico durante un periodo en el que el cerebro del niño o la niña se está desarrollando, le afectará necesariamente, puesto que va a alterar el desarrollo de estructuras cerebrales o el desarrollo de sinapsis, los niveles de neurotransmisores, etcétera. Eso quiere decir que el cerebro puede desarrollarse de forma no óptima, pero eso no quiere decir, en mi opinión, que ese niño vaya a ser delincuente o vaya a ser un asesino, ni mucho menos».

Para la doctora Martínez es evidente que los malos tratos pueden dañar el cerebro, pero el hecho de tener una lesión cerebral o una variación en los niveles de los neurotransmisores no obliga ni determina nada. El desacuerdo con Pincus es evidente. En opinión de Manuela Martínez, la agresividad o la violencia no es un comportamiento que se genere por razones fisiológicas, sino por razones sociales: «La agresividad o la violencia es un comportamiento social. Tú necesitas estar con los demás, has aprendido unos juegos sociales, tú adquieres un rol en cada contexto. Obviamente, si tu cerebro te funciona bien en cada contexto, te comportas adecuadamente y no vas a ser un individuo delincuente o criminal; si tu cerebro funciona mal, puedes salirte del rol que se te adjudica... Eso es obvio. Pero siempre se trata de un contexto determinado».

¿Y es ese contexto social el que favorece las conductas extremadamente violentas? En el mundo animal observamos cierta agresividad y parece formar parte de su mundo: los mamíferos, sobre todo, luchan por el alimento, por el territorio o por las hembras, pero utilizan la violencia para resolver conflictos, y, en muchas ocasiones, sólo se trata de una demostración, y no de verdaderos enfrentamientos sangrientos. En general, los enfrentamientos animales se saldan con pocos daños. (En los últimos años también se ha demostrado que el mundo natural no era tan beatífico como nos habían dicho y las conductas «sanguinarias» son más frecuentes de lo que imaginamos).

La psicóloga Belén Martínez aportó en *Redes* otro dato de interés relacionado con el aprendizaje de patrones de conducta. «Yo no diría que la violencia esté íntimamente relacionada con la biología, sino con el modo en que se construyen los esquemas cuando el sujeto aún es un niño. La seguridad de niño es básica: si en esa etapa en la que se está construyendo un esquema del mundo y de sus relaciones, se maltrata al bebé o al niño, se le atiende de un modo inadecuado, abandonándolo o abusando de él, el niño aprende o desarrolla esquemas o patrones por los que el mundo se convierte en un lugar hostil, en un lugar malo, negativo, donde realmente solamente hay dos opciones: ser víctima o ser agresor. Es fácil entender cómo un niño que ha sufrido determinadas experiencias de maltrato, con el tiempo desarrolla esquemas negativos sobre el mundo y sobre la vida, y tiende a comportarse en muchas ocasiones de un modo violento».

¿Y qué piensan nuestros expertos respecto a las terribles declaraciones de Adrian Raine? (Recordemos su propuesta taxativa: «Si una persona tiene una masa gris prefrontal con un volumen inferior en un 10 o 15 por ciento respecto al normal, las posibilidades de que sea un delincuente son muy elevadas»).

Manuela Martínez matizaba esa expresión: las posibilidades se deberían referir a tener relaciones sociales inadecuadas, no necesariamente a la violencia. «Nuestro cerebro es un maravilloso engranaje, muy complicado, y debe funcionar de forma perfecta. Cuando alguna pieza se estropea, el comportamiento social sufre desajustes, pero eso no quiere decir que tú cojas un cuchillo y mates a alguien. Se pueden tener muchos problemas en la vida, eso es cierto, pero no necesariamente el sujeto se convierte en un asesino».

La doctora Manuela Martínez nos decía que el mismo Adrian Raine ha comprobado que hay asesinos en serie que tienen una corteza prefrontal perfecta. «No, no... Hay algo más. No todas las personas que tienen una corteza prefrontal dañada son violentas, en absoluto. Hay algo más».

Las investigaciones de la última década o de los últimos veinte años están demostrando que los comportamientos extremos alteran la neurobiología y viceversa. Es como una calle de doble sentido: no sólo la neuroquímica influye en el comportamiento, sino que éste retroalimenta la neuroquímica.

En los laboratorios se ha llegado a la conclusión de que las tensiones sociales, la agresividad y la violencia modifican la química neuronal animal. Tras un comportamiento agresivo o tras sufrir una situación violenta, los cambios neuroquímicos se extienden durante horas, días e incluso meses. Y no importa si del conflicto se ha salido como vencedor o como vencido.

En ratas de laboratorio se observaron algunas conductas intrigantes: el sujeto perdedor en un conflicto agresivo se tornó menos activo, exploraba menos su entorno, y se alteró completamente su relación ambiental. Además, se hizo casi inmune al dolor. Es como si el ratón vencido se hubiera deprimido, como si hubiera sufrido un proceso de estrés postraumático.

Las ratas agresivas y no agresivas tienen una química cerebral diferente, pero no es una característica que se pueda definir desde su nacimiento. Se desarrolla a partir de interacciones con su entorno: si cambia el entorno, la rata cambia. ¿Nos ocurre eso a los humanos?

Manuela Martínez nos aseguraba que el entorno determina el comportamiento de un modo decisivo. Un animal sometido a una experiencia de dolor y de derrota, de agresión y humillación, verá cómo se modifica su estructura cerebral, cómo varían los niveles de los neurotransmisores, cómo se producen cambios hormonales, etcétera. La consecuencia es una variación en su comportamiento. Si a ese mismo animal se le ofrece la posibilidad de resultar vencedor o ganador en un conflicto violento, su cerebro y sus condiciones biológicas volverán a cambiar. Es decir: nuestra fisiología cambia de acuerdo con nuestro entorno y nuestras circunstancias. «La parte más importante en la vida de la especie humana es la interacción social». La interacción nos cambia constantemente. Así pues, según Manuela Martínez, un niño que ha sufrido malos tratos tendrá un cerebro modificado, y puede que siga teniendo ese cerebro durante toda su vida. Pero un cambio en el entorno puede modificarlo nuevamente y, entonces, su comportamiento sería completamente diferente.

JÓVENES VIOLENTOS

Hace siglos que los adultos mantienen imperturbable una de sus frases favoritas: «Los jóvenes de hoy son más violentos». ¿Más violentos que cuando los adultos de hoy eran jóvenes? ¿Los jóvenes de hoy son más violentos que sus padres y abuelos, aquellos que hicieron las guerras mundiales o la Guerra Civil de España?

Tal y como nos decía la psicóloga Belén Martínez, el modo de conceptualizar la violencia ha cambiado con los años. En la actualidad se producen escenarios violentos que no se producían antes. Por ejemplo, antes no existía o no se daba el caso de que un niño pegara o agrediera a su profesor. Por desgracia, sucedía al revés, y era casi habitual que el profesor agrediera al alumno. Lo que parece darse en nuestros días es un tipo de violencia extrema. No es generalizada, pero hay casos más extremos y graves. Los casos de matanzas en las escuelas eran escasos o nulos antes de la década de 1990 y parece ser una tendencia moderna.

Los jóvenes violentos pueden corregirse cuando aún son jóvenes, pero cuando esos jóvenes maduran, el proceso de corrección y rehabilitación es complicadísimo y casi inútil. Ello se debe a la plasticidad del cerebro infantil y juvenil. En principio, como nos decía Belén Martínez, se puede aprender en todos los momentos de tu vida, pero es mucho más fácil aprender en la infancia y en la adolescencia. Esa capacidad para modificar comportamientos aprendidos va disminuyendo con la edad. Ocurre lo mismo que sucede con el aprendizaje de las lenguas: se puede aprender fácilmente una segunda lengua cuando se es niño y, prácticamente, el sujeto será bilingüe. Cuando se pretende adquirir una lengua en la edad adulta, la dificultad es mucho mayor.

Otro aspecto en el que se insiste constantemente es la acción de los medios de comunicación: su presunta influencia en la violencia juvenil y su presunta influencia en la agresividad.

Albert Bandura, un famoso teórico del aprendizaje social, sugería que las generaciones enseñan a sus descendientes modelos de comportamiento. No se trata sólo de la televisión o los videojuegos, sino de un corpus general de conductas. Nosotros hemos aprendido de los adultos. Y quienes hacen la televisión son los adultos. «Lo peor es que la televisión propone modelos agresivos que dan buenos resultados. Lo que se está mostrando en la televisión no son exclusivamente actos agresivos, sino que aquellos que cometen actos agresivos salen beneficiados y obtienen sus objetivos», nos decía Manuela Martínez.

¿Qué significa esto? ¿Estamos transmitiendo un corpus de información violenta a futuras generaciones? Y, si es así, ¿cómo puede insistirse en que los jóvenes son cada vez más violentos? ¿No estamos mostrando a cada paso a nuestros hijos que la violencia da buenos resultados? ¿Hasta qué punto influye la televisión en los niños y jóvenes?

«Los estudios que se han realizado sobre el impacto de la televisión en los niños dicen que, efectivamente, influye de un modo directo en lo más inmediato que hacen los niños después. Influye en todos los sentidos: tanto la violencia como los valores positivos que pueda ofrecer, lo bueno y lo malo. De hecho, cuando los niños están viendo un programa de televisión en el que se producen disparos, ellos reaccionan inmediatamente haciendo lo mismo: se activan y su comportamiento inmediatamente después es imitar lo que ven en la tele. El efecto en los chavales mayores ya no es tan directo y en los adultos, en principio, no tiene ninguno».

Éstos son los resultados científicos existentes, según nos dijo Belén Martínez. En los niños, la televisión tiene una incidencia directa en su comportamiento cotidiano. Y esa incidencia desaparece a medida que aumenta la edad. Sin embargo, los actos brutales que cometen algunos jóvenes, como grandes masacres o asesinatos en los colegios, parecen tener más relación con otros problemas familiares y sociales que con el hecho de haber visto una película o haberse entretenido con un videojuego. No parece existir, en estos casos, una incidencia directa de los medios de comunicación. Este matiz es importante, porque sería terrible que un joven decidiera cometer un asesinato masivo por el simple hecho de ver una película de Sylvester Stallone o de Schwarzenegger. Simplemente, no ocurre así. Se trata de procesos mucho más complejos en los que intervienen entornos directos, aprendizajes, problemas fisiológicos, mentales, etcétera. No se trata de minimizar el impacto de la televisión o el cine o los videojuegos, sino de colocarlos en su lugar: «Este debate ofrece una doble conclusión», nos decía la psicóloga Belén Martínez: «Por un lado es cierta la necesidad de proteger a los niños del impacto negativo de la violencia desde la televisión; y, por otro lado, los medios de comunicación, y la televisión en concreto, pueden transmitir conocimientos y actitudes positivas, educativas. Ese impacto directo en la gente joven y en los niños se puede emplear de un modo mucho más educativo».

Después de tantos años dedicados a investigar esta masa rosada que llamamos cerebro, llegamos a la conclusión de que funciona maravillosamente bien cuando se trata de gestionar procesos automáticos, como respirar, andar, digerir... Pero cuando entran en acción los pensamientos, la imaginación, el razonamiento, las emociones o las intuiciones, el mundo parece derrumbarse. Las tragedias, los errores y los despropósitos parecen adueñarse de nuestro mundo. ¿Podemos estar seguros de que nuestro cerebro funciona bien realmente?

Antonio Damasio nos propuso en *Redes* que era más efectivo tener cierta seguridad de que nuestro cerebro funciona más o menos adecuadamente. Las noticias sugieren que deberíamos ser pesimistas, porque no hay día en que no sucedan desastres y actos violentos. «Pero creo que debemos ser optimistas: hay suficientes datos para afirmar que los seres humanos no sólo pueden ser muy violentos y horribles, y producir holocaustos, sino que también pueden ser tremendamente creativos y encontrar soluciones increíbles a problemas sociales o a problemas técnicos, y crear todo tipo de maravillas, desde la poesía a lo mejor de la medicina y la tecnología. Y creo que históricamente pasamos por fases en las que las cosas no van muy bien, seguidas de épocas de renacimiento en que van mejor. Creo que vale la pena ser optimista, y hay un motivo añadido: si eres optimista, generas felicidad en tu interior, y es posible que la crees en otros. Si eres pesimista, no tienes ninguna esperanza: estás completamente seguro de que perderás. Si hay donde elegir, elige la felicidad y el optimismo, ya que, por lo menos, existe una posibilidad. Si ya has decidido que algo no funcionará, no hay manera de que funcione. Por eso creo que vale la pena apostar por el lado positivo».

Capítulo XI

Placeres y desgracias de la imaginación

Si en la lotería genética le ha tocado un gen llamado 5-HTT, tiene usted muchas más posibilidades que el resto de sus vecinos de tener depresiones... pero *sólo* si se dan determinadas circunstancias.

Es decir, nuestra conducta no está determinada indefectiblemente por nuestra condición genética.

Entonces, ¿quién tiene la culpa de que seamos como somos? ¿La suerte? ¿La mala suerte? ¿O el sistema nervioso que nos permite imaginarnos felices o desgraciados?

EL PUZZLE: CEREBRO, CUERPO, AMBIENTE, CULTURA...

«¿Por qué haces esto?». «¿Por qué eres así?». A lo largo de nuestra vida nos enfrentamos una infinidad de veces a estas preguntas o a sus variantes. Sin embargo, las respuestas no suelen ser sencillas, ya que los seres humanos, sus sociedades y las relaciones con su entorno son algunos de los sistemas más complejos que conocemos.

Una herramienta para resolver problemas complejos es el reduccionismo: descomponemos un problema grande en partes más pequeñas y asequibles, y así intentamos explicar el todo analizando sus partes. Para saber por qué somos como somos, por ejemplo, podemos centrarnos en la genética. Una cierta lógica nos dice que, si hay un gen que explique el color de nuestros ojos, bien pudiera haber otro que explicara por qué somos violentos o depresivos.

Coincidiendo con la secuenciación del genoma humano, fuimos testigos del auge del determinismo genético para cada uno de nuestros rasgos, incluyendo los del comportamiento. Según estas teorías, existiría un gen para cada aspecto de nuestro ser. Los hombres y mujeres seríamos poco más que máquinas automáticas guiadas por las instrucciones de nuestro genoma.

Afortunadamente, estas ideas reduccionistas quedan desacreditadas por una sencilla observación: nuestro entorno influye en nuestra más íntima biología y a través de ella influye en nuestro comportamiento. La vieja sentencia orteguiana «Yo soy yo y mis circunstancias» vuelve a estar de rabiosa actualidad. Así, si la altura media en España ha aumentado quince centímetros en una generación, no es tanto porque haya individuos con genes para ser más altos, sino porque la alimentación durante la infancia ha mejorado sensiblemente.

Las condiciones externas, ambientales y sociales influyen en nuestro organismo y en nuestro comportamiento. Pero también nuestra mente puede influir en nuestro cuerpo. Y, para que esto suceda, basta «pensar». ¿Por qué no podemos dormir si estamos nerviosos? ¿Por qué bajan nuestras defensas si estamos deprimidos? ¿Por qué nos duele la cabeza cuando mantenemos una fuerte discusión? ¿Por qué una película nos hace llorar? Si el cerebro actúa, nuestro cuerpo se beneficia o se destruye. A veces todo lo que necesitamos es un pensamiento para cambiar el funcionamiento de nuestras células. Y viceversa: el estado de nuestro cuerpo puede determinar cómo nos sentimos o cómo nos comportamos. ¿Ha oído usted hablar de «esos días críticos» antes de la menstruación?

Y aún más: no sólo nuestro cuerpo y nuestro cerebro influyen en nuestra conducta, también hay otros factores que influyen en rasgos muy complejos de nuestro comportamiento, como el lugar donde vivimos o dónde y cómo crecemos. La imagen que tenemos de nosotros mismos o qué postura adoptamos frente a la vida se deben en gran parte a la cultura en la que crecemos. A su vez, esta cultura está determinada por el lugar en que se ha gestado: siempre se ha asumido que el carácter mediterráneo y el nórdico son muy distintos, y se da por seguro que el mundo no es el mismo para un esquimal que para un nómada del desierto.

Los seres humanos, en fin, somos un puzzle complejo en el que el significado del sistema global no se puede deducir de cada uno de sus componentes, por muy bien que lo conozcamos. Es relativamente fácil saber cuáles son las piezas; lo difícil es conseguir que encajen.

LOS GENES NO DETERMINAN NADA

Robert Sapolsky es catedrático de Neurología y Ciencias Neurológicas en la Universidad de Stanford (California). De sus trabajos de campo en la sabana africana y sus investigaciones en laboratorio nacen sus revolucionarias teorías sobre el comportamiento humano, en el que genética, entorno y cuerpo influyen decisivamente.

Alrededor de un 15 por ciento de la población occidental sufre depresión. Robert Sapolsky dice que las personas que tienen una variante específica del gen 5-HTT tendrán más riesgo de padecer esta enfermedad; ahora bien, para que este gen conduzca a la depresión es necesario que exista un entorno concreto.

Para empezar, la depresión se constituiría como un trastorno bioquímico. Y todos los indicios apuntan a un conocido mensajero químico: la serotonina. Como se ha visto en otros capítulos anteriores, el Prozac es el fármaco más popular del mundo para prevenir la depresión y otros estados relacionados con la efectividad de ese neurotransmisor. Así pues, la serotonina está en el centro del debate, la reflexión y la investigación de los procesos depresivos. Pero el descubrimiento asombroso ha consistido en identificar un gen que tiene relación con la depresión. Es decir: hay un gen que codifica una proteína que determina cuánta serotonina debe haber entre las neuronas. Así que la conclusión parece fácil: ¡hemos descubierto la causa de la depresión! ¡Si una persona tiene ese gen, padecerá depresión crónica!

Esto significaría, en esencia, que todo es culpa de los genes.

Robert Sapolsky admitió que, en esencia y en teoría, esto era así... hasta hoy. Hoy sabemos que los genes no determinan nada. *Los genes determinan ciertas cosas en entornos concretos.* «La interacción entre genes y entorno es la que configura a los seres humanos. ¡Ni siquiera deberías poder licenciarte como biólogo si no eres capaz de repetir esto hasta en sueños!».

Estas conclusiones son muy importantes, porque significa que el gen de la depresión no necesariamente conduce a la depresión. «Absolutamente cierto», nos decía el profesor Sapolsky. «Estadísticamente no hay ningún estudio que demuestre que ese gen es el origen de la depresión por sí mismo. Es necesario tener ese gen, sí, pero el sujeto debe haber estado expuesto durante su periodo de crecimiento a un entorno estresante. No se trata del gen de la depresión, sino de un gen que hace que seamos más vulnerables a la depresión en determinados entornos estresantes».

Esta conclusión es decisiva. Los genes están ahí, pero no propician comportamientos; se trata más bien de conjunciones o interacciones entre genes y entornos, y posibilidades potenciales de que ciertos entornos activen determinados genes. «Hay ejemplos dramáticos en los que los genes parecen actuar directamente», apuntaba Sapolsky. Por ejemplo, hay una enfermedad llamada fenilfenoturia. Ese gen provoca ciertas descargas de una proteína llamada fenilalanina en la sangre y esta proteína destroza el cerebro antes de cumplir los 2 años. Así, en esos casos, sí parece que un solo gen determine totalmente el comportamiento. «Es un ejemplo extremo. Pero se puede modificar el entorno con una dieta muy controlada y con prevenciones determinadas, y la persona con este gen puede vivir una vida saludable y feliz con esa enfermedad, pese a tener ese gen. Una vez más, poco importa lo que pueda hacer ese gen, especialmente respecto al comportamiento humano: ese gen actúa así porque se dan unas condiciones específicas en el entorno. Si modificamos las condiciones, ese gen permanecerá inactivo».

HOMBRES PREOCUPADOS, CEREBROS DEVASTADOS

Ahora vamos a realizar un ejercicio.

Cierre los ojos. Relájese. Respire lentamente, como si estuviera en una sesión de meditación. Inspire lentamente. Expire lentamente. Ya casi puede sentir todas las partes de su cuerpo... los pies, las manos, el estómago... el corazón. Puede oír los latidos de su corazón. Cuéntelos. Uno, dos, tres, cuatro... Piénselo: cada latido es un latido menos... Cada latido es un instante que le acerca a la muerte. La muerte, la desaparición, la nada... ¿Se le ha acelerado el pulso? ¿Por qué se pone enfermo con sólo pensar en la muerte? ¿Teme que le ocurra algo?

Todo está en su cerebro: en su imaginación.

Es muy posible que si piensa en la fiebre amarilla, o en la malaria, o en la viruela, los efectos no sean los mismos que si piensa en un infarto o en un cáncer. Su cerebro teme lo posible, no lo improbable. Usted y yo moriremos por alguna enfermedad «occidental» cuando tengamos ochenta o noventa años. Su cuerpo no se verá afectado si piensa en la peste negra medieval o en una infección procedente de los alienígenas, pero quizá tiemble cuando imagine otras enfermedades como las cardiopatías o los tumores.

Estamos hablando de la capacidad de la imaginación. Nuestros cerebros operan conforme al pensamiento, la memoria, las emociones, la imaginación, etcétera, y cuando pensamos en algo funesto nuestro cuerpo funciona mal. Según Robert Sapolsky, cuando pensamos algo desagradable, estamos proporcionándole al cuerpo materias para un desgaste innecesario.

Por ejemplo, una gacela en la sabana africana está pastando tranquilamente y, de repente, observa la presencia de un grupo de leones. Inmediatamente se produce una sensación de emergencia y su cuerpo libera gran cantidad de hormonas que entran en su torrente sanguíneo. Esto es fantástico para la gacela, porque aumenta su ritmo cardíaco, su respiración se agita, sus músculos se oxigenan y tienen gran tensión y, por lo tanto, puede desarrollar una potencia que le permita huir. Se cancelan todos sus proyectos, como la sexualidad, la reproducción, el alimento, el crecimiento, la digestión, etcétera: ¡tiene que salvar la vida!

Sin embargo, querido lector, usted no es una gacela. Pero cuando comienza a pensar: «¡Ay, un día me moriré!», «¡Ay! ¿Y si me da un ataque al corazón?», «¡Ay! ¿Y si tengo esta enfermedad?», su organismo se comporta exactamente igual que el de la gacela: todo se paraliza y todo su esfuerzo se dirige a solventar esas supuestas amenazas.

A los mamíferos les funciona muy bien este sistema porque se trata de solucionar un breve periodo de terror físico absoluto. Pero... ¿qué hacemos nosotros? «Nosotros activamos ese sistema de desgaste absoluto, que no debería durar más de unos minutos, preocupados por la desaparición de la selva tropical, por la desaparición de la capa de ozono, por el calentamiento del planeta o por el pensamiento de que todos moriremos algún día. Y activamos exactamente la misma respuesta de estrés. Y la clave es que si ese sistema se activa de un modo crónico, por motivos puramente psicológicos, el sujeto enfermará, porque el sistema no ha evolucionado para ello».

Algunas personas se destruyen verdaderamente activando este sistema de estrés: sus preocupaciones imaginadas acaban convirtiéndose en un problema serio. Hay estudios que confirman que algunas partes del cerebro quedan devastadas por pensamientos y preocupaciones que no tienen nada de reales. «El estrés afecta a la tensión arterial, por ejemplo. Pero el estrés también puede tener efectos graves en el cerebro. Todos sabemos que cuando una persona está estresada, la memoria no es buena y se olvidan las cosas. El estrés puede matar neuronas de una parte del cerebro llamada hipocampo, que es decisiva para el aprendizaje y la memoria».

Esa región es la zona que aparece dañada en los enfermos de Alzheimer. Y esa zona es la que se ve más afectada por las hormonas del estrés. ¿Qué significa esto? «Lo que sugieren los estudios es que las personas con una depresión clínica grave, que se ha prolongado durante muchos años, tienen niveles muy elevados de hormonas de estrés (hidrocortisona) y presentan una disminución del hipocampo, con los problemas de memoria que ello conlleva. Cuanto más dura la depresión, tanto mayor es la disminución. Y esto empieza a sugerir que el estrés no sólo tiene relación con el funcionamiento del cuerpo, sino que podría ser el motivo por el que unos cerebros envejecen más rápido que otros».

NADANDO EN DOPAMINA

Les contaré un caso divertido. Tengo un perro (una perra, en realidad) que se llama *Pastora*. Mientras escribía *El viaje a la felicidad: nuevas claves científicas* (Destino, 2005), me percaté de que *Pastora* era muy peculiar: el plato en el que le pongo la comida está en la terraza y, cuando voy a buscarlo para rellenarlo, *Pastora* salta y ladra alrededor de mí y prácticamente no me permite andar. Finalmente, consigo coger el plato y me dirijo a la cocina para ponerle comida, y ella empieza a corretear como loca y a saltar y ladrar de felicidad. Luego, vuelta a empezar: quiero ir a la terraza con el plato lleno y *Pastora* salta y corre sin cesar. Lo más interesante es que parecía emocionada con el hecho de que le pusiera comida, pero a veces, cuando tenía el plato lleno... ni siquiera comía. Me preguntaba por qué se comportaría así. Llegué a la conclusión de que «la mayor felicidad parece estar en la sala de espera de la felicidad».

De los textos de Robert Sapolsky parece deducirse la misma interpretación. Él sugiere que en la anticipación del placer es donde justamente reside el placer. ¿Qué ocurre realmente mientras se produce esa expectativa? ¿Es dopamina? «La dopamina tiene mucha relación con el placer», decía Sapolsky.

«Antes se creía que esta parte del cerebro segregaba dopamina cuando se obtenía una recompensa. Pero resulta que esa idea es un error. No se trata de la recompensa, sino de *la anticipación* de la recompensa».

Según Sapolsky, se han llevado a cabo experimentos que demuestran esta relación: una rata de laboratorio puede llegar a comprender que cuando se enciende una luz en su jaula, debe presionar cinco veces una palanca para conseguir comida. La primera vez que la rata obtiene la comida, sube la dopamina. Pero al cabo de un tiempo, la dopamina se activa simplemente cuando se enciende la luz. ¡Como *Pastora*!

—¡Esto es genial! —«pensará» nuestro ratón de laboratorio—. ¡Genial! Conozco esa luz. Y sé dónde está la palanca. Y sé utilizarla. Luego conseguiré comida. Es fabuloso. Puedo hacerlo. ¡Tengo todo controlado!

Robert Sapolsky nos decía que todo reside en la capacidad de anticipación: es entonces cuando sube la dopamina. En el ratón de laboratorio, en *Pastora* y en los hombres opera este sentido de la expectativa y la anticipación placentera.

Pero hay algo incluso más interesante que se descubrió hace algunos años: a la rata del laboratorio la sometieron a otra prueba. La rata presionaba la palanca y obtenía su recompensa, pero introdujeron un cambio... Sólo conseguía su recompensa una de cada dos veces y aleatoriamente. La incertidumbre se adueñaba de la rata y se observó que cuando el animal presionaba la palanca... el aumento de dopamina alcanzaba límites extraordinarios. ¡Sólo cuando aparecía la comida la rata sabía que tenía comida! En el ejercicio anterior, obtenía siempre su recompensa. Ahora podía obtenerla... o no. «Es decir, cuando se incorpora la dosis justa de *quizá* el placer es mucho mayor que cuando la recompensa es segura». Robert Sapolsky añadió que la dosis de incertidumbre más efectiva era el 50 por ciento. Si la incertidumbre es del 25 o del 75 por ciento, no se consigue un aumento significativo de dopamina. (El ratón puede pensar que es improbable que aparezca la comida o puede pensar que seguramente aparezca la comida, y tanto la incertidumbre como el placer serán menores).

Se trata de la anticipación. «Los estudios sobre el estrés recalcan que si no se tiene control sobre lo que ocurre, se genera angustia; pero hay determinados contextos en los que el estrés sienta muy bien», nos decía el profesor Sapolsky. Por ejemplo, ocurre en contextos benévolos. Usted está jugando a los dados y sabe que si obtiene un buen resultado... ganará algunas monedas a sus compañeros de mesa. Bueno, es agradable, y probablemente se divertirá aunque pierda. (Si gana, aún se divertirá más). Pero ¿qué ocurre cuando ese juego se convierte en adicción? Entonces el juego se convierte en una situación crónica de estrés que ya no tiene nada de divertido. «Los diseñadores y los dueños de los casinos diseñan el lugar para sugerir al cliente que tiene muchas posibilidades de ganar dinero. En realidad, ellos saben que el cliente tiene alrededor de un 1 por ciento de obtener una recompensa, pero han modificado un entorno malévolo para que el cliente entienda que tiene posibilidades: "¡Quizá esta vez! ¡Quizá esta vez...!". Es como si el cerebro del cliente nadara en dopamina. Y en eso consiste la adicción».

Adicción al placer de la anticipación.

Del mismo modo que la anticipación negativa puede causar graves trastornos físicos y cerebrales, la anticipación placentera puede conducir a la adicción.

PENSAR DESGRACIAS PERJUDICA SERIAMENTE LA SALUD

Hay algunas preguntas importantes que conviene consultar con los expertos: ¿qué nos hace como somos? ¿Es el entorno y las circunstancias lo que determina nuestra conducta o es nuestro carácter el que acaba determinando y creando el entorno en que vivimos? Jaume, ¿en dónde estáis en esa pelea de genes y entorno?

Jaume Bertranpetit, biólogo en la Universidad Pompeu Fabra (Barcelona), nos aseguraba en el plató de *Redes* que a los hombres y mujeres nos encanta el determinismo: ¡son los genes los que nos hacen como somos! Es simple y muy agradable. Y, sobre todo, exime de cualquier responsabilidad. «Pensamos que nuestros genes desarrollan nuestras características de una forma inflexible; es obvio: la cultura actual parece guiarnos a asumir que los genes son importantes para configurar nuestro aspecto y para configurar, por ejemplo, nuestro comportamiento. Ahora bien, los genes no son los caracteres simples que estudiamos en bachillerato, sino que forman parte de redes extraordinariamente complejas. Es decir, tenemos genes que modulan nuestro comportamiento, pero estos genes están implicados en redes extremadamente complejas en las que inciden de forma extraordinaria factores ambientales».

Jaume Bertranpetit nos recordaba que la pretendida lucha entre genes y ambientes es ficticia, porque las fronteras entre unos y otros son muy borrosas. Lo que parece cierto es que hay componentes genéticos y componentes ambientales, y las interacciones entre unos y otros son los que configuran a los sujetos.

Pero ¿qué es el ambiente? Nuestra imaginación, nuestras suposiciones y nuestras expectativas nos configuran tanto como la pobreza, la riqueza o nuestros genes... pueden destruirnos el cerebro si imaginamos sucesos nefastos y pueden conducirnos a la adicción al juego... ¡Nos basta con imaginar para deprimirnos!

«Los seres humanos tenemos la capacidad de representar mentalmente la realidad», nos dijo Francisco Martínez, profesor de Psicología en la Universidad de Murcia. «Y una emoción puede ser suscitada por un estímulo que no sea siquiera real: la imaginación o una falsa percepción es capaz de producir una reacción emocional o estrés». El estrés ha sido uno de los mecanismos adaptativos que en mayor medida ha contribuido a la evolución de nuestra especie, porque nos ha protegido (como a la gacela acosada por los leones), pero cuando ese estrés no cesa en el momento que cesa el estímulo, puede dar lugar a patologías.

Es lógico que mantengamos niveles de hiperactivación ante un atracador. La tensión muscular, ventilación, atención, etcétera, quizá nos sirvan para huir o salvar la vida. Pero si esos niveles se mantienen cuando la amenaza ha pasado, si el sistema sigue activado durante mucho tiempo («¡Me van a atracar hoy o mañana! ¡Me van a asaltar...!»), entonces se producirán cambios crónicos muy perjudiciales.

«Nuestra imaginación y nuestra memoria son grandes fuentes de infelicidad en nuestra especie», nos decía Francisco Martínez. «Recordar sucesos desgraciados o imaginar amenazas hipotéticas puede hacernos muy infelices. Se provocan cambios hormonales que se convierten en organismos patógenos. Robert Sapolsky lo comentaba: muchas de las hormonas que se segregan durante la respuesta de estrés pueden causar daños gravísimos... Son tóxicas para nuestro sistema nervioso».

Ya lo sabe, querido lector.

Por favor, si se tiene que poner alerta y concentrarse en evitar un peligro concreto e instantáneo... hágalo. Pero, cuando haya pasado el peligro y la tensión, vuelva a la tranquilidad. No se queme: no piense constantemente qué puede pasar, no piense constantemente que se va a morir, no piense constantemente que va a tener una enfermedad...

Pero la imaginación y las expectativas también pueden ser placenteras y beneficiosas. Robert Sapolsky suele decir: «Puedo pensar en cómo será la felicidad y eso me mantiene feliz».

¿Recuerdan al ratón de laboratorio que nadaba en dopamina ante la simple posibilidad de que apareciera su comida? La expectativa de algo placentero genera placer e imaginar algo placentero genera felicidad... o, al menos, genera química que nos hace sentir bien. Además, la incertidumbre aumenta el placer. Sapolsky sugiere que esto tiene mucho que ver con las relaciones de pareja: la aparente resistencia de la hembra parece crear cierta incertidumbre sobre la posibilidad de que aquello se consuma o no; y, por lo tanto, excita el circuito de la búsqueda del placer.

«Por supuesto, eso es así», nos dijo el psicólogo Francisco Martínez. «Siempre motiva más la incertidumbre o cierto grado de incertidumbre que la seguridad de que vamos a obtener el objetivo o que la seguridad de que no vamos a conseguirlo. Si sabemos que vamos a lograr un objetivo estaremos menos motivados; y si sabemos que apenas hay posibilidades, también estaremos desmotivados». De hecho, según el profesor Bertranpetit, la inteligencia humana trata de poder tomar decisiones con incertidumbre.

La inteligencia se alimenta de la incertidumbre. Si no hubiera incertidumbre, todo estaría decidido de antemano, y nada excitaría nuestra curiosidad y la posibilidad de que sucedan o no determinados hechos. ¿Quién se aventuraría a hablar a una señorita o a un joven si no existiera ninguna posibilidad de éxito? ¿Quién acudiría a los estadios si siempre ganara el mismo equipo? ¿Quién disfrutaría jugando a los dados si supiera que siempre va a obtener un seis?

Las emociones son los resortes de nuestra conducta. Sin emoción... no hay mucho. No hay acción si no hay emoción. Como advertimos en el capitulo dedicado al aprendizaje emocional, no hay decisión sin carga emocional. Creemos que tomamos decisiones lógicas y racionales, pero es mentira. Pura mentira. Sin emociones no podríamos decidir nada. Como nos dijo el profesor Francisco Martínez, «teóricamente somos el ser racional por definición y, sin embargo, somos la especie más emocional».

Sí: es un contrasentido. Un contrasentido fantástico, porque ahí radica la grandeza de nuestra especie: las emociones no son elementos distorsionadores generalmente, como se ha creído hasta ahora, sino mecanismos adaptativos de primer orden. «La psicología evolutiva ha demostrado que nuestra mente está más preparada para descubrir a un mentiroso, por ejemplo, que para describir objetivamente la realidad», nos explicaba el profesor Bertranpetit desde la biología. ¿Para qué nos sirve describir la realidad? No tiene ningún sentido práctico: lo práctico consiste en poder adivinar qué piensa el otro, en descubrir qué puede suceder: la predicción, la imaginación o la memoria son habilidades más interesantes desde el punto de vista evolutivo. ¿Podemos tener una percepción objetiva del mundo o del universo? En absoluto. Podemos ver una parte con los ojos o podemos oler determinados olores... pero todo está restringido: percibimos una pequeñísima parte del mundo. «Lo primero que percibimos de nuestro entorno son los estímulos afectivos», nos dijo Francisco Martínez. «Esa percepción emocional se produce en milésimas de segundo. Si proyectamos ante un sujeto mil imágenes, el sujeto siempre percibirá la que tiene para él un sentido afectivo, sea una amenaza, miedo, amor, lo que sea... De hecho, todos los recuerdos que tenemos son recuerdos emocionales, positivos o negativos».

Puede que usted no recuerde qué desayunó el día 11 de septiembre de 2001, pero será difícil que no recuerde dónde estaba y qué estaba haciendo cuando supo lo que había pasado. Y puede que ni siquiera recuerde qué día conoció a la persona con la que comparte su vida, pero recordará detalles sorprendentes de aquel encuentro, como el color de su falda o el dibujo de su corbata. Esos detalles quedaron grabados para siempre en su hipocampo, y muy cerca del sistema límbico, donde residen las emociones.

Los biólogos tienen una tarea importante: saber cuándo comenzó esta apasionante historia, saber cuándo aquel primate o aquel homínido comenzó a pensar en sí mismo y a tener conciencia de sí mismo, cuándo comenzó a imaginar y a pensar en lo posible, en lo probable o en lo improbable; y, sobre todo, cuándo empezó a pensar en lo que podía estar pensando otro ser como él. Saber qué piensa el otro, o imaginar qué piensa el otro, es la gran conquista del hombre y el gran poder del hombre. Créanme: ni los Gobiernos ni las multinacionales tienen ese poder. El gran poder en el mundo es detectar lo que piensa el otro: cuando alguien tiene ese poder, puede ayudar... o puede manipular.

¿ES USTED UN TRAMPOSO?

Querido lector, para finalizar este capítulo, le propongo un juego.

Tengo una bolsa llena de dinero y usted tiene una bolsa con un objeto que quiero comprar. ¿Qué le parece si le doy mi bolsa con el dinero y usted me da la suya?

Sí, de acuerdo, de acuerdo... Tiene razón: de momento, el juego no es muy divertido, pero introduzcamos un elemento nuevo: los dos tenemos la posibilidad de engañarnos. O sea, puede que mi bolsa esté vacía. Y puede que la suya no contenga nada.

El intercambio será simultáneo, de modo que usted y yo no sabremos si la bolsa está llena o vacía hasta que la tengamos en la mano, y al mismo tiempo. Esto ya se pone más interesante.

Supongamos que ni usted ni yo tenemos escrúpulos, que no tenemos sentimientos de culpa por mentir y que sólo nos preocupamos por obtener el máximo beneficio personal posible. Además, nadie nos va a castigar si mentimos.

¿Cuál cree que es la mejor estrategia para obtener el máximo beneficio?

Efectivamente, querido lector: la mejor estrategia es mentir como un bellaco. Usted me dará una bolsa vacía esperando que yo le dé la bolsa con el dinero... Pero no creerá que soy tan ingenuo como para darle la bolsa llena, ¿verdad?

El resultado al final no es el que nos gustaría a ninguno de los dos. Es lo que la teoría de juego llama «un resultado subóptimo»: usted y yo hemos obtenido finalmente una bolsa vacía. Estamos igual que al principio.

Querido lector, su actitud egoísta en el juego de la bolsa dibuja un panorama bastante triste para la Humanidad. Parece que la mejor estrategia individual es ser un tramposo, aunque esto produzca un mal resultado.

Pero, si esto es así, ¿cómo se explica que exista el comportamiento cooperativo? En la Naturaleza encontramos múltiples ejemplos de cooperación entre individuos de la misma especie o incluso de especies distintas: los lobos cazan en manadas, los remeros se entregan al máximo para el éxito del equipo y las abejas indican dónde está el alimento a sus compañeras.

Ahora ya lo sabe: es mejor cooperar y se obtienen mejores resultados.

Le propongo que volvamos a jugar al juego de la bolsa. No seamos rencorosos y olvidemos que nos hemos traicionado mutuamente en la partida anterior. La única diferencia ahora es que vamos a jugar de forma reiterada: yo tengo un montón de bolsas con dinero y usted un montón de bolsas con objetos que yo deseo. A largo plazo, la estrategia que más nos beneficiará a los dos es cooperar. Si usted me miente, yo le mentiré en la jugada siguiente, y entraremos en una espiral de juego sucio donde los dos terminaremos perdiendo. Podemos jugar millones de veces a este juego y siempre nos irá mejor cuando seamos honestos.

Aunque el principio central de la selección natural sea la competencia por los recursos, estos sencillos experimentos demuestran que el comportamiento cooperativo emerge espontáneamente porque el beneficio global es mayor que el que produce un comportamiento egoísta.

Querido lector, quizá no todo sea tan negro como parecía al principio.

Capítulo XII

Inteligencia creativa

Hay algunas personas que ven las cosas de manera distinta. Cuando la mayoría decide seguir un camino, ellos deciden escoger otro. ¿Por qué...? A lo mejor ellos son inteligentes y creativos, y nosotros somos los torpes. Pero... ¿quién es inteligente? ¿Y por qué está tan de moda medir la inteligencia? ¿Y por qué la estamos midiendo con métodos totalmente distintos a los que se utilizaban hace sólo unos años?

La creatividad, según los expertos, parece configurarse como una actitud ante la vida: es el impulso de crear y de generar ideas. Y una persona creativa es un individuo que consciente o inconscientemente elige el camino de crear.

CREATIVIDAD

El doctor Robert Sternberg, profesor de Psicología y Educación en la Universidad de Yale, en Estados Unidos, es uno de los investigadores más prestigiosos en el campo de la inteligencia humana. Con él quisimos conversar para que nos indicara los últimos caminos en los estudios de las capacidades de la mente.

Planteamos al profesor Sternberg el modo de entender la creatividad desde el punto de vista tradicional: el filósofo Daniel Dennett sugería que, cuando inventamos algo y no sabemos cómo ha ocurrido, apelamos a la «intuición». Y Einstein, cuando le preguntaban cómo había inventado la teoría de la relatividad, explicó que era «un salto». En general, los creadores o inventores hablan de una emoción tras sus descubrimientos. ¿Es así realmente? ¿Cómo opera la inteligencia creativa?

En principio, Robert Sternberg piensa que la creación no es una capacidad o una habilidad, sino una decisión personal: «Sí, la idea básica es que la creatividad, verdaderamente, es una decisión. La persona creativa piensa de una manera diferente respecto a lo típico o común. Por ejemplo, si la persona creativa ve que todo el mundo está caminando en una dirección, él no acepta esa dirección como la dirección correcta simplemente porque todo el mundo está caminando en esa dirección. Al contrario: si todo el mundo va en una dirección, él piensa que *debe* caminar en la dirección opuesta. El creador piensa: "Tengo mi propia idea y quizá mi idea sea mejor". En general, las personas siguen a otras personas sólo porque hay mucha gente que va en esa dirección. Pero la persona creativa *decide* ser independiente, aunque a veces haya consecuencias negativas».

De acuerdo. El creador es una persona independiente o, como se decía antaño, un espíritu independiente. ¿Qué hace cuando hace algo creativo? ¿Entiende el acto creativo como un acto consciente? ¿Lo analiza? Según el profesor Sternberg, en el proceso creativo se dan tres partes básicamente: la primera es la generación de la idea. La segunda, el análisis de la idea, «porque nadie tiene siempre buenas ideas, ni Einstein ni Picasso ni nadie». Y la tercera etapa es la venta de esa idea. Esta tercera parte es fundamental: es necesario saber que, cuando se tiene una idea creativa, los demás no van a aceptarla fácilmente. Es imprescindible convencer a los demás de que esa idea es buena. Se trata de vender una idea como se vende cualquier otra cosa, con la diferencia —sustancial— de que el creador cree en lo que ha creado. «En la vida se aprende que se necesita vender las ideas».

El desarrollo de herramientas, la conquista del fuego o la rueda constituyen grandes saltos conceptuales en la historia evolutiva del hombre como especie y en la construcción de la cultura. En el ámbito artístico, las pinturas rupestres son la plasmación de la adquisición del pensamiento abstracto, una de las dimensiones sobre la que se asienta la creatividad. Pero ¿es posible definir la complejidad del proceso creativo y la experiencia del sujeto creador?

En la *Odisea*, Homero pone en boca del poeta Femio las siguientes palabras: «Nadie me ha enseñado: un Dios ha plantado algunas canciones en mi alma». La mitología griega entendió la inspiración creativa como un soplo divino. Las Musas, diosas de la memoria en un principio y luego identificadas con las distintas artes, eran las nueve hijas de Zeus y Mnemosine.

Con el tiempo, el mito del artista poseído por las musas se racionalizó y en ocasiones se conceptualizó como simple locura, una idea reiterada a lo largo de la Historia.

El destello divino se fue perdiendo y, hasta la Edad Media, el mundo cristiano no reconoció el prestigio de los creadores. A lo sumo, el artista era un instrumento al servicio de la religión.

El Renacimiento recuperó el concepto griego de inspiración, adjudicando a los grandes creadores el estatus de *divus* o dioses. Fue entonces cuando el artista inició su liberación de los gremios y adquirió valor por sí mismo. Leonardo da Vinci defenderá la pintura como ciencia. A finales del siglo XVI, el reconocimiento del artista como creador se plasmará en la admiración que despertaban Miguel Ángel o Rafael.

Más adelante, lo irracional, minusvalorado por Descartes, fue recuperado durante el Romanticismo: en términos generales, este movimiento cultural relacionó la idea del adanismo, el sufrimiento y la locura con los impulsos generadores de creatividad. Entre otras razones, por eso lord Byron es el representante de la época.

El estereotipo de la locura y el carácter indómito del creador se mantuvo vivo en el siglo XX, y los artistas adoptaron estilos de vida inusuales, como la bohemia, el *beat* o lo *hippie*. Tal vez esa idea perdure en el XXI, precisamente por su interrelación con la ruptura de moldes y estructuras.

Así, la creatividad ha estado presente a lo largo de la Historia y los hombres han tratado de descubrir las claves de su funcionamiento. No sabemos qué es exactamente ni cómo opera, pero reconocemos sus frutos. Para algunos, la creatividad existe en la medida en que existe su producto y éste es conocido y apreciado. Sin embargo, es difícil admitir que Picasso y Van Gogh no fueran creativos hasta el momento en que se supo entender su obra. Del mismo modo, ¿no sería creativa aquella persona que llegara a los mismos resultados que Einstein sin tener conocimiento previo de la teoría de la relatividad?

Aunque nuestras creaciones no trasciendan, a todos nos gusta sentirnos creativos en alguna medida. Entonces, quizá sea posible concluir que la creatividad es pensar algo diferente sobre cualquier asunto cuando contamos con la misma información que el resto.

CREADORES, LOCOS Y DEPRESIVOS

¿De qué depende la creatividad? ¿Está en nuestros genes? ¿Guarda alguna relación con la vida emocional? ¿Es una cuestión de aprendizaje o de impulsos ambientales o externos?

Desde luego, los genes tienen importancia en muchos aspectos de nuestra vida, pero nuestra vida —según el profesor Sternberg— es una interacción entre los genes y el medio ambiente. «Es decir, si alguien tiene mucho potencial creativo, o de cualquier otro tipo, pero vive confinado en una cárcel, encerrado, no podrá desarrollar sus habilidades: se trata siempre de una interacción entre capacidades individuales y aprendizaje y factores externos. Y lo que yo enseño a mis propios estudiantes es que nadie desarrolla *todas* sus habilidades genéticas. Es decir: todo el mundo puede mejorar».

Entonces, en teoría, los niños comienzan a emplear su inteligencia creativa muy pronto y se esfuerzan en convencer de sus ideas a los demás. El profesor Sternberg nos aseguraba que los niños utilizan técnicas muy inteligentes para convencer a sus padres y con frecuencia los convencen para que hagan cosas que, en principio, no pensaban hacer. «En muchas ocasiones, los padres compran juguetes que no quieren comprar. Están manipulados por la creatividad de los niños. Sí... a veces los niños son muy creativos».

Sin embargo, a veces las escuelas y la socialización pueden debilitar la creatividad. Si en la escuela o en casa se aprende que la obediencia siempre es recompensada o sólo se debe pensar como otros o de una determinada manera, la lección que se aprende en realidad es que no se debe pensar de una manera creativa.

Para intentar averiguar qué pasa por la cabeza de un creador, podríamos recurrir a un ejemplo clásico: Vincent van Gogh. ¿Qué le ocurría? ¿Estaba loco? ¿Tenía una personalidad depresiva? ¿Era esquizofrénico? ¿Estaba obsesionado por algo? Según Robert Sternberg, el pintor impresionista era bipolar, y parece existir una relación entre la manía depresiva y la creatividad inteligente. «En realidad, las personas maniacodepresivas no son siempre creativas y, por otra parte, las personas creativas no tienen por qué tener siempre un desorden mental, pero parece existir una correlación».

¿Excentricidad, enfermedad o locura? Sin duda, creatividad.

Han pasado más de cien años desde el suicidio de Vicent van Gogh y los médicos no se han puesto todavía de acuerdo sobre su verdadera enfermedad: ¿depresión maniaca?, ¿epilepsia?, ¿esquizofrenia?

El pintor holandés dejó centenares de cartas donde describe sus ataques de vértigo, acompañados de náuseas, vómitos e intolerancia al ruido, y sufrió extrañas alucinaciones auditivas que fueron quizá la causa de que se amputara la oreja. Su vida como pintor fue breve: en sólo ocho años plasmó su visión de lo cotidiano en cientos de óleos. Probablemente, con una medicación apropiada y un tratamiento psicoterapéutico, como los disponibles hoy en día, podría haber cambiado el curso de la historia del arte.

Otro ejemplo: el extraño comportamiento de Thelonious Monk (1917-1982) no era el resultado del consumo de drogas comunes entre los músicos de jazz de la época. Era un extraordinario pianista y compositor, y su música estaba llena de sorpresas armónicas. Monk comenzó su carrera de internamientos psiquiátricos a los 37 años. En 1964 fue portada en el *Time* y en 1975, de repente, dejó de tocar y se aisló. Padeció fuertes depresiones y desarrolló una personalidad esquizoide con brotes psicóticos.

La relación entre creatividad y locura ha sido muy estudiada. Para algunos, esta relación es evidente; para otros, la creatividad sólo es posible en la salud.

Aristóteles decía: «Nunca ha existido un gran genio sin algo de enfermedad». Cesare Lombroso afirmaba a finales del siglo XIX que la genialidad era un tipo de psicosis degenerativa. Semejante idea fue perpetuada por Sigmund Freud, que relacionó la genialidad y la neurosis. Su pupilo Carl Gustav Jung afirmó que la obra de arte funcionaba como reestructuradora de la personalidad del artista. Esta línea de pensamiento aún persiste, y sugiere que el arte es una forma de solucionar o encauzar ciertos problemas de personalidad.

¿Hasta qué punto esto es así?

Existe una relación entre la conducta creativa del individuo y el equilibrio de la dopamina y la serotonina en el organismo. Los esquizofrénicos, que se caracterizan por cierta originalidad de pensamiento, presentan altos niveles de dopamina y bajos niveles de serotonina. En sujetos normales no destacables por su creatividad, estos neurotransmisores tienen niveles equivalentes. En los individuos creativos, ambas sustancias tienen un mismo nivel (como en las personas que no sufren alteraciones mentales), pero los niveles de estos neurotransmisores son algo superiores a la media. Para aquellos que relacionan la creatividad con la salud, las personas creativas son superiores en la «escala de fuerza del yo», y poseen mejores mecanismos para resolver problemas. Sea como fuere, muchos artistas, pintores, escritores y músicos han tenido una salud mental no especialmente dichosa.

Edgar Allan Poe, un escritor tan afortunado en su literatura como desafortunado en su salud mental, escribía: «Nunca estuve realmente loco excepto en las ocasiones en las que mi corazón fue alcanzado». ¿Qué pudo querer decir exactamente?

Midiendo la inteligencia

Hemos invertido mucho tiempo y dinero en medir la inteligencia de la gente. Los famosos tests IQ, con los que se evaluaban los coeficientes intelectuales, han sido utilizados e incluso manipulados de mil formas. Robert Sternberg ha realizado experimentos de medición intelectual a niños cuyas edades estaban entre los 8 y 9 años y entre los 14 y 18 años. Según revelaron esos estudios, los resultados son mucho mejores cuando se usa la inteligencia creativa que cuando se emplea el concepto clásico que pasa por el estudio del pensamiento lógico. «Cuando medimos la inteligencia, pensamos que es muy importante no medir sólo la inteligencia tradicional, la inteligencia académica. El cociente intelectual es de alguna importancia en la escuela, pero es menos importante en la vida y en el trabajo. Por lo tanto, nosotros medimos la inteligencia analítica o académica, pero también la inteligencia creativa y la inteligencia práctica: el sentido común». Sus investigaciones han demostrado que básicamente no hay relación entre la inteligencia académica y la inteligencia práctica. Se puede tener muchísimo sentido común, pero índices muy bajos en los tests convencionales de la inteligencia. Incluso se puede tener un coeficiente intelectual sumamente alto, pero una falta asombrosa de sentido común.

Robert Sternberg habla también de «inteligencia tácita»: es la capacidad para adaptarse a un entorno del que no se sabe nada y del que ni siquiera se ha oído nada. Y resulta que gente con un cociente intelectual muy elevado —un cociente académico muy elevado— no tiene esta «inteligencia tácita» para adaptarse a un entorno desconocido. «Lo más importante en la vida, creo yo, no es tener experiencias, sino *aprender* de las experiencias», nos decía el profesor Sternberg. Todo el mundo tiene experiencias, pero las investigaciones demuestran que la gente que adquiere el conocimiento tácito, el conocimiento de cómo manejar sus vidas, cómo ganar más dinero, cómo ser más apreciado, cómo hacer el trabajo mejor, es gente que aprovecha su experiencia. De nuevo: no se trata de *tener* la experiencia, sino de *aprender* de ella. «Lo que les digo a mis estudiantes es que no me molesta que cometan un error o una equivocación: todo el mundo se equivoca, y esto es bueno, porque se aprende de los errores. Lo que me molesta es que se repita el mismo error muchas veces».

El profesor Sternberg cree que la creatividad se puede enseñar. En su opinión, la creatividad es una actitud ante la vida: es la actitud de crear, de generar ideas, y la persona creativa es una persona que asume riesgos... El individuo creativo no piensa que necesita estar seguro en cada momento. Reconoce la necesidad de afrontar los obstáculos. En definitiva: «Si una persona es creativa, la pregunta no es si va a haber obstáculos, porque es seguro que los habrá. La pregunta que una persona creativa necesita hacerse es: "¿Tengo el coraje para afrontar y superar los obstáculos?"».

La mentalidad tradicional no presenta al individuo creativo como un ser que «controle» su creatividad. A menudo se presenta como una caricatura, un individuo al que se le enciende la bombilla... ¡sin ningún control aparente! Y, curiosamente, hablamos también de «iluminación», de «ver la luz»... Y el siglo XVIII, el siglo de la razón y la Ilustración, es también el Siglo de las Luces. ¿Es posible que exista una base fisiológica en la creatividad? ¿Hay una parte del cerebro que se «ilumina» o que se activa cuando una persona tiene una idea creativa?

Las investigaciones muestran que hay muchas partes del cerebro involucradas en el proceso creativo y que la acción está distribuida en distintas áreas. «Pero lo importante es darse cuenta de que no sólo la biología afecta al comportamiento y al aprendizaje, afecta al cerebro, afecta a la biología: va en ambas direcciones». Es decir, que cuando se aprende algo, cuando se desarrolla cognitivamente un individuo, su cerebro también cambia. En definitiva, la biología no es predestinación: se puede cambiar la vida y el cerebro por el aprendizaje y por las actitudes ante la vida.

Es la creatividad entendida como operaciones fisiológicas. Descansando bajo un árbol, Newton dio con la explicación de la fuerza gravitatoria al ver caer una manzana frente a él. Una hermosa poesía, una frase gloriosa o una magnífica melodía surgen a menudo en momentos de relajación, tras siestas o estados de somnolencia. ¿Por qué? Nuestro cerebro está poblado de células nerviosas o neuronas, unidades básicas de la estructura cerebral. Estas células tienen una configuración muy particular que permite la transmisión de los impulsos nerviosos; las neuronas se agrupan en los llamados «nodos» y desarrollan una actividad específica; así se establece una inmensa red de circuitos eléctricos. En el cerebro existen sistemas de activación general que regulan el grado de activación eléctrica de neuronas y nodos; así, por ejemplo, unos cuantos nodos, activados intensamente, caracterizan el estado de concentración, mientras que una gran cantidad de nodos activados pero con una baja intensidad describirían los momentos de atención difusa. Estas operaciones facilitan y amplifican la capacidad de asociación y da pie a la inspiración.

Sin duda, en las personas consideradas creativas hay capacidades más desarrolladas, pero la generación de la idea creativa nace normalmente de una amplia base de conocimientos que empapa los nodos y circuitos cerebrales.

Aunque las capacidades relacionadas con la intuición, la imaginación y la flexibilidad se atribuyen al hemisferio derecho del cerebro, se cree que ambos hemisferios interactúan en todo momento y que no hay zonas específicas donde se pueda ubicar la creatividad. Sin embargo, algunos estudios realizados con personas vinculadas a actividades musicales han sugerido que las capacidades musicales, tales como el oído perfecto o la capacidad para reconocer diferentes notas musicales, implican una zona del córtex en el área de Wernicke, que parece ser más amplia en el hemisferio izquierdo, sobre todo en el caso de músicos profesionales. Esta área de Wernicke está relacionada con la comprensión del lenguaje, lo cual ha sugerido que la percepción del lenguaje y la percepción de tonos musicales son actividades muy cercanas.

Algunos casos concretos hacen más confusa nuestra apreciación del cerebro creativo. Por ejemplo, el compositor Maurice Ravel sufrió una lesión irreversible en el hemisferio izquierdo, probablemente en el área de Wernicke, que le incapacitaba a la hora de componer y de leer música, pero podía comprender y criticar perfectamente las piezas que escuchaba. Vivió cuatro largos años con el tormento de disfrutar de la música sin poder expresarla.

TERTULIA CREATIVA

Como saben todos nuestros amigos de *Redes*, el programa se divide en dos partes. En la primera, entrevistamos a un especialista internacional en la materia de la que nos ocupamos y, en la segunda, conversamos con otros expertos españoles en un tono más distendido. Para abordar el espinoso asunto de la creatividad, contamos con Carlos Alonso, profesor de Psicología en la Universidad de Murcia, y con Antoni Marí, profesor de Teoría del Arte de la Universidad Pompeu Fabra (Barcelona).

Carlos Alonso nos contó que la Psicología ha estado siempre muy interesada en la creatividad y desde el preciso momento de su nacimiento (en Inglaterra y Alemania, en el siglo XIX), las dos vías se esforzaron en estudios sobre la inteligencia creativa. No se trataba tanto de estudios relacionados con la generación del arte, sino, más bien, sobre la creatividad en general. Por ejemplo, se estudió lo que se llamaba en Inglaterra el «genio», que no es exactamente lo que entendemos hoy en día como genialidad: simplemente, se estudiaban las personas relevantes y se trataba de definir sus condiciones. Es el caso de los estudios sobre la heredabilidad del genio o sus implicaciones genéticas. Así se inició la psicología diferencial, que comienza en Inglaterra.

Bien: un genio es un individuo especialmente creativo. ¿Cuáles son las características del genio? ¿Quién es un genio?

Antoni Marí nos adelantó que el adjetivo o el atributo de «genio» no dependen tanto de la persona a la que se le supone genialidad como de los demás. Son los demás, los otros, los que reconocen a una persona como «genio». Y ello se debe a que la propuesta formal o artística de esa persona concreta les ha transformado la vida. Existe una especie de dependencia de aquellas obras que pueden transformar la concepción del mundo y el orden del mundo.

Muchos pensadores y filósofos han discutido las características del genio, y los tratadistas de arte y literatura, e incluso los mismos artistas, se han ocupado de este asunto, y lo han explicado de acuerdo con la mentalidad de cada época: atribuyéndolo a cualidades mentales perturbadas, a la influencia de los dioses paganos, a la influencia de Dios, al estudio y el conocimiento, a ciertas habilidades técnicas, a la inspiración... «Creo que en la etimología de la palabra "genio" ya aparece una característica importantísima: la voz 'genio' tiene la misma raíz que 'genital', 'genitivo' y 'gen'. Por lo tanto, la genialidad es algo que es absolutamente natural, está implícito en la propia persona, y en la misma naturaleza humana», nos explicaba el profesor Marí. Ello no parece significar, de todos modos, que la genialidad sea estrictamente genética o, al menos, hereditaria.

Una de las características apuntadas por Sternberg era el comportamiento diferencial. Sin embargo, aunque es evidente que los genios y los artistas se comportan de un modo diferente, ello no significa que una persona que se comporte de un modo diferente sea obligatoriamente un genio. «El hecho de no comportarse como los demás no define al genio», nos advirtió Carlos Alonso. Una conducta distinta puede ser, simplemente, una conducta asocial, o inesperada, o increíble, o una conducta desarrollada a partir de determinados problemas mentales, pero no necesariamente es creativa. Y, al parecer, tampoco conviene confundir un desajuste mental con la genialidad: «Cuando se ha comparado el cerebro de los esquizofrénicos con el cerebro de los artistas, o el cerebro de los grandes creativos, indudablemente se han observado aspectos similares, pero no se puede decir que un esquizofrénico sea creativo».

Otra característica del genio y la creatividad es la singularidad. Pero si la creatividad y la genialidad son personales y afectan a un individuo exclusivo, ¿cómo podemos mejorar la inteligencia creativa? ¿No se puede mejorar la inteligencia creativa de la gente? Según Antoni Marí, la experiencia es lo único que puede desarrollar la inteligencia creativa. «No creo que haya píldoras o técnicas que la mejoren. Esas técnicas pueden profundizar en determinados aspectos, pero no son capaces de generar creatividad o genialidad». El ejemplo de Van Gogh es un caso paradigmático y explica bien qué es un genio: Vincent van Gogh era una persona que no sabía pintar y no conocía ninguna técnica de pintura. Hasta ese momento, todos los artistas habían tenido su maestro y habían aprendido las técnicas de sus maestros, de tal modo que no podían ser geniales hasta que se habían liberado de las técnicas de sus maestros. Van Gogh no sabía nada: había estado trabajando en una tienda de arte de Londres y había vendido postales de arte, pero no había cogido un pincel en su vida. Después, decidió evangelizar a los mineros de Bruselas. Y, de repente, o casi de repente, decide coger la paleta y los pinceles y plasmar su visión del mundo. Sus cuadros son la expresión de su mundo: no tenía técnica. La única técnica de Van Gogh era su voluntad expresiva, y utiliza una técnica adecuada para lo que deseaba expresar.

De acuerdo: tenemos a Van Gogh o a otro pintor ante su lienzo, o a un escritor frente a la página en blanco, o a un músico ante el piano: ¿qué ocurre en su cerebro? Ocurre una activación débil y global del cerebro. Esa activación conecta gran cantidad de nodos cerebrales y, por tanto, la cantidad de información que percibe el sujeto es enorme, porque todas las huellas grabadas en su cerebro se ponen en contacto. Esto ocurre, según los especialistas, porque el cerebro está operando débilmente y no existe predominio de ningún nodo sobre los demás. Ello se produce en una especie de fase inconsciente: los psicólogos científicos aseguran que el inconsciente no es más que esa situación de activación cerebral débil pero global. Por eso, el descanso, la tranquilidad y el sosiego parecen ser más creativos: esos espacios permiten que el cerebro funcione por su cuenta... por su propia iniciativa. El cerebro, en esos momentos, no está obsesionado, ni centrado, ni concentrado en un asunto concreto, y funciona globalmente.

Apúntenlo: si ustedes están obsesionados con algo, probablemente no llegarán a hacer grandes descubrimientos. Y, como añadió el profesor Carlos Alonso, «si uno está muy especializado en determinados conocimientos, no será muy creativo, porque la especialización impide acercarse a otros campos y aspectos de la realidad».

MIRADAS DISTINTAS

Se supone que los artistas «ven el mundo de una forma diferente». ¿Es sólo una metáfora o un modo de hablar? Por ejemplo: ¿qué pasa en el ojo y en el cerebro de los pintores cuando pintan?

El famoso pintor Humphrey Ocean ayudó a los científicos a descubrir si los artistas realmente ven el mundo de un modo distinto. «En primer lugar, siento amor por lo que hago y por lo que percibo», decía Humphrey Ocean: «Siento sencillamente una gran curiosidad... un gran sentimiento de curiosidad, y quiero hacer algo al respecto».

Unas cámaras instaladas en los ojos de Humphrey registraron el movimiento de sus ojos. Los investigadores descubrieron que Ocean podía controlar el movimiento de los ojos con mayor precisión que las personas que no son artistas. Esto le ayudaba a concentrarse en detalles mínimos, invisibles para una persona normal.

Para poder descubrir lo que sucedía realmente, los investigadores escanearon su cerebro al tiempo que dibujaba dentro de la máquina. No eran las mejores condiciones para dibujar, pero... Los investigadores compararon las ecografías de Humphrey Ocean con otras de personas «no artistas» y descubrieron que las personas que no son artistas utilizan más la parte posterior de su cerebro, las regiones que intervienen en la obtención de la información visual. En cambio, Humphrey utilizaba más la parte anterior de su cerebro, una región relacionada con las emociones. Los resultados parecen confirmar la opinión de que cuando los artistas crean retratos, por ejemplo, pintan más lo que «sienten» que lo que ven.

Actualmente, disponemos de un modo bien definido de distinguir entre artistas y no artistas: el registro del movimiento de los ojos y el modo en que se activa el cerebro.

La gran revolución de nuestro tiempo es este uso de la ciencia: el que nos explica los viejos interrogantes, las preguntas de siempre, y nos sugiere respuestas a los problemas cotidianos; la ciencia está imbricada en lo cotidiano y trata de despejar el camino en los asuntos que afectan realmente a la gente común. La ciencia tenía fama de ocuparse de asuntos ásperos, extremadamente difíciles y alejados de las preocupaciones cotidianas. Ahora parece tender a hacernos la vida más agradable y a generar instrumentos científicos para construir una vida mejor. Quizá el amable lector se ha preguntado alguna vez por qué unas personas son muy creativas o imaginativas y otras no. Pues bien, ya lo sabe: los especialistas hablan de una cierta predisposición genética, de una activación débil pero global del cerebro y de un aprendizaje de la experiencia.

EXPERIENCIA, CONOCIMIENTO, IMAGINACIÓN Y VENTA

La experiencia es una de las bases de la creatividad, pero hay personas que no utilizan bien sus experiencias. Podría incluso decirse que lo que distingue al individuo creativo es precisamente aquel que intenta corregir y mejorar en algún sen-

tido. El profesor Carlos Alonso nos recordaba, en este sentido, cierta experiencia docente que se llevó a cabo en Inglaterra durante un tiempo: «Se fomentaron mucho los cen-
tros educativos basados exclusivamente en la creatividad y
fueron un desastre pavoroso». Todo falló porque la creatividad se fundamenta en los conocimientos, y cuando faltan los
conocimientos, la creatividad no puede funcionar. «Es algo
que parece contradictorio y, sin embargo, es real. Alimentar
el cerebro con una información amplia y abundante es imprescindible para que pueda surgir la creatividad».

Sin embargo, Sternberg nos hablaba de la «inteligencia
tácita», aquella que sirve para poder desenvolverse en escenarios o entornos absolutamente desconocidos. Y, además, se
ha descubierto que las personas que tienen esta «inteligencia
tácita» obtienen mejores resultados en los test de inteligencia académica o clásica. La respuesta de Carlos Alonso a esta
aparente contradicción es que no se trata simplemente de saber, sino de saber utilizar el saber. «Es otra cuestión clásica:
cómo se conjugan creatividad, sabiduría e inteligencia. Todos
conocemos a sujetos a los que llamamos "empollones": tienen
una inteligencia alta pero una creatividad baja. En esos casos,
la inteligencia no produce necesariamente creatividad».

En el arte ocurre lo mismo. Uno de los factores fundamentales es la facultad de la imaginación. Sin imaginación, nos
decía Antoni Marí, no se puede hacer nada. «Es decir: ni la
inteligencia ordenada ni el conocimiento especializado permiten crear nada si no existe imaginación. La imaginación es
justamente la facultad que hace saltar los resortes que se asien-
tan en esas facultades».

La imaginación es la facultad de generar imágenes a partir de la experiencia; es también la proyección del deseo y de
la idea más allá de la realidad. El artista, como el individuo
creador, genera sus obras a partir de la imaginación.

Según el profesor Marí, no conviene confundir al creador
con el individuo creativo: todos los hombres y las mujeres somos creativos. La creatividad es propia del ser humano. Es
creativo por naturaleza, aunque no todos los seres humanos

son creadores en sentido estricto. La vida nos obliga a ser creativos, a desenvolvernos y a procurar soluciones a los problemas comunes y cotidianos. Esa característica humana también es creatividad: conseguir hacer una cena cuando no hay demasiados ingredientes en la nevera, o solventar un problema en la impresión de documentos, o buscar una solución ingeniosa para una puerta que no cierra, o buscar el modo de ver dos programas de televisión que se emiten a la misma hora... Esta creatividad se puede utilizar para el bien o para el mal. (Cómo conseguir, mediante argucias complejas, que despidan a un compañero de trabajo o cómo conseguir engañar al marido sin que éste se dé cuenta). La creación artística es distinta, porque sus propuestas generalmente son inconscientes y, según Marí, casi irresponsables: es la capacidad de imaginar más allá de las fronteras de la realidad.

¿Y somos más creativos ahora de lo que éramos hace doscientos años o hace un millón de años? ¿Somos paulatinamente más creativos y más inteligentes o no podemos estar seguros de esto? «Yo diría que no», afirmaba Antoni Marí. «Parece haber un grupo o una élite supercreativa que crea para los demás, y los demás se avienen o no tienen más remedio que avenirse, pero no se da espacio necesario para que la creatividad surja en lo pequeño y en lo inmediato».

Lo que sugería nuestro invitado era realmente grave. Es el uso de la creatividad como imposición o liderazgo. Hace diez mil años se produce la revolución de la agricultura: los pueblos domestican a los animales y las plantas y, por primera vez en la historia del hombre, se genera un excedente que permite alimentar al grupo y comerciar con los productos. ¿Lo que ocurrió fue que una pequeña élite ideó la manera de beneficiarse de ese hallazgo? Entonces... ¿seguimos igual? ¿Es que la creatividad o la inteligencia creativa sirven para la dominación o para la creación de sistemas sociales en los que esas personas controlan a los demás? En definitiva: ¿la creatividad puede entenderse como un impulso de control?

Se trata de un planteamiento realmente complejo. En la actualidad, los expertos niegan la existencia de actos creativos puros. ¿En qué sentido? En el sentido de que el acto creativo es siempre un acto social y tiene que estar integrado socialmente. «El cuadro de *Las señoritas de Aviñón*, de Picasso, no se pudo entender como un acto creativo mientras estuvo en el estudio del artista de cara a la pared. Y Van Gogh no fue creativo hasta que no fue aceptado como artista». En definitiva, para que alguien sea considerado como un individuo creativo, debe tener alguna influencia sobre los demás: los demás deben considerarlo creativo. Un individuo puede ser un gran pintor, o un excelente novelista, o un matemático genial, pero si los «porteros de la sociedad» no le abren el paso, nadie los considerará como tales y, por tanto, su creatividad será inútil: para que la creatividad *sea*, tiene que estar integrada socialmente. Los filtros sociales son los críticos, los profesores, los expertos, la industria mercantil... Nadie consideraría que Carlos Martínez es un creador. ¿Quién es Carlos Martínez? ¿Qué ha hecho? ¿Cuál es su trabajo? ¿Quién ha hablado de él? ¿Es escritor o pianista? Carlos Martínez no tiene ninguna influencia y nadie lo considera un creador. Por esta razón se habla en la actualidad de una característica esencial de la creatividad: la capacidad para «vender» o, más propiamente, para persuadir. «Si no se persuade a la sociedad, no existe propiamente acto creador. Y aquí está el problema: persuadir a la sociedad actual es muy difícil, porque nuestra sociedad es una sociedad anclada en aspectos económicos que conducen a la obtención de beneficios».

Efectivamente, como señalaba el profesor Carlos Alonso en *Redes*, los actos creativos son hoy extremadamente difíciles. Por ejemplo, pensemos en la creatividad dentro del mundo empresarial. La creatividad en el seno de las empresas constituye hoy un gravísimo problema: y no se trata de que los individuos creativos no puedan estar en las empresas, sino que las estructuras empresariales no son creativas. Los individuos creativos generan distorsiones en el mundo empresarial, que tiende a la conservación; la creatividad es innovación y las empresas, generalmente, no están preparadas para gestionar las revoluciones que propone la creatividad.

En cierto modo, se aplica el viejo refrán: «Más vale lo viejo conocido que lo nuevo por conocer». Así que el mundo empresarial tiende a rechazar la innovación o la creatividad que no esté sujeta a una experiencia rentable. Y añade Alonso: «Por ejemplo, una empresa que funcionara creativamente debería premiar al creativo, aunque fracasara, porque se trata de excitar la potencialidad creativa. Sin embargo, esto resulta enormemente difícil».

Esto coincide con lo que decía Sternberg: primero hay que tener la idea, luego hay que ver si esta idea funciona y, finalmente, señoras y señores —lo siento muchísimo—, hay que venderlo.

CAPÍTULO XIII

Calculamos fatal

De los billones y billones de seres humanos potenciales que podrían haberse generado a partir de todos los óvulos y espermatozoides que han existido en la Historia, la joven Lucía es uno de los que ha convertido esa potencia en acto. Existe. Y, contra toda probabilidad, es increíblemente afortunada. Ella, sin embargo, no lo sabe.

Al salir de la facultad, Lucía se sube al tren y se sienta junto a un chico que resulta ser el novio de la camarera de un bar que montó una amiga suya. Sorprendida ante esa coincidencia, Lucía nunca pensará que la probabilidad de que dos individuos de un mismo país estén unidos por una cadena con dos intermediarios es superior al 99 por ciento. Lucía podría nombrar a cualquier personaje de su país y es muy probable que no hubiera más de dos eslabones en una imaginaria cadena de familiares, amigos o conocidos que la uniera con ese personaje.

Lucía no es consciente de las dimensiones probabilísticas de su vida y tiene, además, numerosos conceptos erróneos sobre las probabilidades de los riesgos que nos acechan. Por ejemplo, tiene pánico a viajar en avión por miedo a los accidentes y, por esta razón, se desplaza continuamente en coche... Debería saber que el número de fallecidos en accidentes de tráfico en Europa equivaldría a que se estrellara un avión con 120 pasajeros todas las semanas.

Con pequeñas estimaciones y sencillos cálculos, Lucía evitaría extraer deducciones absurdas y, en otras ocasiones, podría llegar a útiles conclusiones. Pero no es así.

Lucía ha visto un precioso vestido en las rebajas. Llega a la tienda y comprueba que el establecimiento ha añadido un 40 por ciento de descuento sobre la rebaja del 40 por ciento que ya tenía la prenda. Lucía entra contenta en el local pensando que comprará el vestido con una rebaja del 80 por ciento, cuando, en realidad, sólo es del 64 por ciento.

Esta incapacidad para evaluar matemáticamente los actos comunes se denomina «anumerismo». Quizá una falta de educación matemática o la costumbre de no considerar las matemáticas como la herramienta útil que es en los avatares de la vida cotidiana podrían ser las causas de ese anumerismo generalizado. Sin embargo, las matemáticas, con su fama de frías e impersonales, nos pueden ayudar en ocasiones a comprender hechos que nos atañen muy de cerca.

Sanar el anumerismo que predomina en nuestra sociedad no significa, sin embargo, dar el poder a los números, a las probabilidades y a las estadísticas... no vaya a ser que acabemos como el padre de Lucía, el cual, aterrorizado por las bombas en los aviones, viaja aferrado a una carga explosiva porque sostiene que la probabilidad de que haya dos bombas a bordo de un avión es infinitesimal.

TEMORES MATEMÁTICAMENTE INFUNDADOS

Vivimos rodeados de números. Si quieren que la gente se acuerde de algo, concrétenlo en un número. Por ejemplo, tres mil muertos en accidentes de tráfico en la carretera o 40 por ciento de descuento. Estamos íntimamente vinculados a los números y, sin embargo, los mejores matemáticos del mundo, como John A. Paulos, llegan a creer que tenemos tantas manías en el cerebro que nos impiden utilizar los números para ganar dinero en la Bolsa o saber lo que va a ocurrir. No sabemos predecir nuestro futuro, tal vez porque provenimos de un mundo que, simplemente, no lo tenía.

La gente vive realmente angustiada —no simplemente desesperada— por el futuro, por lo que puede pasar, por lo que puede suceder... No lo saben, y ello genera angustia. Esta inquietud puede observarse en todos los ámbitos. Si dos o más empresas se fusionan, los contables se preguntan: «¿Qué será de mí el día de mañana?». E incluso acuden a los horóscopos para atisbar el futuro. Este comportamiento humano resulta paradójico, porque la ciencia asegura que actualmente se cuenta con instrumentos matemáticos para predecir lo inmediato, para predecir el crecimiento de las ciudades, para saber cuándo sucederá un terremonto o augurar la volatilidad de los mercados de valores, por ejemplo. Y, sin embargo, no podemos predecir todavía nuestras propias vidas.

John Allen Paulos es profesor de matemáticas en la Temple University de Filadelfia (Estados Unidos). Paulos es autor de libros como *Un matemático invierte en Bolsa* (Tusquets, 2004) o *El hombre anumérico* (Tusquets, 1990), en los cuales refleja su gran interés en la incidencia que tienen la lógica y la probabilidad en la vida diaria. Paulos ofrece reveladoras perspectivas acerca de la evaluación numérica de nuestra vida y de nuestro futuro: «En realidad, siempre es más fácil hacer predicciones sobre un grupo que sobre una persona individual. Si se estudian muchos objetos o grupos de personas, se puede llegar a ciertas conclusiones generales. Pero lo que le interesa a la gente no es eso, sino su futuro personal concreto, o el de su familia o el de sus amigos, y esto es mucho más difícil de predecir, porque hay muchas variables —sucesos u otras personas— que pueden alterarlo todo. Por esa razón es una pérdida de tiempo intentar hacer una predicción precisa a largo plazo».

Según el profesor Paulos, ésta es también una de las conclusiones de la teoría del caos y de la dinámica no lineal, especialmente cuando se pone como ejemplo a los seres humanos. Es decir: si se tiene un sistema dinámico que está sujeto a una dependencia muy sensible a las condiciones iniciales, una diferencia diminuta al principio puede conducir posteriormente a enormes discrepancias.

Un ejemplo de la teoría del caos con un objeto físico es una mesa de billar: sobre esa mesa hay veinte bolas de plástico en la superficie y pueden rebotar en todas partes. Si se contrata al mejor jugador de billar del mundo para que reproduzca una determinada jugada, incluso si se equivoca en una mínima fracción de un grado —que se equivocará—, la jugada se desviará y las bolas empezarán a tomar trayectorias ligeramente diferentes, rebotarán en lugares diferentes y, finalmente, la equivalencia o identidad con la primera jugada se hará imposible. Las bolas irán por lugares distintos de los fijados, rebotarán en lugares diferentes...

En definitiva, no se podría repetir lo que hizo el azar. «No», asegura el profesor Paulos: «Y téngase en cuenta que la mesa de billar es un ejemplo de un sistema limitado. Desde luego, la gente es mucho más complicada que esto. Y la economía y la ecología son mucho más complejas. Sin duda, poder hacer tales predicciones está más allá de nuestro horizonte de complejidad».

Sin embargo, para un matemático, debe de resultar extraño aceptar el hecho de que la estadística es una información muy poco útil para la vida real. Quizá todo se deba a que tenemos una forma de comportamiento tan abstracta y emocional que condicionamos el resultado.

«No es que las matemáticas o la estadística sean inútiles», afirma el profesor Paulos: «Es que no nos dicen nada acerca de problemas individuales. Por ejemplo, es mucho más probable que te mueras de una enfermedad del corazón o de cáncer que de un ataque terrorista, cuya probabilidad es minúscula. Sin embargo, la gente está aterrorizada por esto último y, al mismo tiempo, come, bebe y fuma de una manera que parece demostrar que no le tiene ningún miedo a las enfermedades del corazón o al cáncer. Las personas actúan así, aunque las estadísticas digan que hay que temer a estas enfermedades, o a algo tan prosaico como un accidente de coche, mucho más que al terrorismo».

En fin, no es que la estadística sea inútil: es que hay que interpretarla correctamente.

Usos torcidos de los números

Tirar una moneda al aire es un modelo clásico de probabilidad y aún se mantiene la creencia errónea de que el hecho de que hayan salido varias caras seguidas hace más probable que en la próxima tirada salga cruz. Pero... ¿qué sabe la moneda? ¿Es que la moneda sabe cuántas veces se ha producido un resultado u otro? La probabilidad de que salga cruz seguirá siendo siempre de un 50 por ciento.

Este error común se conoce como «la falacia del jugador». Es un ejemplo de cómo las intuiciones en el campo de la probabilidad y la estadística nos engañan con frecuencia. Existen múltiples trabajos de investigación psicológica sobre el razonamiento humano en situaciones de incertidumbre que demuestran este tipo de errores. En muchas ocasiones —más de las que pensamos—, en situaciones cotidianas o labores profesionales, utilizamos métodos inconscientes que provocan decisiones erróneas.

Si reunimos a 367 personas, tendremos la certeza absoluta de que dos de ellas cumplen años el mismo día. (Naturalmente, hemos seleccionado aleatoriamente a tantas personas como días tiene el año bisiesto más uno). Sin embargo, mediante un cálculo estadístico sabemos que simplemente reuniendo a 23 individuos, tendremos una probabilidad del 50 por ciento. Bastante más improbable es que una de esas dos personas sea usted. Sucede que es probable que ocurra un hecho improbable, pero es mucho menos probable que suceda un hecho concreto. Entonces, ¿no tendremos la tendencia a sobreestimar la frecuencia de las coincidencias?

¿Y cuál es nuestra actitud en cuanto a la comparación de riesgos? ¿Seguimos temiendo más al avión que al coche como medio de transporte? Las estadísticas lo dejan claro en este sentido —es más probable morir en un accidente de tráfico, pero tenemos pánico al avión— y, aun así, tendemos a personalizar diciendo: «Pero ¿y si me toca a mí?».

El cálculo probabilístico es un instrumento fundamental para todas las disciplinas de la ciencia experimental, pero en nuestra sociedad, el razonamiento estadístico es de gran valor, y no sólo para los científicos. La gran cantidad de información a nuestro alcance y la toma de decisiones en un entorno de incertidumbre se deberían gestionar con algo más que intuiciones infundadas, supersticiones y métodos erróneos.

¿Cuál es nuestra actitud ante la información estadística que nos inunda a diario? Los números parecen darnos una dimensión tangible de la realidad y confiamos en ellos para contrastar informaciones, pero detrás de cada estadística hay una pregunta concreta y un proceso de conteo y medición. Las estadísticas no existen independientemente de la gente que las crea y de los métodos empleados para conseguirlas. Es fundamental desarrollar una actitud crítica ante las estadísticas que nos rodean. Dicen que el 63 por ciento de las estadísticas se improvisan sobre la marcha. ¿Incluso ante este dato adoptaremos una actitud ingenua?

La evaluación de la realidad, como se ha indicado, remite a procesos psicológicos y emocionales que, en cierto modo, desvirtúan las conclusiones a las que se llegaría si se aplicaran correctamente los cálculos matemáticos y estadísticos. «La línea divisoria entre la psicología y las matemáticas es nebulosa y creo que la gente no se esfuerza en estudiar el impacto psicológico que tienen los números», advierte el profesor Paulos.

En esa evaluación errónea de nuestro mundo tienen gran importancia las imágenes. Una referencia habitual son las imágenes en prensa y en televisión de los ataques terroristas: estas imágenes tienen efectos duraderos en la percepción del ser humano. «Sí: poder ver un suceso es una de las cosas que hace que este suceso se perciba de una manera más dramática, más vívida, con más miedo; si no se tiene una referencia visual, parece que dé menos miedo».

Paulos recuerda que hay 300.000 americanos que mueren cada año por los efectos del tabaco: es como si tres jumbos llenos de fumadores chocaran cada día del año. Y cada mes mueren más personas en accidentes de coche que las que murieron en el World Trade Center. «Este tipo de cosas se consideran banalidades, o cosas normales, o ni siquiera se aprecian, pero la gente está igual de muerta, y se podrían hacer muchas cosas para reducir el número de muertes por accidentes de tráfico, pero no parece que la gente esté interesada en esto».

Y no sólo las imágenes desvirtúan nuestro análisis de la realidad. El poder de los números, utilizado convenientemente, se engarza en la psicología humana hasta extremos que resultan sorprendentes. Por ejemplo, los políticos pueden estar hablando durante horas sin que se les preste mayor atención, pero, de pronto, mencionan un número: «Ha habido trescientos muertos en accidente de coche...». Y entonces los números centran nuestra atención y se fijan indefectiblemente en nuestro ánimo. Este aspecto psicológico se denomina «efecto ancla»: es la tendencia a quedarnos fijados en un número cuando se nos presenta, no importa si está o no relacionado con la realidad. El profesor Paulos ofrece un ejemplo revelador y divertido a un tiempo: «Si se le pregunta a la gente de Estados Unidos que diga cuál cree que es la población de Turquía, pero antes se le dice: "Un momento: antes, dime si es mayor o menor de cinco millones de personas", la gran mayoría dirá que es mayor, pero darán unas cifras que varían hasta llegar a veinte millones de media. Si le preguntamos lo mismo a otro grupo, y les decimos: "Antes, dime si es mayor o menor de 240 millones de personas", la mayoría dirá que es menor; y las cifras puede que sean diferentes, pero la media estará próxima a los 180 millones de habitantes. Es decir, que no importa el número que se les dé como referencia: el cálculo estará próximo a ese número. Esta tendencia a estar anclados en el primer número que oímos puede ser utilizada de forma tendenciosa para beneficiarse en ciertos temas. Por ejemplo, hace unos años, algunas revistas dijeron que 150.000 mujeres morían de anorexia en Estados Unidos anualmente. Desde luego, la gente pensó que era algo terrible. Pero la cifra real era sólo de 70. Es posible que 150.000 personas padezcan anorexia y, a partir de ahí, tengan otras dolencias. Pero, cuando la cifra llega a adquirir un cierto peso, es posible que algunos activistas de cualquier color político la exploten para favorecer sus intereses».

Nuestro cerebro tiene, además, otras manías obsesivas que pueden ser utilizadas psicológicamente. El profesor Paulos habla en sus textos de «la disponibilidad de un precedente» y explica cómo funciona del siguiente modo: «Sí: la "disponibilidad de un precedente" es lo mismo que el "efecto anclaje", pero con un suceso, en lugar de una cifra. Evaluamos cada suceso en las noticias a través de la lente de una historia superficialmente parecida: podemos creer que la Guerra de Irak es parecida a la Segunda Guerra Mundial y esto hace que te sientas más a favor de esa intervención bélica. Sin embargo, si la ves más como un modelo de la Guerra de Vietnam, entonces estarás menos a favor o en contra. Es decir: la gente intenta situar los sucesos en un contexto determinado, y lo hacemos así en todos los campos».

Es hora de revelar un secreto: la función principal de las matemáticas no es organizar cifras en fórmulas y hacer cálculos complicados, sino una forma de pensar y de hacer preguntas. Aunque este modo de comprensión del mundo pueda resultar extraño a la mayoría de los individuos, en realidad está abierto a casi todos. Además, resulta muy útil en muchos aspectos de la vida cotidiana, como leer el periódico, por ejemplo: en la prensa o en la televisión, cuando se habla de riesgos para la salud, es frecuente expresar las cifras dependiendo de lo que se pretenda. Obsérvese este titular: «Seis de cada 100.000 personas padecen la enfermedad X y sólo en España hay 2.500 casos». Las dos partes de esta noticia ofrecen exactamente la misma información, pero, sin duda, la segunda parece más alarmante.

También las estadísticas pueden ser manipuladas. A los jóvenes estudiantes de estadística se les propone un ejercicio muy simple: en un restaurante, dos personas se sientan a la mesa y se les presenta un pollo asado. Uno de los comensales se come el pollo entero y el otro ni siquiera lo prueba. Estadísticamente, a cada uno de los comensales le ha correspondido el 50 por ciento del pollo. Sin embargo, es una estadística tendenciosa.

Pongamos otro ejemplo más significativo: supongamos dos grupos de población A y B en los que se va a realizar un análisis estadístico de estatura. Ambos grupos, A y B, son muy similares en ese aspecto, pero la altura media de A es 1,70 metros, ligeramente inferior a la altura media de B, que asciende a 1,72 metros. Esta media podría deberse, por ejemplo, a la presencia ocasional de nueve jugadores de baloncesto en el grupo B, cuya altura es superior a 2,15, mientras que en el grupo A sólo hay una persona que supere esa estatura. Un titular informativo podría decir: «El 90 por ciento de las personas que superan los 2,15 metros pertenecen al grupo B». El titular es perfectamente correcto, pero si descendiéramos a los detalles, comprobaríamos que el grueso de los dos grupos mide lo mismo. Si sólo nos centráramos en ese detalle, podríamos extraer una idea muy equivocada de la situación. Basta cambiar la estatura por los ingresos anuales u otros baremos para ver cómo se puede aprovechar una estadística para justificar o denunciar decisiones económicas o de política social.

En definitiva, tener en cuenta algunas ideas matemáticas muy sencillas nos puede ayudar a leer o escuchar las noticias de forma más crítica, y a la serie habitual de preguntas que formulan los periodistas (¿quién?, ¿qué?, ¿cómo?, ¿cuándo?, ¿dónde? y ¿por qué?) podrían añadirse algunas más: ¿cuántas?, ¿con qué probabilidad?, ¿de dónde sale este índice?, etcétera.

¿Vemos sólo lo que queremos ver?

Pero, incluso cuando no estamos manipulados por las cifras o por las imágenes, siempre tendemos a respaldar una idea o un proyecto teniendo en cuenta sólo los datos favorables. El deseo de llevar a cabo un proyecto obliga a apartar los datos desfavorables, aquellos que reducirían las posibilidades de éxito. Esta operación psicológica se denomina «desviación sesgada». ¿Por qué actuamos así? Según el profesor Paulos, las personas se encuentran tremendamente incómodas si se les ofrecen ideas contradictorias de forma simultánea. «A la gente le gusta creer firmemente en algo y se siente más segura si todos los datos disponibles respaldan su creencia. Es posible que se tengan dudas en el proceso: no importa. Lo que importa es que, una vez que se ha tomado la decisión, se tiende a buscar factores que apoyen que esa decisión es perfecta y correcta, y se ignora todo lo demás».

John Allen Paulos sufrió en sus propias carnes las consecuencias de este proceso llamado «desviación sesgada»: «Sí... me sucedió jugando a la Bolsa... Es una larga historia, con dinero de por medio. Deseaba invertir una pequeña cantidad y me pareció que la empresa Wellcome ofrecía grandes posibilidades. De manera que comencé a estudiar todos los motivos por los que las acciones de Wellcome resultaban interesantes, y empecé a filtrar y a desestimar todas las señales de peligro. Viéndolo ahora... no eran señales muy fuertes, pero no debería haberlas ignorado tanto».

Entender el mercado bursátil y predecir su comportamiento se ha convertido en una tarea vital para todos los que invierten en Bolsa. Para ello, se han desarrollado multitud de teorías que pretenden explicar sus fluctuaciones según fórmulas matemáticas. La teoría de Down, por ejemplo, encuentra patrones repetitivos en las alzas y las bajadas de la Bolsa y la teoría de la «onda de Elliot» va más allá, postulando que las mismas leyes que moldean la Naturaleza, en las que tiene un papel importante el número phi (1,61803...), se pueden encontrar también en las actitudes de las masas y, por tanto, en las fluctuaciones bursátiles.

Pero el estudio de la Bolsa no es comparable al de las matemáticas o cualquier otra ciencia cuyos postulados y leyes son independientes de nosotros. La Bolsa se rige a partir de conductas humanas y éstas no son en absoluto definibles a partir de ecuaciones: por tanto, las matemáticas no pueden predecir sus movimientos. Lo que sí pueden hacer es ayudarnos a comprenderlos. En la Bolsa se da tal cantidad de factores —información privada, estrategias de inversores, acontecimientos culturales, políticos y militares— que plantear una predicción precisa de cómo fluctuará es un problema tan difícil como podamos llegar a imaginar. El ámbito de ese problema pertenece a una dinámica no lineal sólo estudiable a partir de las premisas de la teoría del caos. Es decir: su complejidad es demasiado grande para comprenderla.

Hay ejemplos sorprendentes que pueden ilustrar estos procesos: si lanzamos una moneda al aire un elevado número de veces, la proporción entre caras y cruces no será de un 50 por ciento; lo más probable es que uno de los dos resultados lleve ventaja sobre el otro. Matemáticamente, este hecho está demostrado. Sin embargo, los humanos tenemos tendencia a creer que existe un motivo oculto para que bien cruz o bien cara sean más frecuentes. Por tanto, no debe extrañarnos que analistas e inversores atribuyan significados diversos e incluso extravagantes a acontecimientos que, en realidad, sólo se deben al azar.

Las matemáticas han demostrado que siempre se puede buscar una correlación estadísticamente significativa entre dos hechos cualesquiera dentro de una población lo suficientemente grande, aunque esos dos hechos no tengan absolutamente ninguna relación lógica. Por ejemplo, si tenemos una muestra de varios millones de personas —y tiempo libre—, seguro que somos capaces de encontrar una relación entre el color del pelo y la ansiedad, o el perímetro de las caderas y la afición al cine, por ejemplo.

PÉRDIDAS, GANANCIAS Y MENTIRAS

¡Pobre cerebro! Todos los aspectos que se han propuesto hasta aquí no ofrecen una imagen muy halagüeña de nuestro cerebro. En ocasiones, nuestro cerebro evalúa el mundo circundante basándose en cálculos matemáticos erróneos, fundados en aspectos psicológicos concretos. El profesor Paulos suele narrar una historia maravillosa que advierte sobre el modo de calcular y valorar las pérdidas y ganancias.

Es la historia de un recién casado en la ciudad de los casinos: Las Vegas. Este joven se despierta a medianoche y no puede conciliar el sueño. Mientras deambula por su habitación, ve una ficha de cinco dólares en la mesita de noche. Decide entretenerse un rato en el casino del hotel y baja al casino. Apuesta en la ruleta su ficha de cinco dólares al número 17. Y gana. De repente, se encuentra con 175 dólares. Entonces, apuesta sus 175 dólares de nuevo al número 17 y vuelve a ganar. Y eso le sucede una y otra vez, hasta que consigue casi cinco mil dólares. El joven está encantado con su suerte: apuesta de nuevo y vuelve a ganar. ¡Ya casi tiene un millón de dólares! Querría apostar de nuevo al número 17, pero el director del casino no se lo permite. Es demasiado.

El joven no está dispuesto a cortar una racha tan buena y decide ir a otro casino cercano, donde vuelve a apostar y vuelve a ganar una y otra vez.

Es ya muy tarde, y nuestro protagonista decide que ya es suficiente: «Voy a apostar por última vez». Coloca todo su dinero al número 17 y lo pierde... ¡todo! El joven permanece atónito ante la ruleta. Después, regresa al hotel, donde le espera su mujer.

—¿Dónde estabas?

—No podía dormir y bajé al casino. Hice una apuesta...

—¿Y cómo te ha ido? —pregunta su joven esposa.

El marido piensa durante un instante su respuesta y contesta:

—Bueno... bien. Sólo he perdido cinco dólares.

En cierto sentido, la respuesta es perfectamente correcta y, como añade el profesor Paulos: «Sí... sólo había perdido cinco dólares... si es que quería mirarlo así».

Otra historia preciosa tiene la misma base y afecta al modo en que los hombres distribuyen en su cerebro las cuentas del debe y el haber, las pérdidas y las ganancias: una persona decide ir al teatro, pero, en el trayecto desde su domicilio, pierde la entrada, que valía cien dólares. El hombre desea ver la pieza teatral y decide comprar otra entrada en la taquilla. Sin embargo, piensa que doscientos dólares es un precio excesivo por una actividad de ocio y, finalmente, resuelve no comprarla y regresar a casa. A su lado estaba un hombre que había perdido cien dólares aquel día y se encontraba un tanto deprimido; sin embargo, decide gastarse otros cien dólares en la entrada y disfrutar del espectáculo.

Según el profesor Paulos, el primer caballero tenía una sola «cuenta» en la cabeza: la del dinero. El segundo, en cambio, tenía dos «cuentas»: la del ocio y la de la mala suerte. «En fin», añade el profesor, «hacemos todo tipo de cosas, sobre todo cuando el azar está por medio».

En general, parece darse la tendencia a arriesgar más para evitar una pérdida que para consolidar una ganancia. «Hay gente que incurre en riesgos mayores para evitar pérdidas, por ejemplo, en los escándalos políticos», dice John Allen Paulos. «A menudo, lo que acaba con un político no es el pecado original —que suele ser bastante menor—, sino el proceso de intentar esconderlo. Es decir, que se arriesga más para cubrir una pequeña pérdida que para acentuar la posibilidad de una ganancia».

Otro aspecto relacionado con los errores de cálculo es «el regreso a la media». «El regreso a la media» es una tendencia según la cual los factores que se implican en un hecho obligan o fuerzan un regreso a la media después de un suceso extraordinario. Por ejemplo, un atleta que ha tenido un año excepcionalmente bueno, después tendrá un año menos bueno o malo. En Estados Unidos, las revistas de deportes eligen al atleta del mes, que aparece en portada y al que se le dedica un amplio reportaje. Parece ser que esos atletas que aparecen en portada desarrollan peor su labor durante el mes siguiente. Naturalmente, muchos deportistas piensan que esa portada es gafe, una maldición, y no quieren salir en la cabecera de ese tipo de revistas. «Pero, en realidad, no hay ninguna maldición», explica el profesor Paulos: «Todo se debe al fenómeno de regreso al punto medio, ya que una actuación depende de muchísimos factores arbitrarios: si todos salen bien, el resultado será un año o un mes maravilloso y plagado de éxitos. Pero no es probable que al año siguiente todo salga igual de bien y por eso la actuación no será tan buena».

Existen muchos más ejemplos de cálculos erróneos a los que, de acuerdo con nuestro «anumerismo», atribuimos valores extraordinarios o mágicos. Dos de esos aspectos mágicos de los números son la serie de Fibonacci y la proporción áurea, que parecen tener una verificación en el mundo natural y en la impresión que producen en los hombres determinadas obras de arte. El profesor Paulos niega que esos patrones supuestamente repetitivos tengan alguna relevancia, aunque estén basados en presupuestos matemáticos: «A la gente le encanta envolverse en la mística de las matemáticas, pero no hay ninguna evidencia para creerlo, ni hay ningún motivo para que sea así. Lo mismo sucede con pseudociencias como la astrología, que utiliza la trigonometría o los biorritmos, y utiliza una absurda teoría de números. Pero el hecho de que en estas pseudociencias aparezcan unas fórmulas matemáticas, o ciertas nociones matemáticas, no significa que pueda concedérseles ninguna validez. Ese tipo de cosas impresiona a la gente, pero normalmente no tiene mucho sentido. Es fácil engañar a la gente diciéndole: "Mira, esto está relacionado con tal cosa". Así se les engaña».

CISNES NEGROS

Nuestros cálculos están vinculados al modo en que entendemos lo que nos sucede, las predicciones sobre nuestro futuro y la evaluación de lo que «ganamos» o «perdemos». Nassim N. Taleb, profesor de matemáticas en Nueva York, fue el creador de la teoría de los «cisnes negros». En resumen, su idea se basa en el hecho de que el hombre tiene graves dificultades para predecir acontecimientos que suceden muy extraordinaria o muy excepcionalmente, o que no han ocurrido nunca antes («cisnes negros»). Taleb asegura que, en realidad, sabemos mucho menos de lo que creemos saber y, por tanto, la predicción del futuro resulta complejísima.

John A. Paulos, desde la perspectiva de la psico-matemática, explica que el hombre se concentra en el hecho de que hay una probabilidad minúscula de que sucedan determinados acontecimientos extraños y, cuando suceden, intenta identificar algún significado o motivo. «Pero los sucesos extraños se dan en todo momento», concluye. «Si se reparte una mano de cartas de *bridge*, y de la baraja se sacan trece cartas y se miran, la probabilidad de volver a recibir exactamente las mismas cartas es de 1 sobre seiscientos mil millones, es decir, que la probabilidad de poder volver a tener en la mano las mismas cartas que tienes en ese momento es muy pequeña... Sin embargo, ¡es la que tienes en la mano! Es decir, que un acontecimiento sea "raro" por sí mismo no quiere decir nada: no es significativo. La cuestión no es la probabilidad de tener esas cartas, y que luego se repitan las mismas, que es muy poco probable, sino encontrar la probabilidad de que suceda algo de tipo general».

Es decir, continuamente nos planteamos si es posible un suceso o evento en particular, o una confluencia de sucesos, pero esto siempre es poco probable, de modo que estamos planteándonos una pregunta equivocada, aunque sea la pregunta que todo el mundo se hace. La pregunta correcta es: ¿cuál es la probabilidad de que algo de tipo general suceda? Y eso es todo lo que podemos predecir.

Entonces, ¿de qué método disponemos para evitar riesgos? ¿Hemos adaptado nuestra maquinaria «antirriesgo» al mundo moderno? El científico y ensayista Nassim Taleb asegura que no. Al conseguir salvarnos de un tigre en una cueva, aprendimos a evitar esa cueva, o aprendimos a colocar un fuego en la entrada, o aprendimos a no transitar por determinados caminos, etcétera. Con el tiempo, aprendimos a elaborar mecanismos para predecir los riesgos que se repiten, y así, evitar las causas y no tropezar con sus efectos.

Pero no todos los riesgos pueden evaluarse así, porque no todos los riesgos se amoldan a una estructura de repetición (no cruzar una calle sin mirar, no cruzar las vías del tren, no cruzar por una autopista...). Existen circunstancias y hechos que suceden de forma totalmente impredecible: es más, la condición para que sucedan es justamente que sean inimaginables y, por tanto, no se repiten. Parece que la evolución no nos ha preparado tan bien para este tipo de sucesos aleatorios.

Nassim Taleb usa una metáfora para referirse a este tema: el citado «cisne negro». Todos esperamos que un cisne sea blanco, nos lo dice nuestra experiencia. Un cisne negro es una sorpresa, pero, aun así, buscamos una explicación para él cuando vemos uno, algo que nos ayude a hacerlo más predecible, menos aleatorio, y así lo registramos en nuestra mente: un hecho y su explicación, la causa y el efecto. Así, lo consideramos aprendido, pero nos olvidamos de su principal característica: el factor sorpresa.

Ante los «cisnes negros», nuestras explicaciones a posteriori pueden ser erróneas, ya que, en vez de centrarnos en las reglas generales de los sucesos aleatorios, sacamos conclusiones demasiado específicas. No aprendemos la verdadera lección y, aún peor, no aprendemos que no aprendemos.

El entorno social en el que vivimos está basado en la información. Esto influye en el aumento constante de los sucesos del tipo «cisne negro»: desde luego, se dan «cisnes negros» negativos (como la burbuja tecnológica de mediados de los noventa) y «cisnes negros» positivos (como el éxito insospechado de la saga de Harry Potter, por ejemplo). Ninguno de estos dos «cisnes negros» era predecible. Es más, según nuestros cálculos, ninguno de los dos «debería» haberse producido. Y, sin embargo, ocurrieron.

Sucede que nuestros mecanismos e intuiciones no se adaptan a estos conceptos abstractos y parece que se niegan a aceptar la existencia de sucesos impredecibles o insospechados. Es como si viviéramos en una sociedad en el siglo XXI con los instintos de hace cien millones de años: no entramos en la cueva porque podría estar ocupada por un tigre o un oso (ésa es nuestra experiencia y nuestro cálculo de probabilidades), pero... ¿y si dentro se esconde un tesoro?

Desde los modelos matemáticos predictivos de las ciencias económicas y sociales hasta nuestra incapacidad como individuos para comprender y predecir nuestros afectos y elecciones, todo parece impregnado de cierto tipo de aleatoriedad que no sabemos gestionar y de la que no podemos aprender. Leer, escribir y entender el significado de las estadísticas: estas tres cosas deberían servirnos para movernos en este mundo. El último paso es —de lejos— el más difícil de los tres y seguramente comporta una buena dosis de escepticismo científico.

CÁLCULOS ENLOQUECIDOS

La relación entre la longitud de una circunferencia y su diámetro es un valor constante que conocemos con el nombre de pi (π), un número misterioso y fascinante, y una de las grandes constantes universales, quizá la primera conocida por el hombre y sobre la que los matemáticos aún continúan investigando e intentando desentrañar sus misterios.

En la Biblia, en el Libro de los Reyes puede leerse: «Construyó luego un mar de metal fundido, de diez codos de borde a borde. Era perfectamente redondo, de cinco codos de altura; y de circunferencia medía un cordón de treinta codos» (1Reyes, 7, 23). El texto hace referencia a un recipiente que debía emplazarse en el Templo de Salomón, construido en el año 950 a.C. y que contenía el líquido para las abluciones. En el texto se ofrecen las medidas de la longitud y el diámetro de la circunferencia de dicho recipiente, y de estos datos se deduce que el valor bíblico de pi es 3. Es la peor aproximación que se conoce de ese número en la historia de las civilizaciones. Hay que tener en cuenta que en el papiro egipcio Rhind, datado alrededor de 1650 a.C., ya se da un valor de 3,16 para el número pi.

Arquímedes ideó un método especialmente sofisticado para la época, que le permitía calcular un valor aproximado de pi. Para ello, construía dos polígonos: uno, inscrito a la circunferencia, y el otro, circunscrito. El valor de la longitud de la circunferencia debía encontrarse entre los valores de las longitudes de los dos polígonos. Éste era un método difícil y requería cálculos tanto más laboriosos cuantos más números decimales del número pi se quisieran obtener. A partir de entonces se inicia una carrera que a lo largo de los siglos iría dando como resultado nuevas cifras decimales. Ptolomeo (150 a.C.) estableció los dígitos 3,1416 para pi; Tsu Chung Chi (430-501 d.C.) lo redujo a 355/113; otros matemáticos árabes, como Al Khawarizmi o Al Kashi también lo intentaron en la Edad Media, y este último completó catorce cifras. François Viète (1540-1603) consiguió fijar nueve cifras y Adriaan van Roomen (1561-1615) llegó hasta las diecisiete.

En esta historia merece una especial atención la figura de Ludolf von Keulen, un matemático holandés del siglo XVI que dedicó la mayor parte de su vida al cálculo de los decimales de pi. Siguiendo el viejo método y, apoyándose en la trigonometría, intentó dar con el número de referencia, pero Von Keulen no sabía entonces que el número pi era lo que se conoce como número irracional y que jamás aparecería una pauta de repetición. Llegó a calcular el número pi con treinta y cinco cifras decimales, para lo que se vio obligado a trabajar con polígonos de aproximadamente un trillón de lados. El resultado de sus cálculos figura como epitafio en su tumba: 3,1415926...

Ya en pleno siglo XX, en junio de 1949, John von Neumann y sus colaboradores idearon un programa para el cálculo del número pi. Utilizaron el ENIAC (Electronic Numerical Integrator and Computer), uno de los primeros ordenadores de la Historia. La máquina tardó setenta horas en calcular 2.037 dígitos. Este hecho inauguró la era en que algoritmos y máquinas iban a adquirir un importante protagonismo en la carrera por desvelar hasta la última cifra del número pi. Esta búsqueda de la exactitud ha supuesto el desarrollo de importantes hitos de la matemática, tanto en el plano de los algoritmos computacionales como en el de la matemática teórica. Téngase en cuenta que si quisiéramos determinar el radio de una circunferencia que diera la vuelta a todo el universo conocido, nos bastaría utilizar el número pi con 39 cifras decimales para que el error cometido fuera menor que el radio de un átomo de hidrógeno.

La fascinación —y en algunos casos, la obsesión— por el número pi ha llevado a buscar textos cuyo número de palabras coincidiera con la secuencia de cifras del número pi. Incluso hay quien ha decidido ponerse a memorizar sin más: tal es el caso de un individuo que se inscribió en los récords Guinness en 1997 por haber sido capaz de memorizar 4.096 cifras del número pi. Actualmente, este récord está ya en los 42.000 dígitos.

VIDA COTIDIANA, CRIPTOGRAFÍA Y EL ENIGMÁTICO CASO DE LOS CUATRO COLORES

En fin, si las matemáticas no nos pueden ayudar necesariamente a predecir el futuro, quizá nos sirvan un poco para descubrir cómo es el mundo o para enfrentarnos de otro modo a los avatares cotidianos. «Las matemáticas son una disciplina muy imperialista, puesto que se pueden utilizar nociones de matemáticas para cualquier tipo de actividad, ya sea para describir un fenómeno concreto o, al menos, como metáfora», dice John Allen Paulos. Por ejemplo, «las matemáticas y el humor tienen algunas cosas en común, porque se encuentran en un plano intelectual continuo, las matemáticas en un extremo y el humor en el otro, y en medio, las paradojas, las adivinanzas. Pero tanto las matemáticas como el humor ponen énfasis en la elegancia y en la brevedad, la lógica, la estructura. Quizá el uso que hacen es diferente, pero comparten la lógica, la estructura, las intuiciones y otras nociones».

Más allá de la estadística y la probabilidad, las matemáticas están ocultas en gran número de actividades de nuestra vida cotidiana. Un ejemplo curioso es la letra del NIF: esta letra no se designa al azar, sino que resulta de una combinación matemática de todos los números del Documento

Nacional de Identidad. Así, si algún día nos equivocamos al introducir algún dígito de nuestros códigos, el ordenador podrá detectar el error. En la digitalización de la música también se utilizan métodos similares: los antiguos sistemas analógicos registraban físicamente las ondas musicales; la música registrada digitalmente descompone estas ondas en un número finito de puntos para poderlos guardar como datos numéricos.

En el mundo de los deportes también hay cierta carga matemática. Por ejemplo, en la elaboración del calendario de la liga de fútbol, para intentar que los equipos no repitan partidos seguidos en casa o fuera; y en el atletismo se utilizan los cálculos matemáticos para la mejora del rendimiento y técnica de los atletas. En la Fórmula 1 se optimiza tanto la aerodinámica de los coches como el tiempo que pasan en boxes, etcétera.

Otra aplicación curiosa de las matemáticas en la vida cotidiana es optimizar el reparto de correo, por ejemplo, para conocer el camino más corto que debe recorrer un mensajero que tiene que entregar paquetes en diversos puntos de la ciudad. Las leyes de la combinatoria detrás de una actividad como ésta no son simples, ni lo son las que permiten que aparezcan miles de entradas en el buscador Google en fracciones de segundo y ordenadas de acuerdo con determinados parámetros.

Y dentro del campo de la ciencia, el análisis del comportamiento de sistemas complejos —como la meteorología o los ecosistemas o tratar la enorme cantidad de datos derivados de la secuenciación del genoma humano— también requiere de profundas herramientas matemáticas. También es complejísimo el análisis del posicionamiento de satélites en la órbita terrestre y la gestión de todos los datos que emiten. Incluso en el ámbito de la neurociencia se está intentando gestionar matemáticamente el comportamiento del cerebro para poder entender mejor su funcionamiento.

La lista de utilidades sería interminable. Pero, si hay un ejemplo paradigmático en el que toda la base sea pura matemática, éste es la criptografía. Vale la pena profundizar en ella.

¿Cómo enviarnos mensajes de forma oculta y cómo descifrar los mensajes encubiertos de los demás?

La criptografía está detrás de estas preguntas, y bien podría ser el argumento para una novela de ficción. Fue protagonista de la derrota de Hitler y del famoso teléfono rojo en la Guerra Fría. Es la rama de las matemáticas que ahora controla nuestros teléfonos móviles, las contraseñas que utilizamos en Internet y la compra que realizamos con nuestra tarjeta de crédito. También las tarjetas de la televisión de pago están encriptadas. El estudio de la criptografía nos ha permitido incluso entender los jeroglíficos mayas y egipcios. Se trata de codificar un mensaje de forma que sólo el receptor deseado sea capaz de leerlo y entenderlo.

Los primeros indicios que se tienen de un método criptográfico provienen de la India, 1.500 años a.C. Han llegado a nosotros a través del famoso *Kamasutra*. Entre las 64 artes que se recomendaban a las mujeres para satisfacer a su marido se encontraba la clave de la escritura secreta: una simple sustitución de letras permitiría a las mujeres compartir con otras los secretos de alcoba sin que se enteraran los maridos peligrosamente celosos.

En 1610 Galileo mantenía correspondencia secreta con Kepler para no ser interceptada por el Vaticano. Galileo mezclaba las letras del texto original en latín y Kepler jugaba con ellas hasta conseguir que las frases tuvieran sentido.

A principios del siglo XX se desarrollaron métodos mecánicos para encriptar los mensajes. El más conocido es la máquina Enigma, usada por los nazis en la Segunda Guerra Mundial para cifrar sus comunicaciones. El ingenio de unos cuantos matemáticos al romper su código concedió una gran ventaja al bando aliado.

Desde entonces, las matemáticas se transformaron en la herramienta más potente de la criptografía y comenzó una carrera para hallar el teorema del secreto perfecto de Claude E. Shanon, una forma de encriptar que nadie sería capaz de descifrar. Las matemáticas aseguran que esto es posible, pero la actual capacidad de cálculo de los ordenadores no permite llevarlo a la práctica. Ello se debe a que las matemáticas no siempre pueden aplicarse al mundo real. Véase, por ejemplo, el curioso caso del teorema de los cuatro colores.

Imaginemos que cruzamos una frontera entre dos países: ¿cambia de color la tierra tal y como aparece en los mapas? Y cuando vemos la Tierra desde el espacio, ¿tienen colores diferentes los países? Obviamente, no. Pero en nuestros mapas pintamos los países, las regiones y las provincias con colores diferentes para favorecer la comprensión geográfica o política.

En 1852 Francis Guthrie intentaba colorear el mapa de los condados de Inglaterra y comprobó con asombro que sólo le hacían falta cuatro colores para conseguir que ningún condado tuviera el mismo color que otro colindante. Como matemático, intuyó la existencia de alguna propiedad fundamental que explicara este hecho: con tres colores, no era suficiente, pero a partir de cuatro colores no existía ninguna dificultad y todas las regiones quedaban perfectamente identificadas y diferenciadas de sus vecinos. Y no sólo sucedía en el mapa de los condados de Inglaterra: ocurría lo mismo con cualquier mapa existente e incluso con cualquiera que pudiera imaginar. Desde entonces varios matemáticos han dedicado su esfuerzo a encontrar una demostración al conocido «teorema de los cuatro colores».

A finales del siglo XIX se demostró matemáticamente que cinco colores eran suficientes pero en la práctica cuatro seguía siendo el número mínimo. Nadie fue capaz de explicarlo hasta que se empezaron a utilizar ordenadores. De hecho «el teorema de los cuatro colores» fue el primer teorema importante que pudo demostrarse con el uso de la informática. Sin embargo, la demostración no fue satisfactoria para muchos matemáticos: una persona no podía reproducir esos cálculos, había que tener fe en el programa y en el ordenador y, sobre todo, no era una demostración elegante.

Una buena demostración matemática debe ser como un poema. La del «teorema de los cuatro colores» parecía más bien un listín telefónico.

Capítulo XIV

Cerebro y lenguaje

¿Ha pensado alguna vez en el misterio del lenguaje? Desde el punto de vista físico, no es más que una sucesión de ondas sonoras emitidas por el órgano fonador de un individuo; esas ondas llegan al oído de otra persona que comprende esos sonidos. Para que ese proceso se produzca, es necesario un cerebro muy complejo y, por eso, cuando hablamos del origen del lenguaje, estamos hablando del origen del cerebro.

UN CEREBRO EXTRAÑO PARA UN ANIMAL EXTRAÑO

«Yo digo que el tamaño del cerebro humano es mucho más grande de lo que se podía esperar de un animal del tamaño del hombre». Ésta fue la primera revelación de Harry J. Jerison en *Redes*. Harry J. Jerison es profesor emérito del Departamento de Psiquiatría y Ciencias del Comportamiento en la Escuela de Medicina de la Universidad de Los Ángeles (UCLA) y asesor del Centro de Evolución y Paleontología del Museo de Historia Natural de esa ciudad.

Admitamos que el cerebro humano es más grande de lo que cabría esperar, pero, entonces, la cuestión es ¿por qué? Algunos científicos ofrecen explicaciones complejas; por ejemplo, una teoría sugiere que entre la cantidad de esperma que genera un varón y el nivel de testosterona de ese mismo varón se puede establecer una relación inversa. Es decir, a más esperma, menos nivel de testosterona. Y da la casualidad de que un bajo nivel de testosterona propicia un desarrollo más lento del feto y del futuro bebé. Así pues, el bebé tardará más tiempo en conseguir un cerebro plenamente desarrollado. ¿Fue esto lo que ocurrió? ¿Ese crecimiento lento del cerebro propició el extraordinario tamaño en el ser humano?

Según Harry J. Jerison, el tamaño del cerebro no está relacionado ni con el sexo ni con la testosterona. «Probablemente está relacionado, en parte, con el hecho de que somos primates y, en parte, con el hecho de que somos unos primates que vivimos de una forma muy extraña. Es decir, nuestros modelos de crecimiento dependen, primero, de que somos primates y, en segundo lugar, de nuestro modo de vida poco usual».

Antes de examinar esos modos de vida inusuales del hombre, convendría preguntarse por qué los primates tienen el cerebro más grande que otros mamíferos. Pero nadie puede responder a eso, según el profesor Jerison. Hace cincuenta millones de años, los primates ya tenían el cerebro más grande que el resto. Siempre han sido los mamíferos con el cerebro más grande; y ha sido así durante todo el tiempo en que estamos seguros de que esos animales en particular eran primates. «Establecemos el límite en cincuenta millones de años, pero podríamos establecerlo en cincuenta y cinco millones de años. Si lo fijáramos en sesenta millones de años... es posible que hubiera un debate sobre el tema». Lo cierto es que los primates siempre han tenido cerebros grandes. Y para que un animal con el cerebro grande pueda utilizarlo a pleno rendimiento, debe pasar cierto tiempo que permita que el cerebro se desarrolle. Y si ese animal tiene el cerebro tan grande como un humano, se necesita mucho tiempo para crecer: cuando nacemos, el tamaño del cerebro es sólo un tercio del que tenemos cuando somos adultos.

Desde la perspectiva humana, el cerebro crece muy rápidamente. (Desde la perspectiva animal, el crecimiento no es tan rápido: los cerebros de los animales se configuran mucho más rápidamente que el cerebro humano). «Cuando tenemos 3, 4 o 5 años, el cerebro ya tiene prácticamente el tamaño completo», nos decía el profesor Harry J. Jerison. «A esa edad, prácticamente ha triplicado el tamaño que tenía al nacer. En términos generales, cuando nacemos, el cerebro pesa unos 350 gramos y, cuando tenemos 5 años, pesa alrededor de mil gramos, un kilo aproximadamente, o incluso más».

Es decir, que todo parece concluir en torno a los 5 años. El proceso de crecimiento se establece en ese periodo de tiempo. (Atención, madres y padres: ese periodo es crucial). «En realidad», nos decía el profesor Jerison, *casi* todo está hecho».

La cuestión del crecimiento del cerebro humano es compleja, intrigante y verdaderamente extraña: «Para completar el desarrollo del cerebro, no pueden sobrevivir todas las neuronas. Cuando nace un ser humano, su cerebro tiene potencial para generar muchas más neuronas en el cerebro que las que se tienen a los 5 años. Cuando se llega a esa edad, muchas de las neuronas han tenido que morir: eso es imprescindible para poder tener un cerebro con un funcionamiento normal. Es un fenómeno muy peculiar, pero seguramente está relacionado con el hecho de que las neuronas deben tener espacio, técnicamente hablando, para que la arborización o ramificación axodendrítica tenga cabida y pueda extenderse. Por tanto, algunas células tienen que morir para que el cerebro se desarrolle de forma normal».

Harry Jerison es conocido en la comunidad científica, entre otras muchas cosas, por haber puesto de relieve el tamaño *anormal* del cerebro humano. Un animal del tamaño de un hombre no tendría por qué tener un cerebro tan grande. «Un lobo es un animal de nuestro tamaño, y pesa unos sesenta o setenta kilos. Nosotros pesamos también de sesenta a setenta kilos. El tamaño del cerebro de un lobo pesa unos 150 gramos; nuestro cerebro pesa unas diez veces más. Y, además, el nuestro es diez veces mayor».

Este análisis comparativo respecto a la normalidad natural se establece conforme a lo que Jerison llama «cociente de encefalización»; es decir, la relación del tamaño del cerebro de los animales en comparación con su cerebro. En definitiva, los animales de nuestro tamaño tienen un cociente de encefalización sustancialmente menor que el nuestro, que salta todos los registros.

El cociente de encefalización indica simplemente lo grande o lo pequeño que es comparado con lo normal. Y se podría decir que esas cifras hacen referencia a la media, a lo que se espera de un animal de ese tamaño.

El cerebro del elefante, el mamífero terrestre de mayores proporciones, cuadriplica en volumen al cerebro humano, pero no por ello es más inteligente. Para establecer una relación entre cerebro e inteligencia es preciso, por tanto, tener en cuenta el tamaño corporal. Proporcionalmente, los humanos son los animales que se desvían más de la media; es decir, tienen los cerebros más grandes en relación con su tamaño. Sería lógico pensar que los segundos en esta clasificación deberían ser los primates; sin embargo, no es así. Los delfines y sus parientes biológicos tienen mayor tamaño cerebral que los primates.

La evolución de todos los mamíferos superiores se ha caracterizado por un aumento del volumen de los hemisferios cerebrales y de la corteza cerebral, la capa superficial de materia gris que contiene columnas de cuerpos neuronales altamente organizadas; el córtex cerebral se dispone en pliegues prominentes formando circunvoluciones.

Desde los homínidos más primitivos, los *Australopithecus*, hasta los actuales *Homo sapiens*, no sólo ha aumentado la capacidad craneal hasta triplicar la del resto de primates, sino que se ha desarrollado extraordinariamente la corteza. Si pudiéramos extender la corteza cerebral, su área cubriría aproximadamente cuatro folios; la de un chimpancé, sólo uno; la corteza de un mono no ocuparía más superficie que la de una tarjeta postal, y el córtex de una rata no iría más allá de un sello de correos.

El córtex cerebral es un elemento decisivo en la capacidad intelectiva humana. El 80 por ciento de esta corteza corresponde a zonas de asociación entre informaciones sensoriales y respuestas motoras, y las zonas localizadas en el área prefrontal están implicadas en la generación de la memoria, el reconocimiento y la concentración intelectual.

El enorme desarrollo del córtex ha propiciado la generación de conductas complejas que no pasan por el sistema límbico, centro regulador de los sentimientos. Por tanto, en principio, el córtex posibilita la elaboración de respuestas sin implicaciones emocionales: son las respuestas racionales, característica fundamental de la inteligencia humana. (Las respuestas y las conductas racionales y lógicas, tal y como hemos comprobado en otros capítulos, son sólo una hipótesis; en general, todas nuestras decisiones parecen establecerse conforme al complejo sistema cerebral y, por tanto, también se ven afectadas por el sistema límbico y los procesos emocionales).

EL REPTIL QUE NECESITABA OTROS SENTIDOS

El proceso evolutivo es también extraño y aparentemente confuso. ¿Cómo es posible que el cerebro de los reptiles creciera hasta el tamaño que conocemos hoy en el hombre? ¿Por qué necesitaron los reptiles un cerebro mayor? ¿Los primeros mamíferos necesitaban un cerebro más grande?

Los primeros mamíferos aparecieron hace poco más de doscientos millones de años. Pero doscientos millones de años es mucho tiempo. La cuestión es: ¿por qué apareció un grupo nuevo de animales? Y la respuesta es la siguiente: porque en el medio ambiente existía un lugar para ellos. En el mundo de los animales que vivían hace doscientos millones de años existía una especie de franja vacía en la que podía encajar una clase de reptiles, que podían crecer y adaptarse a ese espacio, y, según el profesor Harry J. Jerison, ése es el secreto del cerebro grande: la ocupación de un nicho ecológico concreto.

Sin embargo, los reptiles tenían un sistema de visión excelente (ésa es una de las características de los reptiles), de modo que resulta raro que precisaran un cerebro de un tamaño superior. La respuesta está en el cambio de hábitat. Todos los expertos, nos decía el profesor Jerison, están de acuerdo en que los reptiles tienen una visión aguda y una buena percepción del color, mejor que la de muchos otros animales. Sus retinas tienen una gran riqueza de células nerviosas y, en general, sus ojos son una herramienta maravillosa. Pero ¿qué sucedería si tuvieran que vivir en la oscuridad? ¿Qué sucedería si se vieran obligados a utilizar otros sentidos? Ahí está la respuesta al proceso evolutivo entre los reptiles y los mamíferos.

Hubo un periodo en el proceso de evolución en el que una parte de los reptiles cambió sustancialmente. Aún persiste el debate científico, pero la mayoría de los expertos sugieren que aquella variación en ciertos reptiles no evitaría que hoy los consideráramos como tales: si se pudieran examinar, la comunidad científica los catalogaría como reptiles. Y, sin embargo... ya no lo eran del todo. El profesor Jerison llama a esos animales «reptiles-como-mamíferos». Estos extraños animales eran nocturnos, o al menos estaban activos principalmente en la fase crepuscular, cuando el sol se ha puesto y no hay mucha luz. «Eran reptiles y tenían una vista excelente, pero no la necesitaban».

Como nos enseñó Darwin, en algunos casos, cuando no se necesita un sentido, éste se deteriora. El profesor Jerison supone que ese sensacional sentido de la vista continuó existiendo en esos «reptiles-como-mamíferos», pero éstos se vieron obligados a desarrollar otros sentidos que les permitieran hacer en la oscuridad lo mismo que permite la visión con la luz diurna.

La vista nos proporciona una especie de mapa rápido del mundo: ¿dónde está el alimento? ¿Dónde está la roca? ¿Qué hay aquí? ¿Es peligroso? ¿Es seguro? ¿Es algo de lo que debo huir? ¿Es algo a lo que se tiene que acudir? Pues bien, aquellos animales necesitaban el mismo tipo de información, pero procedente de otros sentidos. Para conseguir esa información, probablemente utilizaron el olfato y el oído.

Sabemos que el oído fue determinante porque contamos con modelos evolutivos muy representativos, como los murciélagos, que utilizan la ecolocalización en lugar de la vista.

No necesitan ver: emiten unas señales de sónar y reciben el eco, y se sabe que pueden construir el mundo con tanto detalle como nosotros lo hacemos a través de la vista.

Así pues, en esta trayectoria que marca el profesor Jerison, hace doscientos millones de años o más los «reptiles-como-mamíferos» hicieron la transición a mamíferos. Desarrollaron el sentido de la vista de los reptiles y, además, desarrollaron un sentido olfativo y auditivo. Sabemos que ese sistema olfativo era muy eficiente y que su sistema auditivo era excelente. (Los restos fósiles demuestran que los pequeños huesos del oído permitían un finísimo oído). Y se tienen pruebas para conocer cómo cambió la forma del cráneo: los huesos que eran parte de la mandíbula en los reptiles se convirtieron en los huesecillos del oído.

Así pues, la evolución favoreció una estructura craneal distinta y una ampliación de los usos sensoriales. Pero esas modificaciones no parecen explicar completamente el desarrollo anormal del cerebro humano. Para el profesor Jerison, este desarrollo se basa en los mismos presupuestos que hicieron evolucionar a los «reptiles-como-mamíferos» hacia los mamíferos. «Se trata de buscar información: los "reptiles-como-mamíferos» evolucionaron sus sentidos porque precisaban información, y los homínidos también necesitaban más información. En realidad, a lo largo de la evolución de nuestros antepasados y en todos los linajes de homínidos, desde el *Australopithecus* en adelante, hemos necesitado una información que nos proporcionara una imagen mejor del mundo que nos rodea. Hemos necesitado un mapa mejor del mundo y, en particular, un mapa de tal tamaño que pudiera contener unos cuantos kilómetros cuadrados, en lugar de unos pocos metros cuadrados. En esta necesidad se basa el agrandamiento del cerebro humano. Esto ocurrió cuando el cerebro tenía el tamaño de un chimpancé, o quizás un poco más grande. En esa necesidad de conocer más y mejor el mundo, el papel de la evolución del lenguaje fue esencial».

El lenguaje nos permite trazar una imagen del mundo más amplia, más precisa, más adecuada a nuestros intereses.

Por eso el profesor Jerison atribuye al lenguaje la principal causa del crecimiento cerebral.

Ahora bien, aunque valoremos positivamente este crecimiento sorprendente del cerebro humano, ello también podría acarrear algunas desventajas. Por ejemplo, algunos científicos aseguran que el tamaño de nuestro cerebro también es la causa de algunas disfunciones características de los hombres, como la depresión, la esquizofrenia y otras patologías. Es como si ese exceso de cerebro no fuera... *natural*, y por esta razón se produjeran estos desórdenes mentales típicamente humanos.

«Desgraciadamente, cuando se conoce mejor el mundo, también se conoce mejor a uno mismo; y cuando uno se conoce a sí mismo, es posible que no se guste mucho», nos dijo el profesor Jerison. «Por tanto, la tesis según la cual la esquizofrenia, la depresión o los desórdenes bipolares tienen su razón de ser en el tamaño del cerebro habría que matizarla, porque podría estar fundada en el conocimiento de uno mismo que he citado. Es muy complejo. Por ejemplo, saber que vamos a morir o conocer la existencia de la muerte es un gran impulso en la vida humana. No creo que exista ningún otro animal que conozca la existencia de la muerte. Y éste es el motivo por el que tenemos un cerebro grande. Éste nos proporciona el conocimiento, pero también el conocimiento para poder mantener esta conversación».

HABLANDO A GRITOS

Hace varios millones de años y durante un periodo indeterminado, el hombre primitivo pasó de proferir gritos o interjecciones a la comunicación verbal. El lenguaje y la comunicación sirvieron para poder sobrevivir como especie. El habla es una particularidad específica del hombre que lo distingue de los animales superiores, con quienes comparte los cinco sentidos.

La anatomía de nuestras vías aéreas superiores es distinta del resto de mamíferos. Especialmente, es peculiar la posición baja de la laringe en el cuello. En los mamíferos, excepto en el hombre adulto, la posición elevada de la laringe permite conectar ésta con la cavidad nasal durante la ingestión de líquidos, de tal manera que éstos pasan de la boca al tubo digestivo sin interrumpir la respiración. Y, curiosamente, ocurre lo mismo en nuestros bebés, que tienen la posibilidad de respirar al tiempo que amamantan. Pero, a partir de los 2 años, no somos capaces de respirar mientras bebemos.

Entre la orofaringe y la laringe se encuentra el espacio supralaríngeo, que es una vía común al tubo respiratorio y al tubo digestivo. Este espacio es el que favorece la función de producir una amplia gama de sonidos en los que se basa nuestro lenguaje.

En términos de selección natural, esta especialización que comporta la facultad de hablar compensa con creces tanto la pérdida de la capacidad de beber y respirar al mismo tiempo como el riesgo de atragantarse.

A pesar de las numerosas investigaciones que se han llevado a cabo, no se sabe con certeza cómo y cuándo nació el lenguaje. La laringe, formada por cartílagos y sostenida por músculos, no fosiliza y, por tanto, hay precisiones anatómicas difíciles de identificar. Por fortuna, otras estructuras óseas relacionadas con la laringe, como la base del cráneo y el hueso ioides, sí aparecen en los registros fósiles, y de su estudio se pueden deducir algunas claves.

En 1992 se descubrió en la Sima de los Huesos de Atapuerca el llamado «Cráneo número 5», perteneciente a un preneandertal de hace trescientos mil años; el cráneo aportó nuevas pruebas anatómicas respecto al aparato fonador. Este hallazgo supuso la evidencia fósil de que hubo eslabones intermedios en la evolución del aparato fonador entre los simios primitivos y los humanos.

Los *homos* de la Sima de los Huesos hablaban, aunque los sonidos que podían articular diferían del lenguaje actual. Concretamente, carecían de las vocales «i», «u» y «a». Aún no estaban dotados para pronunciarlas con precisión y velocidad.

Para hablar, no basta emitir sonidos. Hace falta saber comunicarse y utilizar las capacidades mentales implicadas en el lenguaje. Cabe suponer que fueron esas capacidades las que hicieron rentable la extraña posición de nuestra laringe.

¿QUIÉN ESTÁ HABLANDO AHÍ?

Para profundizar en las propiedades del lenguaje y su influencia en el cerebro y en nuestro mundo, *Redes* mantuvo una interesantísima conversación con dos autoridades mundiales en la investigación del origen del lenguaje: el doctor Phillip V. Tobias es profesor emérito en la Witwatersrand University de Johannesburgo (Sudáfrica) y Ralph L. Holloway es neuropaleontólogo y profesor del Departamento de Antropología de la Universidad de Columbia en Nueva York.

El punto clave de las investigaciones en torno al origen del lenguaje parece estar en torno a los neandertales hace ochocientos mil años. ¿Podían hablar los neandertales? «Estoy seguro de que podían hablar», nos dijo el profesor Tobias. «Tenían una cultura muy desarrollada y probablemente necesitaban el habla para comunicarse. Su anatomía craneal era un poco distinta de la nuestra, pero constituyeron una cultura magnífica».

El profesor Tobias lamenta que actualmente se utilice la expresión «Te comportas como un neandertal» cuando se desea reconvenir a una persona tosca o bruta.

El profesor Holloway reconoce que es difícil saber si los neandertales tenían la misma capacidad lingüística que los cromañones. «Es posible que nunca podamos llegar a contestar esa pregunta, a no ser que nos introduzcamos en una máquina del tiempo».

La relación de los neandertales con el lenguaje parece vinculada a la disposición de la base del cráneo, el descenso de la laringe y su longitud. Pero no sabemos hasta qué punto utilizaba el lenguaje y cómo. «Hay un chiste que representa a un homínido que está esculpiendo una roca con un cincel.

La roca es enorme y, finalmente, el homínido acaba esculpiendo un piano. Cuando tiene el piano, se acerca a él y golpea las teclas con la cabeza. El homínido era un neandertal. Bueno... ésa podría haber sido la relación de ese grupo humano con el lenguaje. Quizá sea un poco cierto...», nos explicaba el profesor Holloway.

La disposición fisiológica de la laringe es decisiva en la capacidad humana para emitir sonidos, y la evolución de esa parte del cuerpo puede apreciarse incluso hoy, como se ha advertido más arriba: los bebés muy pequeños tienen la laringe en una posición más elevada, de manera que pueden respirar y mamar al mismo tiempo. (Esto es algo que usted, querido lector, no podría hacer). A medida que el bebé crece, la posición de la laringe desciende y ello provoca una cavidad adecuada para la resonancia... En esos primeros meses de vida, se producen cambios estructurales faciales y bucales destinados a propiciar la aparición del habla.

Eso sucede así, pero el profesor Phillip Tobias nos decía que, en realidad, los seres humanos hablamos con el cerebro. En el idioma español o castellano decimos que alguien tiene «la lengua muy larga», que tiene «lengua viperina», que uno se debería «morder la lengua», etcétera. Todas esas expresiones se refieren al hecho de hablar. Pero también decimos que «por la boca muere el pez» o que «en boca cerrada no entran moscas». Además, decimos que una persona ha «sellado sus labios» o que alguien «se muerde los labios» cuando no quiere hablar. Es decir, aludimos al habla como una facultad en la que intervienen lengua, boca y labios, por ejemplo. Pero, en realidad, el habla constituye una facultad en la que entran en juego muchos elementos fisiológicos, desde el aparato fonador propiamente dicho (la laringe), hasta la cavidad bucal, el paladar, los dientes, la lengua, el alveolo, la nariz, los músculos faciales, los labios, etcétera. De hecho, todos esos elementos fisiológicos se mueven porque hay un centro neurálgico que los controla: el cerebro. Así que se puede afirmar que verdaderamente se habla con el cerebro.

Bien... pero hablamos con el cerebro si éste es lo suficientemente grande. ¿O no?

Ralph Holloway cree que no hay una relación probada entre el tamaño del cerebro y la capacidad para hablar. «Yo creo que lo fundamental para el habla es la organización del córtex cerebral y algunas partes del subcórtex del cerebro. Y una de las razones por las que pienso esto se remonta a los estudios que llevé a cabo cuando acabé la carrera: en aquella época investigué una enfermedad conocida como microcefalia y aquello me impresionó mucho. La microcefalia es una enfermedad que, básicamente, consiste en ciertas disfunciones anatómicas que producen un crecimiento anormal y pequeño de la cabeza. Es una enfermedad en la que la cara y el resto del cuerpo crecen con normalidad, pero el cerebro, de repente, deja de crecer. El resultado es que la persona que sufre esta enfermedad tiene un cerebro muy pequeño. Algunas de las personas microcefálicas han llegado a tener cerebros más pequeños que los monos. Un gorila grande tiene un cerebro mayor o similar. El hecho decisivo para lo que estamos tratando es que, a pesar de tener un cerebro pequeño, algunos de estos microcefálicos son capaces de hablar y aprender una lengua. Hablan y se hacen comprender. Naturalmente, sufren un retraso mental muy profundo, pero aun así, son capaces de hablar».

Los profesores de antropología solían explicarles a sus alumnos una teoría que se llamaba «el Rubicón cerebral» y, naturalmente, hablaba de fronteras y límites: se decía que la facultad del habla precisaba al menos 750 centímetros cúbicos de materia cerebral. Si no se poseía esa cantidad de materia cerebral, no existía posibilidad de hablar y, en general, el sujeto no llegaba a ser considerado un ser humano.

Si embargo, Ralph Holloway se vio sorprendido ante la evidencia de que la teoría del Rubicón cerebral era incorrecta: «Mis estudios demostraban fehacientemente que la Naturaleza podía concebir o procesar un cerebro que fuera capaz de hablar sin necesidad de cumplir los presuntos requisitos de tamaño».

Por supuesto, no se puede considerar a los microcefálicos como una especie de estado intermedio propio de las pri-

meras fases de evolución del hombre. En absoluto. Es tan sólo una prueba de que el cerebro puede estar suficientemente
organizado como para tener la capacidad de hablar aun sin
tener el tamaño adecuado.

Entonces, si no se trata del habla... quizá la verdadera diferencia se halle en la escritura. Los científicos que han estudiado la evolución del cerebro humano se han detenido
durante cuarenta o cincuenta años en la investigación de la
aparición del habla y, sin embargo, apenas le han dedicado
atención a la aparición del sistema codificado del habla. Las
investigaciones arqueológicas demuestran un estado previo
de preescritura, una suerte de representaciones gráficas que
pueden observarse en las cuevas de Francia o España, por
ejemplo. Hay miles de cuevas con pinturas de este tipo, y así
surgió la escritura, gradualmente, como una especie de jeroglíficos, como rasgos pictóricos que se fueron estilizando paulatinamente. Desde luego, nacieron como representaciones
simbólicas que resultaban comprensibles para una comunidad concreta. La escritura propiamente dicha apareció seguramente por vez primera en China; después, surge en Orien-
te Próximo, y luego en el Nuevo Mundo. También aparece
en la actual Sudáfrica, con los antiguos hotentotes y bosqui-
manos, que realizaban grabados estilizados muy semejantes a
los pictogramas egipcios. Según los investigadores, la escritura parece un recurso propio de la especie humana.

Así pues, si hay algo que nos diferencie del resto de las
especies, eso es la escritura...

Según el profesor Holloway, lo asombroso de la lengua,
de la escritura y de otras manifestaciones humanas es que parecen someterse a patrones altamente estandarizados. ¿Qué
significa esto? Significa que todas esas actividades y otras fueron posibles gracias a la comunicación y el conocimiento: «A
mí me gusta considerar el lenguaje como una actividad cognitiva del cerebro que comparte ciertas propiedades con otros
aspectos cognitivos. Por ejemplo, resulta extraordinario que
las herramientas de piedra respondan a patrones altamente
estandarizados. Dichos patrones no pueden justificarse por

ningún tipo de mecanismo genético. Todas las arañas construyen sus telas y podemos incluso catalogar a las distintas especies de arañas de acuerdo con la estructura de sus telas; las hacen de un determinado modo porque es el resultado de un desarrollo genético. Esto no ocurre con las puntas de flecha y otras herramientas de piedra. Estas herramientas muestran patrones extraordinarios y es muy difícil imaginar cómo pudieron fabricarse sin un alto grado de cohesión social. Es decir: es muy difícil explicarse la fabricación de esas herramientas sin pensar que unos individuos comunicaban sus conocimientos a otros».

De aquí se deduce un altísimo nivel de «control social». Esta expresión no remite a ninguna actividad política o grupal, sino a la capacidad de un grupo para compartir experiencias y permitir la fabricación de herramientas conforme a patrones aprendidos.

En esa época, además, el cerebro comparte las simetrías: empieza a mostrar las simetrías de los hemisferios cerebrales que favorecen el tipo de operación en sentido izquierda-derecha, y esto propicia la habilidad de la mano derecha, según Holloway. Los trabajos arqueológicos han reconstruido los procesos de fabricación de las herramientas líticas y parece bastante evidente que la mayoría de los fabricantes utilizaban la mano derecha para golpear la piedra y desprender las lascas.

En definitiva, según el doctor Ralph Holloway, el cerebro no opera fragmentariamente, sino abordando competencias diversas que interactúan; y, en buena medida, fue la actividad social del hombre primitivo la que impulsó la comunicación hablada y escrita tanto como otras actividades que precisaban actuación cognitiva; por ejemplo, la fabricación de armas líticas.

EL SISTEMA PRODIGIOSO

Era hasta cierto punto previsible que los especialistas nos dijeran que la lengua, la escritura y otras actividades humanas son productos de la cognición. Sin embargo, algunos psico-lingüistas, como Steven Pinker, afirman que la capacidad humana para el lenguaje es genética. Según esta teoría, nuestra forma de ordenar las palabras (la sintaxis) es una propiedad que viene condicionada genéticamente. Desde luego, es sorprendente que los niños puedan aprender tan rápidamente una lengua y, de esta asombrosa capacidad, podría deducirse una predisposición genética para el lenguaje. ¿Cómo explicar que un niño de 4 años pueda dominar una estructura tan compleja como el lenguaje? ¿Este dominio podría darse sin algún tipo de herencia genética o es un lento proceso de adquisición que los niños aprenden simplemente del entorno?

La respuesta de Holloway sugiere la necesidad de pensar en una combinación de genética y aprendizaje. «La influencia del entorno afecta realmente a la estructura del cerebro. Esto es: todos los seres humanos aprenderán a hablar si nacen en una cultura en la que existe un lenguaje, y lo aprenderán aproximadamente en el mismo periodo de tiempo, y lo aprenderán más o menos bastante bien. Por lo tanto, parece probable un componente genético».

«Estoy convencido de que tiene que haber una base genética», nos decía el doctor Phillip Tobias. «Me refiero a que existe una base genética en la capacidad de hablar, no en las lenguas o en lo que se dice, por supuesto. Es el hecho de poder hablar lo que tiene una base genética, el hecho de que la gente adquiera la habilidad para usar dicha capacidad muy poco después del nacimiento. Puede haber diferencias entre unos grupos humanos y otros, y seguramente también las hubo en el pasado, pero parece claro que el cerebro hereda ciertas capacidades. Algunas veces, la herencia es muy específica, por ejemplo, en la familia Bach. La musicalidad pudo haber sido un factor particular en su configuración genética... aunque siempre hay que tener en cuenta que los niños de esa familia oían música constantemente, desde que eran muy pequeños».

Resulta muy difícil separar las capacidades genéticas de la realización de las capacidades genéticas debidas a un entorno concreto. Hay capacidades genéticas que no se activan si no existe un entorno concreto que favorece la aparición y ejecución de esas capacidades. Como decía Robert Sapolsky, *los genes determinan ciertas cosas en entornos concretos.* La herencia genética musical, por ejemplo, se da en determinadas familias, aunque no se puede determinar si el resultado será un genio de la música clásica o un fanático del rock and roll. También parece bastante probable que se transmitan genéticamente ciertas capacidades matemáticas. Y, así mismo, también es probable que exista una predisposición genética a la genialidad y la esquizofrenia.

En todo caso, aunque los genes de la familia Bach hayan llegado a una aldea de Somalia, será improbable que en los años venideros conozcamos a un genio musical de esa parte del mundo. La herencia genética es una potencialidad, según Sapolsky, y puede alentarse con el entorno (música o matemáticas) o puede dormirse con la medicina (enfermedades y disfunciones).

El lenguaje, según los especialistas, es una potencia genética que se favorece casi inmediatamente después del nacimiento. ¿Y qué influencia tiene en nuestra inteligencia? ¿Es nuestra inteligencia la que nos permite adquirir el lenguaje o es el lenguaje el que nos hace inteligentes? Probablemente se trata de una interacción: la organización genética tal vez provee los instrumentos para el lenguaje y, a su vez, el ejercicio del lenguaje modifica nuestro cerebro de tal modo que favorezca la inteligencia...

El profesor Phillip Tobias nos dijo que muy probablemente «el lenguaje fue muy valioso para la mejora en la eficacia del comportamiento y la interacción social. El lenguaje hizo posible la interacción social y favoreció un comportamiento inteligente. Cuando hablamos del lenguaje, nos referimos a ciertas propiedades que son extraordinarias y fantásticas. Por un lado, el lenguaje se basa en un código arbitrario: no hay relación necesaria entre los sonidos y los hechos que designo».

La sucesión de los sonidos /m/, /e/, /s/ y /a/ no son nada. Es una convención que los castellanohablantes hemos incorporado a nuestro sistema mental para coincidir en que esa sucesión de sonidos designe un objeto que habitualmente tiene cuatro patas, que suele tener una altura aproximada de un metro y que utilizamos para poner los platos a la hora de comer, para trabajar o para realizar otras funciones... Por otra parte, las letras *m*, *e*, *s* y *a*, que utilizamos para representar gráficamente los sonidos citados, tampoco significan nada. También son arbitrarios y convencionales. Son representaciones, signos y códigos que remiten a objetos con los que no guardan ninguna relación. Este salto conceptual es decisivo y responde a una capacidad de abstracción maravillosa.

Esta capacidad es probablemente una de las sorpresas del cerebro humano: se trata de su habilidad para imaginar y asociar conceptos que no tienen aparente relación.

Este prodigio llamado lenguaje sirve a los seres humanos para comunicarse... en teoría.

En castellano hay un refrán que sugiere que «Hablando se entiende la gente», pero la experiencia real es que la experiencia comunicativa humana sólo se resuelve en confusión. ¿A qué se debe esta incapacidad para precisar conceptos e ideas con el lenguaje? ¿Es una deficiencia del sistema o se trata más bien de las distorsiones imaginativas de los individuos que se comunican?

«Si observamos la moderna comunicación humana, ésta se distingue de la comunicación animal en algunas diferencias fundamentales, y una de ellas es el sentido de "futuridad". El resto de los animales, aunque tengan algún sistema precario de comunicación, nunca van más allá de su presente: la satisfacción inmediata de sus necesidades biológicas, el hambre, el sexo, el peligro, la fatiga, el sueño...».

Los seres humanos siempre están planeando... siempre tienen proyectos para el próximo milenio. En el hombre, todo son predicciones, pronósticos, expectativas... Incluso cuando hablan del pasado, siempre están pensando en el futuro.

Y, además, hay otra característica propia de la comunicación humana: el elemento subjetivo. La subjetividad es muy importante: «¡Si supiera hacer esto...!», «¡No sería maravilloso si...!». Cálculos, posibilidades, condiciones, hipótesis, problemas... Son ideas que se generan en nuestro cerebro y que expresamos con nuestro lenguaje e indican realmente cómo somos: elucubradores, imaginativos, meditativos, predictivos, etcétera.

Por otro lado, el lenguaje se ha establecido conforme a un sistema muy eficaz de combinaciones y permutaciones. No más de treinta sonidos permiten una enorme variedad de grupos fónicos. Y no más de treinta signos designan esos sonidos, con sus propias combinaciones identificativas. Al tiempo, los grupos fónicos o palabras se combinan casi hasta el infinito de acuerdo con las leyes de la gramática. Y, además, para redondear la eficacia de la comunicación, la entonación y la gestualidad apoyan lo que se desea comunicar. En fin, se trata de un sistema combinatorio asombroso.

Y lo tiene usted integrado en su cerebro. Si esta última palabra hubiese sido «celebro», usted se habría enojado. ¡No es «celebro», sino «cerebro»!

El profesor Tobias sugería que algunos especialistas —como Noam Chomsky— han ido demasiado lejos en su evaluación de la sintaxis o la gramática como bases primordiales del lenguaje. Sin embargo, hay que admitir que el sistema sintáctico y gramatical es una proeza que verdaderamente ha afectado al comportamiento humano. «Puede que los gritos de un chimpancé tengan significado; puede que indiquen peligro o amenaza, amistad, sexo, amor o miedo, pero los chimpancés no pueden comunicar el futuro ni el subjuntivo ni el condicional ni tantas otras cosas. Por eso creo que las variaciones en el comportamiento del hombre moderno tienen su base en el lenguaje. En este sentido, es fundamental».

Probablemente el hombre utilizó las primeras palabras para referirse al sexo, la seguridad, el alimento, el peligro y otras circunstancias inmediatas y necesidades biológicas. Pero su cerebro o la predisposición genética le permitieron comenzar a configurar un sistema que se iba complicando progresivamente... hasta nuestros días.

Mire lo que tiene en las manos. ¿Comprende lo asombroso de este objeto? Son cientos de miles de pequeños garabatos dispuestos conforme a un sistema complejísimo de permutación y combinación gráfica, ortográfica y sintáctica. Usted y yo, sin conocernos, sin habernos visto nunca, coincidimos en utilizar ese sistema... uno de los cientos posibles que funcionan en nuestro planeta. Nos comunicamos. Ahora bien, ¿nos entendemos?

INTELIGENCIA Y SONRISAS

Nos encanta creer que somos «la cúspide de la Creación», como se decía antaño. Somos *los únicos* que podemos hablar, *los únicos* que tenemos emociones, *los únicos*... *los únicos*... En realidad, tal vez los hombres somos los únicos que somos hombres.

Allá, en las profundidades del mar, un ser hermoso y brillante nos mira y... parece sonreír.

El delfín es el mamífero que rivaliza con el hombre en la escala de capacidad craneal. Tiene una gran corteza cerebral y un comportamiento complejo, comparable al humano. Posee memoria y es capaz de resolver situaciones inesperadas. Siente y expresa emociones, e incluso mantiene una sexualidad abocada al placer, no sólo a la reproducción, que incluye la homosexualidad. Adora las caricias porque su sentido del tacto está muy desarrollado. Los delfines, en grupos, saltan para expresar su alegría. Sin embargo, en cautividad, no saben saltar para huir.

Cuando estos mamíferos tuvieron que adaptarse al mar, hace unos veinticinco millones de años, experimentaron un proceso hacia un alto grado de encefalización. Tenían que sobrevivir en un mundo hostil, vasto y tenebroso. Aprendieron a nadar y a respirar fuera del agua al mismo tiempo: se ven obligados a salir a la superficie cada dos minutos. Aprendieron, por ejemplo, a dormir utilizando sólo un hemisferio, manteniendo el otro en vigilia para poder respirar.

En el agua, las ondas sonoras se transmiten con gran facilidad, así que desarrollaron un sentido ultrasónico para orientarse y detectar animales o barcos a grandes distancias.

El delfín emite señales acústicas a través de un mecanismo situado en la cabeza, debajo del orificio por donde respira. Esas señales rebotan en las masas sólidas y vuelven luego a su oído. Los delfines analizan mentalmente esas ondas y construyen mapas tridimensionales entrelazados. Se puede decir que el delfín *ve* el sonido. El cerebro humano sólo es capaz de captar veinte o treinta señales sonoras por segundo, pero el delfín puede distinguir hasta setecientas. Por esa razón, los sonidos del delfín nos parecen chasquidos.

Además de esos característicos chasquidos, los delfines también emiten silbidos con la parte profunda de la laringe. Se cree que unos y otros forman parte de un sofisticado sistema de comunicación. Los silbidos son muestra de excitación sexual y, quizás, de otras emociones. Recientemente se ha comprobado que los delfines salvajes se saludan y que utilizan un silbido particular para cada individuo... ¿Un «nombre»? Además, tras un entrenamiento adecuado, los delfines pueden llegar a comprender mensajes humanos complejos.

Algunos experimentos muestran que los delfines tienen un alto grado de conciencia: no sólo pueden reconocer a otros, sino que también pueden reconocerse a sí mismos.

En cautiverio, estos seres inteligentes también sienten estrés y tristeza, e incluso pueden morir de estrés. Aunque sea con una sonrisa.

CAPÍTULO XV

La gran amenaza: la depresión

En los últimos diez años se ha demostrado que la depresión incide y cambia la anatomía de nuestro cuerpo. Una situación de estrés repetida, incluso imaginada, cambia o puede cambiar el volumen de nuestro cerebro, del hipocampo, en más de un 10 por ciento. Y eso no ocurre por culpa de la edad: eso ocurre por culpa de la depresión, que es una enfermedad que no se caracteriza por valores relacionados con la inteligencia o la creatividad, sino con la tristeza: una profunda tristeza.

ARTISTAS DEPRIMIDOS

Al no disponer de los conocimientos científicos con los que hoy contamos, en la Antigüedad se utilizó un solo nombre para englobar ciertas dolencias físicas y mentales. Se habló, entonces, de la melancolía.

En griego, 'melancolía' significa 'bilis negra'. Y justamente ese fluido del cuerpo humano se consideraba el origen de las dolencias melancólicas. Además de creer que el exceso de bilis negra era una dolencia, los griegos también asociaron la melancolía a la excelencia, puesto que comprobaron que muchas personalidades destacadas de la política, de la guerra o del arte eran melancólicas.

Varios siglos después, al retomar las ideas de la Antigüedad clásica, el Renacimiento fortaleció la tradición griega de vincular el padecimiento melancólico a la inspiración artística.

Y ya en el siglo XIX, los románticos llevaron al extremo el prototipo del artista cuya fuente de creatividad era su propio sufrimiento y depresión.

Hoy en día, ese prototipo persiste en el imaginario colectivo, pero la ciencia está desmitificando ese ideal de más de dos mil años de antigüedad. Por otra parte, no existen estudios científicos que demuestren con contundencia la relación entre depresión y creatividad, y lo mismo puede decirse de la experiencia cotidiana de psicólogos y psiquiatras. A lo sumo, se ha sugerido que algunos aspectos de los trastornos bipolares son favorables a la creación artística, pero no se puede afirmar que ello sea significativo.

Las biografías de grandes artistas que han sufrido dolencias mentales, como Edgar Allan Poe o Virginia Woolf, son otros de los pilares sobre los que se asienta la creencia popular de que la depresión favorece la creatividad. Sin embargo, no hay datos que permitan realizar un diagnóstico concluyente, independientemente de los conocimientos que se posean a propósito de la vida de estos artistas.

Sabemos que el sentido crítico, la reflexión sobre nuestro lugar en el cosmos o cuestionar el sentido de la vida son actitudes presentes en la creatividad artística y, frecuentemente, también en la depresión. Sin embargo, éstas no son actitudes inherentes a la depresión misma y pueden manifestarse en una persona sana sin que necesariamente tenga que soportar los aspectos destructivos de la depresión.

«Creo que, en parte, hemos *romantizado* la depresión, afirmando que tiene estas fantásticas conexiones con la creatividad, la profundidad, la moral; y, en parte, lo hemos hecho porque no la controlamos demasiado bien», afirma el psiquiatra Peter Kramer. «Si realmente lográramos prevenir la depresión, si dispusiéramos de buenos tratamientos, probablemente nuestra manera de considerar la depresión cambiaría».

Peter D. Kramer es posiblemente el psiquiatra más conocido de Estados Unidos. Desde su despacho en la Brown Medical School, Kramer explicó para *Redes* la necesidad de abandonar la visión romántica de la depresión y reclamó prestar más atención a esta enfermedad.

Las preguntas que se plantean en este punto son claras: ¿es necesario el sufrimiento para ejercer la creatividad? ¿Qué habría pasado si hubiera existido el Prozac en la época de Van Gogh? ¿Habría sido Van Gogh un pintor tan bueno? ¿Edgar Allan Poe escribió sus poemas y cuentos espoleado por la depresión? ¿Ocurrió otro tanto con Marcel Proust y otros artistas?

«Los médicos, en general, y yo mismo, pensamos en la depresión como una enfermedad», contesta el profesor Kramer. «Si elimináramos la depresión, si nadie más volviera a padecerla, seguiría habiendo sufrimiento, y guerras, y otras enfermedades. No tenemos que estar deprimidos para sufrir. Creo que hay una noción romántica de la depresión que se remonta a los siglos más remotos de la historia de la escritura y del arte. Aristóteles se preguntaba por qué personas eminentes u hombres destacados en la política, en la poesía o en la guerra tendían a ser melancólicos».

Según este psiquiatra, la depresión, entendida como una enfermedad concreta caracterizada por la lentitud de pensamiento, la tristeza y la confusión mental, no parece estar específicamente asociada con la creatividad.

Para avanzar en la descripción de esta enfermedad conviene preguntarse: ¿qué es la depresión en concreto y qué es lo que imaginamos que es la depresión? El profesor Kramer suele dirigirse al público que asiste a sus conferencias diciéndoles: «Me preguntáis sobre Van Gogh. Pues bien, en la época de Van Gogh, se creía que el artista tenía epilepsia. Y probablemente tenía un tipo específico de epilepsia, epilepsia del lóbulo temporal, que hace que la gente escriba mucho, por ejemplo. Se le había visto caer al suelo y perder el conocimiento. Y probablemente se le administraron altas dosis de *Digitalis*, un tratamiento común para la epilepsia en aquel momento. Lo sabemos por los famosos cuadros del doctor Gachet, en los que aparece una planta dedalera junto a él, es decir, la *Digitalis purpurea*. Muy bien: ¿qué habría pasado si hubieran existido buenos anticonvulsivos en la época de Van Gogh?».

¿Por qué no nos hacemos esta pregunta? ¿Por qué esta pregunta ya no resulta graciosa? ¿Por qué no es tan gracioso asociar al pintor con los anticonvulsivos para la epilepsia y, sin embargo, esbozamos una sonrisa cuando imaginamos a Van Gogh atiborrándose de Prozac? El profesor Kramer cree que este modo de entender el caso de Van Gogh no tiene ninguna gracia, entre otras cosas, porque la epilepsia es dramática. La gente pierde el conocimiento, cae al suelo... claramente, algo no funciona en su cerebro. Por el contrario, la depresión se considera popularmente —y erróneamente— una dolencia menor.

«En los próximos años consideraremos la depresión de un modo distinto, porque empezamos a ver que hay anomalías cerebrales específicas en la depresión», asegura Kramer. «Y creo que cuando entendamos mejor la depresión, la veremos como la epilepsia».

Lo cierto es que si la creatividad y la depresión se han vinculado a lo largo de muchos siglos, también la epilepsia se ha vinculado a la espiritualidad y la creatividad. Dostoievski, por ejemplo, era epiléptico. Si estableciéramos esa conexión, nuestra percepción sobre la depresión sería mucho menos confusa y por fin podríamos empezar a abordar la depresión como una enfermedad. La depresión, como la epilepsia, no es un rasgo del carácter, sino una dolencia que se debería tratar médicamente. Por lo tanto, así terminaríamos con la estúpida costumbre de afrontar la depresión mediante un tratamiento privilegiado o intelectual, y empezaríamos a asumir que se trata de una enfermedad, una maldita enfermedad, como cualquier otra.

DESTRUCCIÓN Y AUTODESTRUCCIÓN

La depresión es una enfermedad como cualquier otra: ésta es la cruda realidad.

Analicemos algunas posibles causas de la depresión. Por ejemplo, el profesor Kramer habla en su libro *Contra la depresión* (Seix Barral, 2006) de la mezcla y conflicto de emociones, un aspecto en el que no se suele incidir. Estamos hablando del hecho de que los seres humanos podemos sentir a la vez amor y odio simultáneamente. Peter Kramer sugiere que este tipo de conflictos es tan fuerte y nos avergüenza tanto... que no lo podemos soportar. «Sí, menciono ese detalle porque se trata de un aspecto muy distintivo del ser humano y conforma nuestras emociones. Como seres humanos, los sentimientos de vergüenza y humillación son centrales en nuestra naturaleza».

Kramer no cree que la depresión sea específica de los humanos y se han estudiado modelos en ratones o monos que se parecen mucho a la depresión. Parece que la depresión es en un 30 o 40 por ciento genética, y el 60 por ciento restante se deriva del entorno. Por supuesto, hay grandes problemas que generan depresión, como los abusos sexuales en la infancia, o el abandono, o circunstancias familiares difíciles. Pero en ocasiones el entorno que propicia la depresión en etapas maduras es muy mecánico, por ejemplo, algo que no funcionó en el útero en su momento, cuando el feto todavía se alimentaba a través de la madre. Así que estamos enfrentándonos a un enorme puzzle compuesto de muchas piezas, y piezas muy importantes para nosotros.

A simple vista, da la impresión de que los síntomas de una depresión son fácilmente reconocibles: tristeza, insomnio, dificultad para concentrarse, pocas ganas de hacer cosas e incluso ideas suicidas. Si alguien va al médico con este cuadro clínico, lo más probable es que regrese a casa con una baja por depresión. Pero ¿dónde acaba la tristeza y empieza la depresión?

Para un médico, decidir si su paciente está deprimido o si simplemente está pasando una mala racha no es fácil. Tomando únicamente el testimonio del paciente, la interpretación se puede prestar a errores, y un tratamiento farmacológico o terapéutico correcto dependerá de la correcta apreciación del doctor.

Con las nuevas tecnologías de neuroimagen, los psiquiatras lo tienen más fácil: las últimas investigaciones demuestran que la depresión también provoca irregularidades en la anatomía del cerebro, y estas anomalías son marcadores biológicos que ayudan a los médicos en el diagnóstico. Así como una inflamación del hígado indica que el paciente tiene hepatitis, unas alteraciones en la forma del hipocampo o de la corteza prefrontal indican que se trata de un caso de depresión.

El hipocampo tiene una función clave en la regulación del estrés y el estrés está íntimamente ligado a la depresión. Una situación estresante genera la sobreproducción de unas hormonas que dañan las células cerebrales, particularmente las del hipocampo. Estas neuronas se debilitan y se aíslan, ya que pierden conectividad con otras neuronas. Un hipocampo atrofiado y desconectado no es capaz de frenar una respuesta al estrés cuando, en condiciones normales, ésta sería su función.

Pero éste no es el único desajuste en el cerebro del depresivo: la corteza prefrontal implicada en las emociones y los procesos cognitivos también se ve afectada. En esta zona del cerebro, las células gliales, que actúan como protectoras de las neuronas, disminuyen su actividad o dejan de funcionar correctamente. Como consecuencia, las células muertas a causa del estrés no se regeneran.

A un cerebro deprimido le sucede lo mismo que a una persona deprimida: se vuelve más vulnerable a los factores externos. Además, en el cerebro enfermo no se da el proceso regenerador y reparador de las células dañadas. Lo mismo sucede con las personas deprimidas: la recuperación es lenta y la probabilidad de recaída es elevada. Una situación que en condiciones normales podría superarse con facilidad puede convertirse en una catástrofe para alguien que tiene el sistema nervioso deteriorado.

Estas teorías se basan en un estudio que realizó la profesora Yvette Sheline. Analizó la depresión en mujeres muy sanas, que no tenían ningún problema salvo la depresión, y descubrió que el hipocampo de los seres humanos no se encoge con la edad, sino que parece encogerse con la depresión.

Sheline también comprobó que la reducción de tamaño del hipocampo era proporcional al número de días que una mujer había estado deprimida sin que se le proporcionara ningún tratamiento. Así pues, el número de días en los que una persona es realmente vulnerable parece ser proporcional a la pérdida de tamaño del hipocampo.

Pero no sólo debe hablarse de la incidencia de la depresión en los órganos cerebrales, en su volumen y en sus estructuras: esta enfermedad también afecta a los huesos, la sangre e incluso al sistema vascular. Los efectos parecen ser enormes y los indicadores biológicos de la enfermedad parecen estar en todas partes. Como señala el profesor Kramer, si una cultura no considerara los problemas mentales como enfermedades y no se preocupara del sufrimiento mental, debería ocuparse de la depresión en cualquier caso y se vería obligada a considerarla una enfermedad, aunque sólo fuera por los graves efectos que produce en el corazón y en los vasos sanguíneos. «Si tienes un ataque al corazón, y estás deprimido tras el infarto, ese estado se convertirá en el peor factor de riesgo para un nuevo ataque al corazón. En esa situación, la depresión es peor que la insuficiencia cardiaca congestiva».

En efecto, los datos parecen sugerir que la gente con depresión tiene hasta seis veces más posibilidades de padecer una cardiopatía que las personas que no padecen depresión. Las mujeres deprimidas tienen menos calcio en los huesos, sus glándulas hormonales sufren anomalías, el estado de las plaquetas en la sangre difiere del que se da en personas sanas... Todas estas circunstancias apuntan en una dirección desfavorable, apuntan riesgos y dolencias, y todas tienen su raíz en la depresión. «Es decir, la depresión es una enfermedad como la diabetes. Es una de esas enfermedades que afecta a todos los órganos del cuerpo: es una enfermedad multisistémica».

En resumen: conviene ir desterrando la idea común de que la depresión afecta sobre todo al estado de ánimo o que es, sin más, un estado de ánimo. Tal y como se ha indicado, esta enfermedad es multisistémica e incide en distintos órganos y estructuras celulares.

Cabría preguntarse si existen otros estados de ánimo —otros procesos químicos cerebrales, por tanto— que puedan contrarrestar los efectos devastadores de la depresión. Nos referimos a la sexualidad, al amor, a los afectos... ¿Sabemos algo sobre esto? Es decir, cuando alguien está enamorado, ¿está actuando sobre esas disfunciones depresivas de algún modo? ¿El amor conduce a la depresión o es un proceso contrario? ¿Cómo se relacionan el amor y la depresión?

Para Peter Kramer, el amor es extremadamente útil, porque nos ayuda a sobreponernos. «Creo que el amor salva a mucha gente de la enfermedad mental. Contrariamente a la idea de que el amor es una forma de enfermedad mental, me parece que el amor es una forma de bienestar para mucha gente y resulta extremadamente protector. A veces veo que algunos de mis pacientes se salvan porque adoptan un perro y se sienten verdaderamente realizados con el inicio de una relación con una mascota, o cuando dan comienzo a un romance con otra persona. Pero, por otro lado, creo que la gente desesperada y que centra todas sus esperanzas en una relación amorosa es muy vulnerable. Pienso que a menudo lo hacen porque ya eran muy vulnerables antes, desde el principio».

Las relaciones afectivas pueden ser, por tanto, un factor positivo en el tratamiento de la enfermedad, pero también pueden ser un riesgo. Según el profesor Kramer, sufrir una pérdida grave y, especialmente, sufrir una pérdida humillante, puede ser una fuente de estrés que conduzca a la depresión: «No sabemos llevar muy bien el abandono y la humillación, así que, al parecer, la combinación de ambas cosas es un desencadenante de estrés que efectivamente nos conduce a la depresión».

Viaje a las fuentes de la depresión

Los científicos, por tanto, comenzaron a buscar los indicadores biológicos de la depresión: forzosamente tenía que haber algo en el cerebro que revelara la causa de esa dolencia.

«Este detalle es importantísimo», declaró el profesor Kramer en los micrófonos de *Redes*. «Siempre ha habido indicios de que las hormonas actuaban de un modo distinto en la gente con depresión. Aunque no se producía de una manera coherente, en un subgrupo de gente con depresión se producían anomalías hormonales».

Así que posteriormente se estudiaron los neurotransmisores, sobre los cuales hemos oído hablar tanto durante los últimos veinte años: la serotonina, la norepinefrina, la dopamina... Estas palabras no formaron parte del vocabulario cotidiano hasta hace quizá doce o quince años, pero con el desarrollo de fármacos como Prozac, Celexa, etcétera, forman parte del saber popular. La teoría de Kramer es que los transmisores como la serotonina son más importantes para las funciones sociales que para la enfermedad concreta de la depresión. Según el psiquiatra de la Brown Medical School, una de las razones por las que la gente modifica su conducta social y su personalidad con estos fármacos, tienen más confianza en sí mismos y se sienten más cómodos frente a otros individuos, es la potenciación de la serotonina, un neurotransmisor que desempeña un papel esencial en el mantenimiento de las jerarquías en los mamíferos y otros animales. En todo caso, los científicos sí han detectado «anomalías en los neurotransmisores» de las personas con depresión. «Y si atendemos a la genética de la depresión», añade el profesor Kramer, «parece que hay grupos de personas muy privilegiados. En ellos, su cerebro maneja la serotonina de un modo especialísimo y es muy, muy improbable que desarrollen una depresión».

El único remedio conocido antaño para mitigar los graves efectos de la depresión y otras enfermedades mentales era el electroshock. Cuando los jóvenes preguntaban qué efectos producía realmente el electroshock, los doctores contestaban:

—Bueno... imaginad que las conexiones sinápticas son de un tipo concreto. Después del electroshock... puede que sean de otra manera... puede que sean adecuadas... ¿Quién sabe...?

Realmente... ¿no sabíamos nada? Peter Kramer piensa que «el electroshock es como darle una patada a la televisión cuando no funciona: algo hace, pero afecta a lo que nos interesa y a lo que no nos interesa modificar». Es necesario acercarse más a las fuentes de la depresión y concentrar los esfuerzos en los elementos del cerebro que la generan o que la provocan. En este sentido, son de vital importancia las investigaciones que se están llevando a cabo en los últimos siete u ocho años. «Hemos descubierto que las personas fabrican nuevas neuronas continuamente en la edad adulta. Se solía creer que dejábamos de crear neuronas a los dos o tres años de edad. Pero ahora sabemos que con sesenta, setenta u ochenta años estamos fabricando nuevas neuronas en el hipocampo. Y una de las cosas que los tratamientos como el Prozac, el tratamiento con electroshock y el litio parecen tener en común es que, al parecer, estimulan la producción en el hipocampo de nuevas neuronas o nuevas conexiones neuronales. Y hay algunos investigadores que creen que esto es esencial, y que todos los tratamientos de los que disponemos, aunque, por supuesto, no son perfectos para la depresión, se basan en volver a estimular el crecimiento de conexiones en el hipocampo».

Es decir, aunque no se conocían los efectos concretos del electroshock y del litio, y se producían graves errores, un porcentaje de los enfermos mejoraban porque esos tratamientos estimulaban la generación neuronal en el hipocampo. «Antes estábamos a cinco o seis pasos de distancia y ahora sólo nos separan dos o tres pasos. Creo que nos estamos acercando a la causa central de la depresión».

Según la Organización Mundial de la Salud, en el mundo hay más de 340 millones de personas deprimidas. Esta enfermedad provoca ochocientos suicidios diarios. En España afecta a tres millones de personas y la cifra aumenta año tras año. La OMS pronostica que la depresión será la segunda causa de pérdida de más años de vida saludable en el año 2020, sólo superada por las dolencias cardiovasculares.

Nuestro organismo tiene muchos caminos para llegar a desarrollar desórdenes del humor, pero parece que el más determinante es el de las hormonas del estrés. Las neuronas sucumben fácilmente a su efecto devastador. Los medicamentos que se utilizan actualmente consiguen evitar la producción de estas hormonas, pero también tienen consecuencias negativas: anulan la capacidad para reaccionar rápidamente ante una situación de peligro.

De cara al futuro, se está intentando conseguir regular los efectos de las hormonas del estrés en el cerebro mediante ingeniería genética. Y se está procurando dar con un tratamiento que sea lo suficientemente selectivo para que sólo incida en los efectos negativos. De momento, las investigaciones están en una fase inicial, pero ya se han obtenido algunos resultados esperanzadores: la base de todo el procedimiento está en los genes que producen sustancias neuroprotectoras. Estos genes se acoplan a un virus que anteriormente ha sido modificado para evitar que provoque una infección; aprovechando la habilidad del virus para moverse entre las células, se consigue hacer llegar estos genes a las neuronas. El resultado es que se cambian las instrucciones de la célula para que produzca y libere sustancias que la protejan de la muerte celular ante una situación estresante.

Con la inserción de genes se corrige el funcionamiento de cualquier célula que se comporte de forma perjudicial, de manera que este desajuste no se vuelva a repetir.

Por desgracia, de la teoría a la práctica hay un largo camino: a veces los virus se comportan de manera diferente a como se espera de ellos, se acoplan a células que no son su diana o, simplemente, no alcanzan su objetivo. También se ha comprobado que algunos virus modificados genéticamente pueden ser cancerígenos. Así que, de momento y por nuestra seguridad, habrá que esperar para poder comprobar los resultados en humanos.

Aprender a pensar bien

En el plató de *Redes* intentamos profundizar en el análisis de la depresión con Antonio Bulbena, director del Servicio de

EL ALMA ESTÁ EN EL CEREBRO

Psiquiatría del Hospital del Mar en Barcelona, y con José Antonio Marina, profesor y filósofo de reconocido prestigio.

La primera cuestión, ya esbozada, es que la depresión, como proceso físico, no es algo típico de los seres humanos. ¿Nuestros perros y gatos pueden deprimirse? Según Antonio Bulbena, es evidente que los perros o los gatos no pueden tener el mismo tipo de depresión que los humanos: en primer lugar, porque los humanos tenemos más capacidades y más lugares mentales para deprimirnos. Por lo tanto, el perro puede tener síntomas de depresión, y se han descrito perfectamente, pero no será una depresión como la nuestra.

En segundo lugar, teniendo en cuenta que la depresión es una enfermedad como cualquier otra, lo principal es diagnosticarla. Según Antonio Bulbena, la sintomatología de la depresión es básicamente la tristeza, la incapacidad para disfrutar, la incapacidad para alcanzar el placer o la dificultad para el gozo cuando en otros momentos no se producían esas incapacidades. Es decir, la depresión es un estado nuevo: se cae en la depresión. «Además se producen otras disfunciones: dificultades para dormir, dificultades de concentración, la perspectiva negativa, pesimismo... Uno ve peor el mundo, ve peor el futuro, se ve peor a uno mismo... Y esta situación de desesperanza, junto a otros síntomas fisiológicos, conformaría el diagnóstico de la depresión. En todo caso, no hay que olvidar que hay muchos síntomas físicos en esta dolencia. Por ejemplo, la depresión se ve acompañada de problemas inmunológicos importantes. Como decían nuestras abuelas, las defensas bajan cuando uno está deprimido».

Estos problemas fisiológicos son reales. El problema es diagnosticar y enlazar fisiología y estados de ánimo. La tristeza no es un factor por sí mismo: todos podemos estar tristes en un momento dado... es un factor humano perfectamente asimilable. Pero la depresión no es sólo tristeza. Es una enfermedad y puede tratarse. Por ejemplo, como avanzaba José Antonio Marina, puede darse un síndrome depresivo que cur-

se físicamente, fisiológicamente, y no tenga especiales consecuencias de tipo anímico. Un síndrome depresivo puede cur-
sar más con insomnios que con tristeza. El quid de la cuestión es llegar a imbricar lo fisiológico y lo anímico. Por eso
es importante la teoría de Kramer: resulta decisivo ver cómo una alteración biológica, una alteración neuronal o una
alteración de los neurotransmisores —algunos de los factores
que permiten soportar el estrés, factores de resistencia— dan
origen a una serie de sentimientos que el paciente vive como tristeza, como desánimo, como desesperanza o como mala imagen propia. En fin, la relación entre un acontecimiento fisiológico y un acontecimiento consciente es realmente el
punto clave del análisis de la depresión.

Tras el diagnóstico, lógicamente, la cuestión es cómo
minimizar o eliminar la crisis depresiva. Aparte de la medicación y otros tratamientos, una respuesta interesante a la
depresión es la terapia cognitiva, que estuvo muy de moda
hace algunas décadas, impulsada por el psiquiatra norte-
americano Aaron T. Beck. La psicología cognitiva, como dice José Antonio Marina, intenta buscar creencias patógenas
en el enfermo: es decir, según esta teoría, en el fondo de una
depresión hay un tipo de creencias distorsionadas, por ejemplo, la creencia de que no sirve para nada o la creencia de
que no puede esperar nada más que cosas malas de la vida.
Si se cambian esas creencias, se cambian también los sentimientos y, por lo tanto, se modifica la patología. En definitiva: un paciente depresivo piensa mal y es necesario que
aprenda a pensar bien. El psicólogo Martin Seligman decía
que si una persona tiene la creencia de que no se puede enfrentar al mundo, se irá retrayendo hasta que caiga en la depresión. Por tanto, había que aprender a saber que hay elementos del mundo que son impredecibles o que hay objetivos
que no se van a cumplir. Sin embargo, también habría que
aprender a valorar ajustadamente las amenazas. Esos conocimientos refuerzan la iniciativa y proporcionan un repertorio adaptativo que las personas pueden utilizar para superar la depresión.

LOS NEUROTRANSMISORES NOS ENGAÑAN

Las emociones nos dominan: el legado genético que hemos heredado determina nuestras reacciones ante situaciones concretas. Son las emociones innatas. Sin embargo, a lo largo de nuestra vida, también aprendemos a emocionarnos ante determinados estímulos y éstos quedan grabados en nuestro cerebro: es la memoria emocional, un resorte que se activará en situaciones concretas.

Con cada estímulo que desencadena una emoción se crean nuevas conexiones entre un grupo de células en nuestro cerebro. Es una especie de asamblea celular que retiene el aprendizaje emocional. El conjunto de todas estas asambleas celulares forman la base de datos que contiene todo lo que nos emociona, y aunque es fácil añadir datos, es muy complicado borrarlos, por eso es tan difícil controlar totalmente nuestras emociones.

Este proceso se produce de manera inconsciente, a un nivel cerebral muy primitivo: incluso animales como la mosca de la fruta o los caracoles experimentan este tipo de aprendizaje emocional. Sólo si el organismo posee un cerebro suficientemente evolucionado será consciente de la emoción que está sintiendo. En otras palabras, en animales con un nivel de conciencia alto, como los humanos, las emociones y sentimientos son consecuencias conscientes de procesos inconscientes.

Una diferencia básica entre un cerebro evolucionado y otro más primitivo es la capacidad de distinción entre realidad y representación. Esta capacidad sólo se da en animales con cerebros suficientemente desarrollados como los humanos y su funcionamiento es así: en primer lugar, nuestros ojos ven una fotografía que da miedo, por ejemplo. La información pasa desde los ojos al tálamo, donde es procesada y redistribuida inmediatamente a la amígdala. Esta rápida conexión permite que el cerebro active los mecanismos que preparan al cuerpo para afrontar el posible peligro. Paralelamente, la corteza cerebral también recibe la misma información procedente del tálamo. Esta conexión se produce más lentamente y la corteza tiene más tiempo para analizar el mensaje detenidamente. Así, puede determinar que no existe el peligro, ya que tan sólo se trata de una fotografía. De nuevo, esta información, una vez analizada, se transmite a la amígdala. Como la corteza ha determinado que es una falsa alarma, la respuesta de miedo se detendrá.

Pero, como en todo lo demás, nuestros genes también condicionan este proceso. Se ha demostrado que el mecanismo de distinción entre representación y realidad no funciona correctamente en personas con una variante genética defectuosa. Como advierte el profesor Lukas Pezawas, psiquiatra de la Universidad de Viena, esto supone que las personas que sufren ciertas variantes genéticas no estén preparadas para que se produzca la inhibición de la imagen de amenaza ficticia y, por tanto, se genere un estado de ansiedad a partir de una amenaza irreal.

Las amenazas irreales, la angustia ante el futuro, la incapacidad para enfrentarse al mundo, la devaluación de uno mismo y, en fin, el tratamiento erróneo de la realidad circundante son elementos básicos de la depresión.

Éste es el argumento que ha utilizado Robert M. Sapolsky para intentar encontrar el famoso «gen de la depresión». En la base de esas investigaciones están los trabajos sobre los neurotransmisores y las sustancias químicas o marcadores biológicos que favorecieran de algún modo la aparición o el retroceso de la depresión. Se estudiaron la serotonina, la norepinefrina, la dopamina... pero esos trabajos no acababan de explicarlo todo. Tanto Sapolsky como Kramer intentan averiguar si hay un factor de resistencia al estrés. La teoría de la depresión de Kramer es: «Simplemente, algunos de nosotros no estamos preparados biológicamente para sufrir el choque hormonal que produce el estrés. No estamos preparados para una sobrecarga de ese tipo, una situación de alta tensión». Así pues, cuando la situación de estrés, de sobrecarga y de alta tensión se mantiene durante cierto tiempo, aparecen disfunciones, y una de estas disfunciones es la depresión.

José Antonio Marina sostiene que en el tratamiento de la depresión probablemente debería tener una doble vía o un camino de ida y vuelta: una modificación fisiológica podría ayudar a prevenir disfunciones anímicas o cognitivas, pero aprender a ver el mundo de otro modo o mejorar el ambiente externo también podría influir en esas disfunciones fisiológicas.

Hay un dato que los educadores como Marina están valorando en la actualidad: no saben por qué unos niños tienen más capacidad que otros para resistir los traumas, incluso traumas muy fuertes o situaciones muy duras. Si descubriéramos los factores biológicos o psicológicos que establecen esas diferencias y si se encontraran esos factores protectores, habríamos dado con la solución a muchos problemas, entre ellos, posiblemente, también el de la depresión.

Por el momento, sólo cabe seguir reflexionando sobre uno de los grandes problemas a los que se enfrentará la Humanidad.

Capítulo XVI

¿Qué nos hace felices?

Es cierto que el dinero no da la felicidad. Y también es cierto que no es más feliz el que tiene más posibilidades de elegir. En *El viaje a la felicidad: las nuevas claves científicas* (Destino, 2005) les propuse reforzar factores como la emoción, la atención al detalle, el disfrute de la búsqueda y la expectativa, y las relaciones personales. Y, por el contrario, intentar minimizar el aprendizaje inútil que nos condiciona, el pensamiento acrítico grupal, los procesos automatizados, el miedo y las cargas heredadas (con especial vigilancia del poder político y el estrés imaginado). Algunos de esos aspectos se analizaron en *Redes* y se han repasado en páginas anteriores, precisamente porque en el cerebro y sus capacidades reside buena parte del potencial para ser más o menos felices. Ahora es necesario detenerse en los procesos mentales que distorsionan nuestra percepción y nuestros sentimientos de felicidad. En definitiva, queremos saber por qué nos equivocamos tanto a la hora de pronosticar cuán felices seremos a raíz de un gran amor o de una gran catástrofe.

ANTICIPAR EL PLACER Y EL DESASTRE

Somos el único animal que puede viajar mentalmente hacia su futuro, anticipar una variedad de acontecimientos y elegir el que creemos que nos hará más felices. Pero no siempre escogemos bien. Nuestras predicciones emocionales son muy defectuosas y raramente somos tan felices o infelices como esperábamos.

Uno de los errores que cometemos es sobreestimar el efecto que producirán en nosotros ciertos acontecimientos: es lo que los psicólogos llaman «sesgo de impacto». Por ejemplo, pensamos que si nuestra relación de pareja se rompe, nos sentiremos mal durante mucho tiempo, y que si nos tocase la lotería la vida sería mucho mejor. Sin embargo, aunque ocurran esos hechos, la mayoría de veces volvemos a nuestro estado emotivo basal en un periodo relativamente corto. No es que los acontecimientos no nos afecten, sino que cualquiera que sea su impacto psicológico, siempre es menor y menos duradero de lo que imaginamos.

Una de las causas de este regreso paulatino a nuestras emociones comunes es que poseemos una gran facilidad para cambiar nuestra visión de las cosas y, por tanto, también las reacciones que éstas provocan en nosotros.

Volvamos a los ejemplos anteriores: si nuestra pareja nos abandona, pronto empezaremos a pensar que... «Bueno, en realidad, no estábamos hechos el uno para el otro». Y si nos toca la lotería, pronto empezaremos a pensar... «Sí... He solucionado algunos problemas, pero este dolor de espalda me mata...». En fin, siempre volvemos a nuestro estado emocional común. Y esto sí que lo hacemos muy bien... Pero, como nunca somos conscientes de esta especie de sistema inmunopsicológico, nunca lo tenemos en cuenta al imaginar cómo nos sentiremos.

Una de las razones por las que atribuimos a ciertos acontecimientos una importancia desmesurada es que tendemos a concentrar todo el futuro en un acontecimiento concreto y olvidamos todo lo demás. Si pensamos cómo nos sentiremos un año después de la muerte de un ser querido, por ejemplo, solemos hacernos una imagen mental de su ausencia y ello provoca en nosotros un gran dolor. Pero no consideramos el infinito número de sucesos que, aunque sean menos importantes, irán diluyendo el impacto principal.

Podríamos pensar que deberíamos intentar corregir estos errores en la previsión emocional y que, de esta manera, podríamos actuar de una manera más racional... Pero los psicólogos creen que sería un error. En primer lugar, porque no sabemos qué función puede desempeñar ese sistema prodigioso que nos permite regresar lentamente a nuestro estado emocional basal. Muchos especialistas consideran que se trata de un proceso adaptativo: quizá es importante creer que estaremos destrozados si nos ocurre una desgracia; quizá sea importante creer que seremos inmensamente felices y para siempre si nos toca la lotería. Y, en segundo lugar, podría considerarse que estos errores son comparables a las ilusiones ópticas: aunque sepamos que las líneas paralelas no convergen en el horizonte, no por ello la ilusión desaparece.

NO PROMETA LO QUE NO PUEDE CUMPLIR

En la Facultad de Psicología de la Universidad de Harvard, en Estados Unidos, rodeados por el recuerdo de los padres de la psicología moderna (como Frederick Skinner, el inventor de la enseñanza programada, la máquina precursora de los primeros programas por ordenador, o Stanley Smith Stevens, que descubrió durante la Segunda Guerra Mundial los efectos del ruido y de las vibraciones en nuestros mecanismos psicomotores), mantuvimos una extensa conversación con Daniel Gilbert, profesor de psicología en esa universidad e influyente psicólogo social.

Gilbert ha centrado su trabajo en analizar el modo en que predecimos nuestras emociones y los procesos mediante los cuales imaginamos las emociones futuras. Uno de los aspectos más interesantes de su teoría es la sugerencia de que los hombres y las mujeres nos equivocamos cuando intentamos pronosticar los afectos, el amor, la felicidad o la pena que sentiremos en el futuro, cuando algo suceda. Es lo que él denomina *impact bias*. En su opinión, esta característica humana es sorprendente, porque a menudo se comete el mismo error va-

321

rias veces. «Sin embargo, evitar ese error no es fácil». En primer lugar, porque para evitar un error, hay que ser consciente de que se ha cometido. Y con frecuencia los hombres se equivocan en la percepción de lo felices que fueron en determinados pasajes de su vida, de modo que también se equivocan cuando pronostican su felicidad futura. «La prospección y la retrospección en las personas (evaluar su futuro y su pasado) pueden corresponderse bastante bien, pero lo que sucede es que ninguna de las dos categorías se corresponde con la experiencia que *efectivamente* tuvieron».

Si un mes antes de que se celebren las elecciones se le pregunta a la gente cómo se sentirán si pierde su candidato, la respuesta será aproximadamente: «Será un desastre. Me sentiré fatal». Un mes después de las elecciones, se puede preguntar a esas mismas personas: «¿Qué tal? ¿Cómo se siente?». Y la respuesta siempre será la misma: «Bien». Y no importará mucho que su candidato haya ganado o perdido las elecciones.

El profesor Gilbert sugiere que el cerebro, de alguna manera, nos vuelve a colocar en el punto de partida, para que la sobreexcitación no nos desgaste o para que la depresión no nos amargue la existencia. «Las emociones son una especie de brújula que orienta en una cierta dirección, pero una brújula que siempre marca el Norte... no sirve para nada. Si las emociones siempre son felices y agradables, dejan de ser una guía útil para reaccionar ante los cambios o las nuevas situaciones que podemos tener que afrontar. Por eso no se puede permanecer siempre en un estado emocional único: las emociones están hechas para fluctuar, como la aguja de una brújula».

Querido lector, ya lo ha leído. No se empeñe en buscar un estado de felicidad permanente y constante. La felicidad es una emoción y, como tal, sus resortes saltan cuando se produce una situación concreta. ¡Disfrútela entonces y no pretenda permanecer en ese limbo para toda la vida! Si la felicidad o el estado de placentera alegría es una emoción, será transitoria.

Esto es importante. Pero aún lo es más la segunda lección del profesor Gilbert: «La felicidad es transitoria, sí; pero tampoco existe la infelicidad eterna».

Si la felicidad es eterna, tampoco hay mal que dure cien años. Ni siquiera dura unos meses.

¿Por qué no somos capaces de entender esto? ¿Por qué nos empeñamos en esas vías muertas? ¿Por qué no acabamos de entender racionalmente el carácter transitorio de nuestras emociones? El profesor Gilbert suele referirse al «vacío de la empatía». Esta teoría hace referencia a la incapacidad del «yo actual» para empatizar con el «yo futuro». En definitiva, tenemos una incapacidad esencial para ponernos realmente en el lugar de la persona que vamos a ser.

El profesor Gilbert nos ponía un ejemplo divertido: todos hemos tenido la experiencia de celebrar una gran comida familiar. En esas ocasiones, en Navidad o en alguna otra fecha, nos dedicamos a comer, a comer y a comer... Y, al final de la comida, exclamamos: «¡No volveré a comer jamás!». Si alguien nos preguntara qué nos apetecería desayunar al día siguiente, lo miraríamos como si fuera un alienígena y le contestaríamos: «¡Mañana no tendré hambre...!». El «yo actual» ha comido tanto que ni siquiera puede concebir la idea de un «yo futuro» hambriento. «Tenemos datos muy fiables que demuestran que cuando las personas no tienen hambre y van a comprar al supermercado, no compran lo suficiente para toda la semana, porque *no pueden imaginar* que después, a lo largo de la semana, volverán a tener apetito», nos decía Daniel Gilbert. «Cuando nos encontramos en cualquier clase de estado emocional —hambre, excitación sexual, miedo, alegría, etcétera—, nos resulta muy difícil imaginar que las distintas versiones de nuestro "yo futuro" no se encontrarán exactamente en el mismo estado».

Muchos fumadores, hartos de la dependencia de la nicotina, apagan su cigarrillo y dicen: «¡Ya no fumo más! ¡Se acabó!». A la mañana siguiente ya han olvidado su firme promesa y están buscando en la basura el paquete de cigarrillos que tiraron. Es muy fácil renegar del tabaco cuando el nivel de nicotina en la sangre es muy alto: ¡es verdad que no desean otro cigarrillo! Pero es muy difícil imaginar que a la mañana se estarán subiendo por las paredes y rebuscando en los cajones o en la basura para encontrar un cigarrillo.

Hay muchos otros ejemplos.

«No gritaré si veo una cucaracha; son inofensivas, no hacen nada». «La próxima vez que vea a Paula, hablaré con ella. Si me dice que no quiere volver a verme, no lloraré». «Después de esta borrachera... nunca más volveré a beber». «¡He vuelto a engordar! Definitivamente, voy a dejar de comer dulces».

Admitámoslo: nos pasamos la vida haciendo promesas que no vamos a cumplir. Hacemos predicciones y decidimos de antemano cuál va a ser nuestro comportamiento. Sin embargo, muchas veces nos equivocamos. Por mucho que nos comprometamos a ser de una determinada manera, a la hora de la verdad, nuestra parte más visceral nos lleva a actuar de forma contraria. Esa parte más visceral surge en estados de ansiedad, temor o enfado, gracias al alcohol o la excitación, por ejemplo.

Simplemente, olvidamos o nos equivocamos en la evaluación: no sabemos quiénes podemos llegar a ser.

Pero, si reflexionamos sobre la variedad de comportamientos que somos capaces de llevar a cabo dependiendo de nuestro estado emocional en cada momento, comprobaremos que no somos uno sino muchos distintos. De hecho, la diferencia entre dos estados de ánimo en una misma persona puede ser incluso mayor que la de dos individuos distintos en estados similares. Por tanto, podemos decir que hay una gran falta de correspondencia entre cómo pensamos y cómo nos comportamos.

Ser consciente de este hecho puede provocar cierto abatimiento, una sensación de impotencia y desilusión. Es difícil admitir que no tenemos mucho dominio sobre nuestras propias acciones y que nuestros deseos y nuestro comportamiento se contradicen en ocasiones. Muchas personas se niegan a aceptarlo. Sin embargo, vale la pena intentarlo. Los psicólogos creen que un conocimiento más profundo de quiénes somos realmente, de nuestras debilidades, puede ayudarnos a ser más felices.

EL DIVORCIO Y EL CORDÓN DEL ZAPATO

Pero la predicción excesiva equivocada no se debe considerar exactamente un error en el funcionamiento de nuestra capacidad mental o racional, y no se debería considerar exactamente como una interferencia emocional. Quizá en esa incapacidad para predecir nuestro «yo futuro» resida también buena parte de nuestro equilibrio personal.

Daniel Gilbert ha sugerido que poseemos una suerte de sistema psicológico inmunológico (se trata de una metáfora, evidentemente). Este sistema, en realidad, nos prepararía para lo mejor y para lo peor que pudiera acontecernos. «Sí, los seres humanos buscan la felicidad, pero, si no lo consiguen, siempre encuentran un modo alternativo para crearla o inventarla», subrayaba Gilbert. Este proceso es bien conocido desde Aristóteles y muchos tratadistas de la felicidad han coincidido en esta habilidad humana. «Somos increíblemente capaces de cambiar nuestro punto de vista sobre el mundo para que nos haga sentir mejor respecto al mundo en el que nos encontramos. Hay pocas personas que sean conscientes de ello: muy pocos se dan cuenta de que están modificando los hechos o alterando la realidad para sentirse mejor. Es como si tuviéramos un talento oculto, un escudo invisible, un sistema inmunológico psicológico que nos protege de "los golpes y dardos de la malévola fortuna", como decía Shakespeare. Pero los psicólogos sí somos conscientes de que existe y de que éste es en parte uno de los motivos por los que cometemos errores al predecir nuestras propias reacciones emocionales».

Creemos que nos enfrentamos al futuro solos, con nuestro cuerpo y nuestro razonamiento, que no tenemos compañeros ni aliados para continuar nuestra vida, que no tenemos quien nos ayude a ser un poco más felices. Sin embargo, querido lector, todos tenemos en nuestro cerebro a un aliado, un amigo, un ayudante: si algo malo nos sucede, él nos ayudará a sobrellevarlo. Ni siquiera es necesario que usted se ocupe de ello: él se encargará de recordarle lo que necesita recordar para que no se autodestruya.

Los mecanismos de recuperación de la felicidad se activan cuando deben hacerlo. Si usted se rompe una pierna o se hunde su empresa, esos mecanismos se activarán. Usted puede enfadarse mucho y sentirse muy desgraciado porque los platos sucios siempre se quedan en la mesa, pero el sistema no se activará. Como nos advertía el profesor Gilbert, el sistema inmunológico psicológico se activa cuando experimentamos traumas verdaderos, que en realidad nos afectan, nos hieren, afectan nuestra autoestima o ponen en peligro la felicidad. El divorcio, la muerte de los padres o la pérdida del trabajo son acontecimientos muy importantes en la vida y, cuando suceden, el sistema inmunológico psicológico se activa y ayuda a la persona a encontrar de nuevo la felicidad. Los traumas pequeños, los que podemos denominar «contrariedades», no tienen suficiente poder para activar el sistema inmunológico psicológico. Nos hacen sentir un poco mal, pero no importa: nuestro sistema permite que sigamos sintiéndonos un poco mal.

En realidad, tanto el divorcio como los platos en la mesa no forman parte de nuestra racionalización. No aplicamos nuestra razón al enojo que producen. Podemos estar horas y horas enojados a cuenta de los platos en la mesa y podemos estar tristes durante algún tiempo a cuenta del divorcio. Nuestro sistema psicológico inmunológico permitirá el enfado por la contrariedad, pero saltará muy pronto cuando se percate de la importancia del divorcio en nuestras vidas. Al cabo de algunos días, diremos: «En realidad... no era la persona que me convenía y soy más feliz sin ella».

Definitivamente, fabricamos nuevas historias que hacen que cambie la forma en que percibimos el mundo y nuestros sentimientos. Cuando se rompe un cordón del zapato, no de-

cimos «En realidad... estoy mejor sin el cordón»; cuando se
nos rompe el matrimonio, inmediatamente decimos: «En realidad... estoy mejor sin ella».

El sistema inmunológico psicológico no se activa con las
contrariedades y ello supone, en cierta medida, que puedan
preocuparnos mucho más que los grandes desastres. Daniel
Gilbert lo explicaba así: «Hemos demostrado que las pequeñas contrariedades pueden causar más preocupación a largo
plazo que los problemas importantes. Una buena analogía
es una enfermedad física: si te rompes una pierna, haces algo para que se arregle. Es un problema mayor: se va al hospital, donde la escayolan, y después de seis meses la pierna
vuelve a estar bien. Pero si tenemos un problema de rodilla,
porque nos hacemos mayores, éste no es suficientemente
importante como para ir al médico. Nos duele mucho, pero
dolerá para siempre... porque no se hace nada para resolver-
lo. Ésta es exactamente la misma lógica que la metáfora del
sistema inmunológico psicológico: si el trauma no es suficientemente importante el sistema inmunológico psicológico
no se activa y no hace nada por curar el trauma».

'MONEY, MONEY, MONEY...'

¿Pensaba que no íbamos a ocuparnos de la riqueza y el dinero? ¿La riqueza puede hacernos más felices? Hay mucha ha-
bladuría popular al respecto. Hay personas que *dicen* que el
dinero no da la felicidad, pero *piensan* que sí la da. Hay personas que dicen que el dinero no da la felicidad pero quita los
nervios. Hay personas que dicen que probablemente se puede ser feliz sin dinero, pero preferirían no comprobarlo... Son
respuestas ingeniosas, pero... ¿qué dice la ciencia?

Daniel Gilbert nos recordaba que hay dos respuestas po-
pulares muy extendidas: los líderes espirituales dicen que el
dinero no da la felicidad y las empresas que crean productos
y los anuncia por la televisión dicen que sí. «Y resulta que las
dos respuestas son equivocadas porque son muy simples».

El dinero sí compra la felicidad cuando te permite pasar de la pobreza a un estatus de clase media. El dinero no compra la felicidad cuando te permite pasar de la clase media a la clase media alta.

Recuérdelo, lector: un vaso de vino le hará sentir muy bien; dos vasos de vino le harán sentir maravillosamente. Pero cien vasos de vino no le harán sentir cien veces mejor: se sentirá peor. Una de las maldiciones de la riqueza es que decepciona, ya que no proporciona lo que se esperaba.

Los estudios han demostrado que las relaciones sociales son uno de los mejores índices de predicción de la felicidad humana en todo el mundo. El lector se preguntará: ¿es mejor tener amigos, amor, cariño y unas buenas relaciones sociales que tener grandes sumas de dinero? Pues sí. «Hay una correlación muy clara y fuerte entre las relaciones sociales y la felicidad. Una actitud inteligente sería intentar maximizar la felicidad utilizando la riqueza que se tiene para aumentar el tiempo disponible para las relaciones sociales».

Hay pocas personas que ganen 3.000 euros y que decidan detenerse ahí para trabajar menos y pasar más tiempo con los amigos o la familia. Ganarán más, pero no podrán utilizar ese dinero en nada, porque todo su tiempo estará empleado en ganar dinero, no en gastarlo o en aprovecharlo con las personas que ama. El tiempo de trabajo y el dinero que se gana, en general, están relacionados. ¿Qué prefiere: ganar 4.000 euros al mes y no disponer de tiempo o ganar 2.000 y disponer de muchas horas libres? Intuimos su respuesta: «Deme 4.000 euros y ya me ocuparé yo de conseguir tiempo».

De todos modos, no conviene ser maximalista. Hay algo de verdad en la frase «El dinero no da la felicidad... pero ayuda». En los años noventa se realizó un estudio en 64 países y se observó la correlación entre la renta *per capita* y la felicidad subjetiva de los encuestados. Los islandeses y los daneses se encontraban entre los más felices; los rusos y los ucranianos se sentían bastante desgraciados. Y, sin embargo, pudo comprobarse que en un mismo país los ricos no son más felices que el resto: los propietarios de las mayores fortunas de nuestro planeta, a pesar de viajar en los mejores coches, llevar las joyas más caras y cenar en los restaurantes más lujosos, no son más felices que sus vecinos.

Si se analizan los datos por individuos, sin duda, la salud es lo más importante. Pero también se valora mucho la simpatía y la alegría. Y en cuanto al estado civil, los divorciados y viudos son menos felices que los solteros, que a su vez lo son menos que los casados.

Sin embargo, a pesar de que el grado de felicidad medio parece ir en aumento, la realidad es que las depresiones aumentan en los países industrializados. Las causas de infelicidad son tan variadas como los individuos que las sufren: no soportamos envejecer, nos encantaría tener el trabajo del vecino, podemos escoger entre tantas compañías telefónicas que siempre nos parece que tenemos la más cara... El tiempo se esfuma entre el trabajo, la familia y la vida social, pero no encontramos un instante para nosotros mismos.

Tal vez investigar aquellos que dicen ser más felices nos ayude: estos individuos suelen tener seguridad en sí mismos, son optimistas, extravertidos... Así pues, la solución pasa por conocer nuestros puntos débiles y actuar sobre ellos. Por ejemplo, podemos esforzarnos en ser más sociales, en expresar con más facilidad qué sentimos y, poco a poco, este esfuerzo se convertirá en una actitud personal.

Y, desde el punto de vista político, ¿cómo podemos afrontar esta búsqueda angustiosa de la felicidad del hombre? Aparentemente, las políticas de izquierdas pretenden aumentar los niveles de ingresos de los más pobres y las políticas conservadoras pretenden incrementar los ingresos de todos. Cuando le planteamos esta cuestión al profesor Gilbert, nos contestó: «Gracias a Dios, no soy un científico político, porque éstos son aún menos felices que los parapsicólogos».

En términos estrictos, y en la relación riqueza/felicidad, si una persona tuviera el control de la distribución de la riqueza de un grupo y el único objetivo fuera maximizar la felicidad de esa población, se deberían frenar las ganancias cuando éstas alcanzaran el máximo necesario para ser feliz. Si hubiera 100.000 euros en el mundo y hubiera sólo dos personas, se generaría más felicidad si a cada uno de ellos le correspondieran 50.000 euros. Si a uno se le entregan 90.000 euros y al otro 10.000, probablemente ninguno de los dos alcance los niveles de felicidad de una ganancia compartida.

Ante la vorágine que el consumismo nos ofrece, con la publicidad mostrándonos las diferentes caras de la felicidad tras cada opción, tomar decisiones es un motivo más de desasosiego. Nunca será el momento perfecto para escoger un trabajo o para comprar unos zapatos. Daniel Gilbert suele decir que «La sociedad quiere que consumamos, no que seamos felices. Las personas, en cambio, quieren ser felices». En efecto, las personas no creen que su responsabilidad sea mantener viva la economía. Las personas únicamente quieren maximizar su propia felicidad. A la economía no le preocupa que seamos felices: no nos ve como personas, sino como consumidores. Y quiere que los consumidores consuman. Según el profesor Gilbert, los intereses de las personas y los intereses económicos confluyen en un punto: «Las sociedades convencen a las personas de que el consumo les proporcionará la felicidad». Así que consumimos y consumimos pensando que obtendremos la felicidad con nuestro consumo y, por su parte, la sociedad y la economía cumplen sus objetivos. «Desde luego, es una mentira a la que nos sometemos voluntariamente, porque todos los datos indican que el consumo sin límites no proporciona la felicidad»

Sin embargo, en nuestra sociedad occidental, tenemos tantas ofertas y tantas opciones que esa montaña de posibilidades debe ofrecernos alguna felicidad necesariamente. Podemos escoger entre el cine, el teatro o la televisión, cientos de modelos de teléfonos distintos, miles de prendas de ropa, millones de productos... ¡Tenemos tantas posibilidades y tantas opciones...! «Sí, pero eso no significa que seamos necesariamente más felices», replica Daniel Gilbert.

Este profesor y su equipo hicieron un experimento que demostraba esta afirmación: escogieron a un grupo de estudiantes y le enseñaron cómo hacer fotografías y cómo revelar las fotos. Al final del curso, cada uno tenía dos fotografías maravillosas de las que estaban muy orgullosos. Les dijeron que ellos se podían quedar con una y que la universidad se quedaría la otra. Sin embargo, a la mitad de los estudiantes se les dijo que podían cambiar de opinión en cualquier momento: si querían cambiar la foto, no pasaba nada. A la otra mitad se le dijo que eligieran una fotografía, pero una vez que hubieran tomado una decisión, ésta era irrevocable. Se quedarían con esa foto para siempre y no volverían a tener la otra.

Se hizo un seguimiento de los estudiantes y se comprobó si estaban satisfechos con su elección. Y no había ninguna duda en los resultados: los que habían decidido quedarse con una foto y no tenían ninguna opción de cambiarla estaban más contentos. Los que tuvieron la posibilidad de cambiarla vivían en un estado de duda: «¿Hice la elección correcta? ¿Me habré equivocado?».

Lo más interesante de aquel experimento fue una respuesta posterior: cuando se preguntó a los estudiantes cuál de las dos condiciones les habría gustado tener, todos ellos dijeron: «Nos habría gustado poder cambiar de opinión, poder elegir».

Desde el punto de vista del comportamiento humano, esta respuesta es muy importante: «Sabemos que una de las dos situaciones hace más feliz a la gente y, sin embargo, siempre escogemos la que no nos hace feliz», concluía el profesor Gilbert.

Hemos de reconocerlo: no somos muy hábiles a la hora de pronosticar nuestra felicidad ni a la hora de tomar las decisiones correctas. Quizá no hayamos mejorado mucho en los últimos 50.000 años. «Hace 50.000 años, el futuro del ser humano no iba más allá de la hora siguiente, o quizá del día siguiente: nadie pensaba en términos de años o décadas», argumenta Daniel Gilbert. «Por esa razón resulta tan difícil predecir nuestra emociones futuras: es algo que nuestra especie apenas ha empezado a gestionar: sólo muy recientemente nuestra especie se considera a sí misma como una vía que se extiende en largos periodos de tiempo. Y el resultado es que intentamos llevar a cabo esta tarea tan nueva y difícil con un cerebro muy viejo. Así, naturalmente, cometemos errores».

Sociedad e individuo: objetivos distintos

¿Pensaba usted que los meteorólogos y los «hombres del tiempo» se equivocaban mucho en sus pronósticos? ¡Usted sí que se equivoca! ¡Y todos los días! Ayer dijo que hoy se acostaría pronto para no estar cansado en el trabajo... ¡y hoy ha sido incapaz —una vez más— de cumplir su palabra! ¿Cómo es posible que nos sigamos equivocando en algo que nos proponemos casi todos los días?

Según la psicóloga clínica María Jesús Álava Reyes, la respuesta es sencilla: los seres humanos tenemos una serie de hábitos y, cuando aprendemos a hacer un pronóstico, mantenemos ese hábito para siempre o para casi siempre. «Nos lo creemos tanto y lo automatizamos de tal manera que, aunque luego la realidad nos demuestre que nos hemos equivocado, volvemos a hacer lo mismo».

Los estudiantes son especialistas en pronósticos terribles. Muchos de ellos dicen: «Me ha salido el examen fatal, va a ser horroroso, voy a suspender...». Aunque la realidad le demuestre que están equivocados y que aprueban, ellos volverán a pasarlo mal la próxima vez. Volverán a pensar que todo será catastrófico y que van a suspender. Las personas demasiado exigentes consigo mismas tienden a estos pronósticos apocalípticos: «Seguro que mi jefe me dice que este trabajo está mal», «Seguro que piensan que soy un inútil», «Seguro que me despiden...».

La primera conclusión es que sobreestimamos la desgracia futura o el impacto de la desgracia. Pero lo curioso es que también nos equivocamos a la hora de prever cuán felices vamos a ser. «Si me nombran director general, seré... inmensamente feliz», «Si Paula me amara, sería inmensamente feliz». ¿A qué se debe esta imaginación portentosa? ¿Hay razones evolutivas? «Yo no me atrevería a decir que esa capacidad se deba a razones evolutivas», nos decía el psicólogo Carlos Mateo Municio en el plató de *Redes*. «Parece, más bien, una tendencia a visualizar el éxito. Si visualizamos algo bueno o positivo, también somos capaces de generar una vía, un camino o una estrategia que normalmente nos permite utilizar los medios para conseguirlo. De modo que a veces asumimos el riesgo de equivocarnos. Es mejor equivocarse que evitar o prescindir de ese camino trazado en nuestra imaginación y que nos puede conducir al éxito».

Quizá estos pronósticos de tragedias y felicidades estén impulsados por la sociedad en que vivimos. Las empresas exigen excelencia y calidad, y los hombres y mujeres no siempre aciertan a saber si alcanzan los niveles de excelencia y calidad que se les exigen. «Cuando queremos tener la garantía de que nuestros actos sean óptimos, nos estamos asegurando el malestar, porque no vamos a tener nunca una garantía completa de que va a ser lo mejor posible», nos dijo el doctor Carlos Mateo. Además, en esta situación de completo estrés, lo único que parece invariable es nuestra necesidad de ser felices: pronosticamos la desgracia o la felicidad porque deseamos ser felices. Pero es muy difícil ser feliz continuamente. Si la felicidad es una emoción, forzosamente será transitoria y la mejor manera de ser constantemente infeliz es pretender ser feliz eternamente. «Sí. Es así», confirmaba María Jesús Álava Reyes en *Redes*. «La gente busca de forma permanente ese estado de felicidad y la felicidad, efectivamente, es una emoción: es un estado emocional transitorio y, si no fuera así, no seríamos capaces de apreciar la diferencia entre estar bien y estar mal. La fluctuación es imprescindible. Pero es cierto que muchas personas tienen la idea de que tienen que sentirse bien permanentemente y, si no, ya se sienten insatisfechos. Para solucionar este desajuste, es necesario aprender el principio de realidad: debemos aprender lo que podemos esperar y lo que podemos conseguir. Esto es fundamental: aprender a ser realistas».

Es cierto que los sistemas inmunológicos psicológicos permiten que el hombre no se hunda tras una desgracia, pero eso no significa que el cerebro esté dispuesto a conseguir que las personas sean felices. Del mismo modo que minimiza paulatinamente las emociones tras un suceso trágico, no aporta mucho ante una felicidad suprema. «El cerebro no busca la felicidad», decía Daniel Gilbert. «Simplemente se ocupa de regular y gestionar los sucesos y las emociones». La preocupación excesiva, el abatimiento, la ansiedad o la hiperexcitación se regulan en el cerebro: «Lo mejor será volver a la normalidad cuanto antes». Carlos Mateo nos explicaba que, efectivamente, «el cerebro desde luego tiene mecanismos muy potentes y muy sofisticados desarrollados a lo largo de toda la Historia de la Humanidad. Ello nos permite protegernos en estados de desequilibrio positivo o negativo. Ese sistema de protección emocional sólo procura que nos encontremos razonablemente bien. Desde luego, el cerebro no busca la felicidad, prefiere la tranquilidad y el sosiego».

Los psicólogos intentan enseñar a las personas a controlar el sistema nervioso autónomo. Tan perjudiciales son las crisis de ansiedad y depresivas como los estados de euforia incontrolada. Los especialistas muestran cómo se puede acceder a estados emocionales diferentes y el sistema nervioso autónomo puede aprender a situarse en un plano medio.

En esta odisea humana en busca de la felicidad, por tanto, parece imprescindible aprender a detectar dónde están esos lugares de paz y sosiego. Por ejemplo, deberíamos aprender a centrar nuestra atención en las pequeñas cosas gratificantes de la vida cotidiana, como señaló el psicólogo clínico Carlos Mateo en el plató de *Redes*. «Beber un vaso de agua o ver el cielo azul también pueden ser acciones que proporcionen felicidad. Si somos capaces de ver la botella medio llena, en vez de medio vacía, si somos capaces de focalizar nuestra atención en todo lo gratificante que nos sucede, nuestros estados emocionales tenderán a ser más felices».

Tal vez podríamos focalizar mejor esos aspectos de nuestra vida si no trabajáramos tanto...

«No. En absoluto. Ése es uno de los grandes errores», nos aseguró la doctora María Jesús Álava. Muchas personas acuden a la consulta del psicólogo con una crisis depresiva importante y lo primero que comentan es que «están de baja». ¿De baja? Si una persona tiene una crisis depresiva, ello se debe en buena parte a que todos sus pensamientos y todo su estado emocional están concentrados en los elementos negativos de su vida. Si no trabaja, si no se ocupa en otros asuntos, nos decía la doctora Álava, constantemente estará dando vueltas a lo mismo y entrará en una espiral de la que será muy difícil salir. El trabajo y las ocupaciones permiten cortar ese desarrollo depresivo y, además, los psicólogos podrán «reprogramar» su cerebro para que comience a visualizar lo positivo. «Se puede enseñar a las personas a ser positivas o negativas, optimistas o pesimistas. Se puede enseñar. Hay gente que piensa que una persona es negativa porque ha nacido así. Y puede ser, pero se le puede enseñar a ver las cosas de otro modo».

La felicidad no es cosa de la sociedad, como advertía el profesor Gilbert. Es una aspiración y un deseo individual. Convénzase, querido lector: a la sociedad le importa un cuerno su felicidad. A la sociedad le interesa que usted consuma y le interesa, además, que piense que el consumo le puede hacer feliz. María Jesús Álava nos decía en *Redes* que esta afirmación se acerca bastante a la verdad y que, además, «la sociedad occidental, configurada tal y como la conocemos, no permite que las personas sean felices con las pequeñas cosas de la vida diaria».

La tendencia personal a disfrutar de la familia, de la casa, de los amigos y de los pequeños placeres incomoda a la sociedad en su conjunto, porque sus objetivos son globales, no individuales, y no tienen nada que ver con la felicidad personal. «Es muy difícil ser feliz cuando no se tiene tiempo para desarrollar tu vida personal», nos decía la doctora Álava. Ahora bien, «desarrollar tu vida personal» contraponiéndola a la del trabajo no conduce tampoco a la felicidad si las dos están igualmente vacías de compromiso y de concentración de esfuerzos. Se ha comprobado que no hay persona más infeliz que la que se aburre el fin de semana porque no sabe qué hacer. Lo sugerido anteriormente puede resumirse así: los detalles —y no sólo el concepto global del trabajo o la profesión— son importantes. Pero los dos requieren la misma intensidad vocacional y compromiso personal para dar paso a la felicidad.

PEQUEÑOS PLACERES

«Sólo la ciencia es capaz de procurar la buena fortuna y el bienestar», decía Sócrates. Y sus palabras eran el reflejo de una creencia compartida por la mayoría de los pensadores de la Antigüedad clásica. La felicidad es el bien supremo y el camino hacia ella pasa por el conocimiento de lo que es bueno.

La felicidad es un bien común y único, y los humanos tenemos la capacidad de buscarlo. Pero también hay excepciones: los escépticos, por ejemplo, proponen liberarnos de la ilusión de saber qué es lo que nos hace infelices.

Aristóteles fundó una nueva disciplina: la ética. La ética estudia cuál es la mejor manera de comportarse para disfrutar de una vida feliz. Así pues, la felicidad aristotélica es acción: es la práctica de virtudes como la sobriedad, la generosidad o la sinceridad.

Para Platón, en cambio, la felicidad era un estado contemplativo del alma. A lo largo de los siglos, esta idea ha gozado de mucha fortuna y puede encontrarse también en el pensamiento cristiano, entre otros. Así, la idea de bien supremo y único adquiere el rostro y el nombre de Dios y la auténtica felicidad se convierte en un estado interior que consiste básicamente en la unión del alma con el Ser Supremo.

El pensamiento de la Edad Moderna, en general, es más pesimista. La antigua confianza en una posible felicidad se debilita. Kant, por ejemplo, en el siglo XVIII, no lo cree posible y ni siquiera considera la felicidad el bien supremo.

El Siglo de las Luces aporta otra diferencia notable: en la mayoría de pensadores modernos la búsqueda de la felicidad ya no es una cuestión personal, sino colectiva. Y si la sociedad impide las aspiraciones humanas, será necesario transformarla.

La corriente de pensamiento que más ha insistido en sintonizar la felicidad individual con la comunitaria es el utilitarismo que nació en el siglo XVI, pero que todavía hoy permanece vivo y activo. Se basa en una especie de aritmética de la felicidad y consiste en actuar de tal forma que se genere la mayor felicidad posible para el mayor número de personas posible. Y para lograr este objetivo, es necesario que las leyes lo faciliten.

Evidentemente las reflexiones sobre la felicidad a lo largo de la historia del pensamiento humano son muchas más de las que caben aquí. Pero hay algo común a todas ellas: la idea de que la felicidad no es de este mundo y de que las emociones deben ser controladas o aparcadas. Sólo desde hace muy pocos años se ha aceptado la necesidad de penetrar en el conocimiento de las emociones básicas y universales como única manera de gestionarlas mejor que hace treinta mil años.

Y ése ha sido nuestro intento con este libro.

A lo largo de más de trescientas páginas hemos recorrido juntos este camino, apoyados en los conocimientos de los grandes especialistas de la neurociencia, de la psicología y del comportamiento humanos. En breves instantes, querido lector, cerrará este libro. No olvide que la felicidad, *su* felicidad, no es más que una emoción y, por tanto, un estado transitorio. La felicidad es básicamente la ausencia de miedo, como la belleza es la ausencia de dolor. Encontramos la felicidad en el camino que recorremos mientras la buscamos, en cada paso que nos aproxima hacia ella y no tanto al alcanzar el destino. En el aprovechamiento de cada instante de felicidad que los avatares de nuestra existencia nos permitan. Así pues, observe con perspectiva y cierta distancia los grandes acontecimientos y no olvide disfrutar de las pequeñas cosas.

Bibliografía básica

ÁLAVA REYES, María Jesús: *La inutilidad del sufrimiento: claves para aprender a vivir de manera positiva*. La Esfera de los Libros, Madrid, 2004.

—: *Emociones que hieren: de las tensiones inútiles a las relaciones inteligentes*. La Esfera de los Libros, Madrid, 2005.

ALONSO MONREAL, Carlos: *¿Qué es la creatividad?* Biblioteca Nueva, Madrid, 2001.

BERTRANPETIT, Jaume: *Viaje a los orígenes: una historia biológica de la especie humana*. Península, Barcelona, 2000.

BORRÁS, Lluís: *Asesinos en serie españoles*. Bosch, Barcelona, 2002.

BROOKS, Rodney A.: *Cuerpos y máquinas: de los robots humanos a los hombres robot*. Ediciones B, Barcelona, 2003.

BUJOSA, Francesc: *Filosofía e historiografía médica en España*. CSIC, Madrid, 1989.

BULBENA, Antonio *et al.*: *Depresión y ansiedad asociada*. Ed. Mayo, Barcelona, 2002.

COCCARO, Emil F.: *Aggression. Psychiatric Assessment and Treatment*. Marcel Dekker, Nueva York, 2003.

DAMASIO, Antonio: *En busca de Spinoza: neurobiología de la emoción y de los sentimientos*. Crítica, Barcelona, 2005.

—: *El error de Descartes. La emoción, la razón y el cerebro humano*. Crítica, Barcelona, 2006.

—: *La sensación de lo que ocurre*. Debate, Barcelona, 2001.

GARRIDO, Vicente: *Delincuencia y sociedad*. Mezquita, Madrid, 1984.

—: *Pedagogía de la delincuencia juvenil.* CEAC, Barcelona, 1990.

—: *El psicópata: un camaleón en la sociedad actual.* Algar, Madrid, 2000.

—: *Cara a cara con el psicópata.* Ariel, Barcelona, 2004.

GILBERT, Daniel: *Stumbling on Happiness.* Knopf, Nueva York, 2006.

GLADWELL, Malcolm: *Inteligencia intuitiva: ¿por qué sabemos la verdad en dos segundos?* Taurus, Madrid, 2005.

GOLDBERG, Elkhonen: *The Executive Brain: Frontal Lobes and the Civilized Mind.* Oxford University Press, Nueva York, 2001.

HARE, Robert: *La psicopatía: teoría e investigación.* Herder, Barcelona, 1984.

—: *Sin conciencia: el inquietante mundo de los psicópatas que nos rodean.* Paidós, Barcelona, 2003.

HAWKINS, Jeff: *Sobre la inteligencia.* Espasa-Calpe, Madrid, 2005.

HOLLOWAY, Ralph L.: *The Primate Fossil Record.* Cambridge University Press, 2002.

JERISON, Harry J.: «The Evolution of Intelligence», en *Handbook of Intelligence* (Robert Sternberg, ed.). Cambridge University Press, 2000.

KRAMER, Peter D.: *Contra la depresión.* Seix Barral, Barcelona, 2006.

MARCHESI, Álvaro: *¿Qué será de nosotros, los malos alumnos?* Alianza, Madrid, 2004.

—: *Controversias en la educación española.* Alianza, Madrid, 2005.

MARINA, José Antonio: *Teoría de la inteligencia creadora.* Anagrama, Barcelona, 1998.

—: *El laberinto sentimental.* Anagrama, Barcelona, 2000.

—: *La inteligencia fracasada: teoría y práctica de la estupidez.* Anagrama, Barcelona, 2004.

MILGRAM, Stanley: *Obediencia a la autoridad.* Desclée de Brouwer, Bilbao, 2006.

MORGADO, Ignasi: *Psicobiología: de los genes a la cognición y el comportamiento.* Ariel, Barcelona, 2005.

PASCUAL-LEONE, Álvaro (ed.): *Handbook of Transcranial Magnetic Stimulation.* Arnold Publishers, Londres. 2002.

PAULOS, John Allen: *El hombre anumérico*. Tusquets, Barcelona, 1990.

—: *Un matemático lee el periódico*. Tusquets, Barcelona, 2001.

—: *Un matemático invierte en Bolsa*. Tusquets, Barcelona, 2004.

PINCUS, Jonathan: *Instintos básicos: ¿por qué matan los asesinos?* Oberon, Madrid, 2003.

PINKER, Steven: *El instinto del lenguaje: cómo crea el lenguaje la mente*. Alianza, Madrid, 1996.

—: *Cómo funciona la mente*. Destino, Barcelona, 2004.

—: *La tabla rasa: la negación moderna de la naturaleza humana*. Paidós, Barcelona, 2003.

—: *La tabla rasa: el buen salvaje y el fantasma en la máquina*. Paidós, Barcelona, 2005.

PUNSET, Eduardo: *Manual para sobrevivir en el siglo XXI*. Galaxia Gutenberg, Barcelona, 2000.

—: *Cara a cara con la vida, la mente y el Universo: conversaciones con los grandes científicos de nuestro tiempo*. Destino, Barcelona, 2004.

—: *Adaptarse a la marea. La selección natural en los negocios.* Espasa-Calpe, Madrid, 2004.

—: *El viaje a la felicidad: las nuevas claves científicas*. Destino, Barcelona, 2005.

RAINE, Adrian, y SANMARTÍN, José: *Violencia y psicopatía*. Ariel, Barcelona, 2002.

RIZZOLATTI, Giacomo, y HAUSER, Marc (eds.): *From Monkey Brain to Human Brain*. MIT Press, Cambridge, 2005.

SACKS, Oliver: *El hombre que confundió a su mujer con un sombrero*. El Aleph, Barcelona, 1987.

—: *Despertares*. El Aleph, Barcelona. 1988.

SANMARTÍN, José: *La violencia y sus claves*. Ariel, Barcelona, 2001.

—: *La mente de los violentos*. Ariel, Barcelona, 2002.

SAMPEDRO PLEITE, Javier: *Reconstruyendo a Darwin*. Crítica, Barcelona, 2004.

—: *¿Con qué sueñan las moscas?* Aguilar, Madrid, 2004.

SAPOLSKY, Robert: *¿Por qué las cebras no tienen úlcera? La guía del estrés*. Alianza, Madrid, 1995.

—: *Memorias de un primate*. Mondadori, Barcelona, 2001.

STERNBERG, Robert: *¿Por qué la gente inteligente puede ser tan estúpida?* Crítica, Barcelona, 2003.

—: *¿Qué es la inteligencia?* Pirámide, Madrid, 2004.

TALEB, Nassim N.: *¿Existe la suerte? Engañados por el azar.* Paraninfo, Madrid, 2006.

TAYLOR, Kathleen: *Brainwashing: The Science of Thought Control.* Oxford University Press, 2004.

TOBIAS, Philip V.: *Into the Past.* Wits University Press, Johannesburg, 2005.

ZIMMER, Carl: *Evolution: The Triumph of an Idea.* Harper, Nueva York, 2002.

—: *Soul Made Flesh: The Discovery of the Brain and How It Changed the World.* Free Press, Nueva York, 2004.

Aguilar es un sello del Grupo Santillana
www.aguilar.es

Argentina
Av. Leandro N. Alem, 720
C1001AAP Buenos Aires
Tel. (54 114) 119 50 00
Fax (54 114) 912 74 40

Bolivia
Avda. Arce, 2333
La Paz
Tel. (591 2) 44 11 22
Fax (591 2) 44 22 08

Colombia
Calle 80, n° 10-23
Bogotá
Tel. (57 1) 635 12 00
Fax (57 1) 236 93 82

Costa Rica
La Uruca
Del Edificio de Aviación Civil
200 m al Oeste
San José de Costa Rica
Tel. (506) 220 42 42
Fax (506) 220 13 20

Chile
Dr. Aníbal Ariztía, 1444
Providencia
Santiago de Chile
Tel. (56 2) 384 30 00
Fax (56 2) 384 30 60

Ecuador
Avda. Eloy Alfaro, N33-347
y Avda. 6 de Diciembre
Quito
Tel. (593 2) 244 66 56
y 244 21 54
Fax (593 2) 244 87 91

El Salvador
Siemens, 51
Zona Industrial Santa Elena
Antiguo Cuscatlan -
La Libertad
Tel. (503) 2 289 89 20
Fax (503) 2 278 60 66

España
Torrelaguna, 60
28043 Madrid
Tel. (34) 91 744 90 60
Fax (34) 91 744 92 24

Estados Unidos
2105 NW 86th Avenue
Doral, FL 33122
Tel. (1 305) 591 95 22
y 591 22 32
Fax (1 305) 591 91 45

Guatemala
7ª avenida, 11-11
Zona n° 9
Guatemala CA
Tel. (502) 24 29 43 00
Fax (502) 24 29 43 43

Honduras
Colonia Tepeyac Contigua a
Banco Cuscatlan
Boulevard Juan Pablo, frente
al Templo Adventista 7° Día,
Casa 1626
Tegucigalpa
Tel. (504) 239 98 84

México
Avda. Universidad, 767
Colonia del Valle
03100 México DF
Tel. (52 5) 554 20 75 30
Fax (52 5) 556 01 10 67

Panamá
Avda Juan Pablo II, n° 15.
Apartado Postal 863199,
zona 7
Urbanización Industrial
La Locería
Ciudad de Panamá
Tel. (507) 260 09 45
Fax (507) 260 13 97

Paraguay
Avda. Venezuela, 276
Entre Mariscal López
y España
Asunción
Tel. y fax (595 21) 213 294
y 214 983

Perú
Avda. Primavera, 2160
Santiago de Surco
Lima, 33
Tel. (51 1) 313 40 00
Fax (51 1) 313 40 01

Puerto Rico
Avenida Rooselvelt, 1506
Guaynabo 00968
Puerto Rico
Tel. (1 787) 781 98 00
Fax (1 787) 782 61 49

República Dominicana
Juan Sánchez Ramírez, n° 9
Gazcue
Santo Domingo RD
Tel. (1809) 682 13 82
y 221 08 70
Fax (1809) 689 10 22

Uruguay
Constitución, 1889
11800 Montevideo
Tel. (598 2) 402 73 42
y 402 72 71
Fax (598 2) 401 51 86

Venezuela
Avda. Rómulo Gallegos
Edificio Zulia, 1°. Sector
Monte Cristo. Bolcita Norte
Caracas
Tel. (58 212) 235 30 33
Fax (58 212) 239 10 51